# TÚNELES 5
## ESPIRAL

Roderick Gordon

# Túneles 5
## ESPIRAL

Traducción de Antonio-Prometeo Moya

**PUCK**

Argentina – Chile – Colombia – España
Estados Unidos – México – Perú – Uruguay – Venezuela

· Nube de tags ·
**Juvenil** **Fantasía**

Título original: *Spiral*
Editor original: Chicken House
Traducción: Antonio-Prometeo Moya

Original English language edition first published in 2011
under the title *Spiral* by The Chicken House,
2 Palmer Street, Frome, Somerset, BA11 1DS
United Kingdom

ISBN: 978-84-96886-30-8
E-ISBN: 978-84-9944-508-3
Depósito Legal: B-1668-2013

Fotocomposición: Montserrat Gómez Lao
Impreso por Rodesa S.A. – Polígono Industrial San Miguel
Parcelas E7-E8 – 31132 Villatuerta (Navarra)

Impreso en España – *Printed in Spain*

# Nota del editor inglés

Sí, ésta es realmente terrorífica. Cuando recibí el manuscrito, no estaba seguro de que los seguidores de Túneles estuvieran preparados para conocer el espeluznante secreto de los styx. Pero cuando vi que Rod se echaba a reír como un demente, supe que había querido escribir la entrega más emocionante de una serie ya de por sí asombrosa. Lo único que digo a los lectores es que tengan cuidado, nada más.

Barry Cunningham, editor
The Chicken House

*The freezing fog in mid-November*
*Downhill all the way, downhill all the way*
*How I wish the roads were straighter*
*Let's panic later, let's panic later*

[La fría niebla de mediados de noviembre
siempre colina abajo, siempre colina abajo
cuánto me gustaría que los caminos fuesen más rectos
ya tendremos miedo después, ya tendremos miedo después]

«Let's panic later», del álbum *154* de Wire, 1979

Llega un momento en el que ya no llega ningún momento.

*Libro de la proliferación*, siglo xv
traducido del original rumano

# PRIMERA PARTE

## La Fase

# 1

*Buuum.*

Aparte del ruido y del miedo a sufrir daños personales, lo más terrorífico de una explosión es la fracción de segundo en la que el mundo se rompe. Es como si el tejido del tiempo y el espacio se abriera por la mitad y cayeras por la grieta sin saber lo que te espera al otro lado.

Cuando el coronel Bismarck recuperó el conocimiento, estaba tendido en el suelo de mármol. Durante un momento fue incapaz de moverse, como si su propio cuerpo se lo prohibiera. Como si su propio cuerpo supiese mejor que él lo que tenía que hacer.

Aunque reinaba un silencio absoluto, al coronel ni siquiera le extrañó. No tuvo sensación de alarma ni de urgencia. Levantó la mirada hacia el techo destrozado en el que los blancos pedazos de yeso se balanceaban suavemente. Su movimiento lo cautivó, adelante y atrás, adelante y atrás, como si estuvieran a merced de la brisa. Aún lo hechizó más el espectáculo cuando uno de los trozos se desprendió, cayendo a cámara lenta hacia el suelo que lo rodeaba.

Comenzó a recuperar la audición.

Distinguió un repiqueteo que le recordó a un pájaro carpintero.

—*Vater* —dijo, recordando las excursiones de caza que había hecho con su padre en las selvas de Nueva Germania. A veces duraban hasta una semana; dormían en una tienda de campaña y cobraban juntos las piezas. Era un recuerdo reconfortante. Caído en medio de los escombros, el coronel suspiró como si no tuviera ninguna preocupación en el mundo. Volvió a oír el repiqueteo, aún en la lejanía. No lo asoció con disparos de armas automáticas.

Entonces otra explosión sacudió el edificio Royal Mint. El coronel cerró los ojos ante el repentino fogonazo, cuyo fulgor era tan brillante como el sol de su mundo en el centro de la Tierra. La onda expansiva le pasó brutalmente por encima, robándole el aire de los pulmones.

—*Was ist...?* —balbuceó el coronel, todavía en el suelo, mientras el cristal pulverizado cruzaba la habitación como granizo y se estrellaba tintineando a su alrededor, sobre el mármol pulido.

Fue entonces cuando se dio cuenta de que algo andaba mal. Todo empezó a llenarse de un humo negro y asfixiante, incluso su cerebro parecía lleno de aquel humo.

—*Wie komme ich hierher?* —se preguntó, esforzándose por comprender.

No tenía ni idea de cómo había llegado allí. El último recuerdo con claridad suficiente para fiarse de él consistía en haber caído en una emboscada en Nueva Germania. Recordaba haber sido capturado por los styx, pero después de aquello (lo cual le parecía extraño) sólo recordaba una luz morada. No, luces moradas, muchas luces, brillando con tanta intensidad que incluso le nublaban la memoria.

Se acordaba vagamente del largo viaje a la corteza exterior, y luego de poco más, hasta que se vio en un camión con un pelotón de soldados suyos, soldados neogermanos. Los habían llevado a un edificio grande, una fábrica. Y en relación con aquella fábrica, y todavía en el primer término de sus recuerdos, había algo, algo que había necesitado hacer. Una misión de importancia tan vital que posponía todas las demás consideraciones, incluso su propia supervivencia. Pero en aquel preciso momento era incapaz de decir en qué consistía aquella misión. Y no pudo dedicar más tiempo a pensar en ello porque una ráfaga de metralleta que sonó muy cerca lo impulsó a entrar en acción. Se incorporó hasta quedar sentado, contrayendo los músculos de la cara para contrarrestar el agudo dolor de cabeza que sentía en el punto en que había chocado contra el suelo. Tosiendo y jadeando a causa del acre humo que le entró en la garganta, supo que su prioridad era ponerse a cubierto.

Se arrastró hasta una puerta donde el humo era menos denso y comprobó que comunicaba con un despacho de techos altos y con un escritorio en cuya superficie había un jarrón con flores. Cruzó el umbral, cerró la puerta de una patada y se apoyó en ella mientras se hacía un repaso físico. Tenía el pelo apelmazado con la sangre de una herida de la nuca, pero no sabía si era grave o no; la piel que la rodeaba estaba entumecida y sabía por experiencia que las heridas en la cabeza siempre sangraban profusamente. Se pasó las manos por el resto del cuerpo y no encontró más heridas. No vestía uniforme, sino una chaqueta y ropas de paisano que no reconoció. Pero al menos llevaba puesto el cinturón militar, y la pistola seguía en su funda. La sacó, sopesándola en la mano. Era algo que conocía. Esperó, atento a los ruidos del otro lado de la puerta.

No tuvo que esperar mucho tiempo. Momentos después oyó voces inglesas y un crujir de botas que pisaban los escombros del pasillo en el que había estado. Alguien abrió la puerta cargando contra ella con el hombro e irrumpió de golpe. El hombre iba vestido de negro, con la palabra POLICÍA estampada en el pecho. Llevaba máscara antigás y casco, y además empuñaba un arma automática que el coronel no había visto nunca.

El coronel pilló por sorpresa al policía y le rodeó el cuello con el brazo, dejándolo inconsciente. Mientras la radio del hombre zumbaba, el coronel le quitó rápidamente el uniforme y se lo puso. Al acoplarse la máscara antigás se dio cuenta de que seguía sangrando de la herida de la cabeza, pero ahora no podía ocuparse de eso. Inspeccionó el fusil de asalto y comprobó que era bastante sencillo. Luego salió de la habitación y dio un par de pasos en medio del humo, dándose de bruces con otro policía vestido con el mismo equipo de asalto. Cuando sus miradas se encontraron a través del cristal de las máscaras, el otro le hizo una seña con la mano, pero el coronel no sabía cómo tenía que responder. En los ojos del otro hombre se dibujó un interrogante. Pensando que había descubierto su disfraz, el coronel comenzó a levantar el fusil de asalto H&K.

Lo salvó otra explosión que sacudió el pasillo y lo arrojó al suelo. Medio aturdido, el coronel se levantó como pudo y corrió dando bandazos hacia la entrada principal, donde las puertas colgaban precariamente de las rotas bisagras. Al dar un traspié estuvo a punto de perder el equilibrio y salió tambaleándose a la acera que rodeaba el edificio.

Se detuvo en seco.

Ante sí tenía un cordón de hombres armados... demasiados para reducirlos a todos. Estaban parapetados detrás de vehículos reventados y de escudos antidisturbios, con los puntos rojos de las miras láser fijos en él.

No estaba preparado para lo que ocurrió a continuación. Con la cabeza dándole vueltas y los sentidos embotados, no supo reaccionar cuando le arrancaron el fusil de las manos. Dos agentes lo levantaron por los aires y se lo llevaron en volandas en un abrir y cerrar de ojos.

—Todo va bien, compañero, no te preocupes. Te vamos a ayudar —le dijo con simpatía el hombre que tenía a la izquierda. El otro policía dijo algo, pero el coronel no lo entendió. Los escoltas le quitaron el casco y la máscara antigás.

—No eres de los nuestros —comentó el policía al ver la cara ensangrentada del coronel.

—Debe de ser del Equipo E, un campesino —añadió el otro. Pero el coronel no escuchaba. A menos de siete metros había un cadáver tirado en la calzada, rodeado por varios policías que reían y bromeaban mientras uno lo golpeaba con la puntera del zapato. El coronel reconoció al muerto de inmediato. Era un neogermano de su propio regimiento. Conocía bien al soldado, y a su mujer... habían tenido una hija hacía poco. El coronel trató de librarse de los dos policías que lo sujetaban, pero lo tomaron por un ataque de furia.

—Tranquilo. En menos de una hora tendremos a los demás en bolsas de plástico y etiquetados —prometió el más alto de los dos policías dando un gruñido—. Sean quienes sean esos bastardos, ya hemos cogido a cuatro.

Mientras el coronel seguía intentando liberarse, el otro policía habló con voz entrecortada, como si estuviera a punto de explotar de cólera:

—Tómatelo con calma, compañero. Deja que nosotros terminemos el trabajo.

El coronel gruñó un «sí» al darse cuenta de que tenía que seguirles la corriente si no quería que lo tomaran por uno de los responsables. Dejó que los dos policías lo ayudaran a llegar al extremo de Threadneedle Street y a una travesía en la que había ambulancias.

—Ocúpese de él, ¿quiere? Le ha pillado la última explosión —ordenó a un enfermero uno de los policías. Lo dejaron allí y volvieron a toda prisa al Banco de Inglaterra.

Dentro de la ambulancia, el enfermero comenzó a reconocer al coronel.

—Bonito bigote —le dijo. Por la forma en que le temblaban las manos, estaba claro que el enfermero no había visto nunca una acción como aquella. Limpió la herida de la cabeza del coronel y estaba ultimando el vendaje de urgencia cuando se oyeron gritos en el extremo de la calle. Llegaban camillas con más heridos. El enfermero fue en su ayuda, dando al coronel la oportunidad que había estado buscando. Aunque todavía estaba algo mareado, bajó por la parte de atrás de la ambulancia y se alejó.

Con tanto personal de uniforme en la zona (policías y personal militar) nadie reparó en el coronel. Avanzando en todo momento por calles laterales, no se detuvo hasta que se fijó en la entrada trasera de uno de los grandes edificios de oficinas. Las puertas estaban abiertas y pudo ver dentro una rampa que conducía a un aparcamiento subterráneo. Se dirigió allí y fue probando coches en busca de uno que no estuviera cerrado con llave. Entonces apareció un hombre vestido con traje de rayas. El hombre se dirigió en línea recta a un todoterreno de gran tamaño; en el momento en que dejaba dos maletas en el interior, el coronel lo dejó sin sentido de un golpe. Se quitó la guerrera de policía, se puso la chaqueta del hombre, subió al coche y cerró la puerta.

Aunque hasta entonces sólo había conducido coches con el volante a la izquierda, no tuvo problemas para subir la rampa y recorrer las calles. Mientras se unía a una hilera de coches que esperaban para salir de los disturbios de la City, rebuscó en los bolsillos de la chaqueta. Encontró una cartera, sacó las tarjetas de crédito, las desplegó en el asiento del copiloto y las inspeccionó. Acto seguido sacó un carné de conducir en el que constaba la que sin duda sería la dirección del hombre y se puso a mirar los rótulos y nombres de las calles que tenía al alcance de los ojos. No sabía cómo iba a encontrar la casa del hombre, pero podía tomarse su tiempo dado que no lo acechaba ningún peligro inminente.

Pulsó un botón de la consola que tenía al lado del asiento y en una pequeña pantalla del salpicadero apareció el emblema azul y blanco de la casa BMW. Sonrió. Unos cuantos clicks más y estaría orientándose con el sistema GPS. Tecleó la clave que había en el reverso del carné de conducir. Cuando una autoritaria voz femenina comenzó a recitar direcciones, el coronel asintió con la cabeza, permitiéndose esbozar una sonrisa aún más amplia.

—*Bayerische Motoren Weke* —murmuró, acariciando con deleite la lujosa piel que forraba el volante—. *Ausgezeichnet.*

—El coronel conocía bien aquella marca porque su padre había pilotado aviones fabricados por la empresa durante la Gran Guerra.

Algunos aspectos de este mundo exterior que el coronel veía por primera vez le resultaban tan familiares que podía casi fingir que se encontraba todavía en Nueva Germania. Pero había otros aspectos a los que le costaría acostumbrarse. Por ejemplo, la gravedad era tan fuerte que cada movimiento suponía un esfuerzo, como si tuviera los miembros de plomo.

Y el sol...

Miró a través del oscurecido parabrisas, fascinado por el ardiente globo que colgaba del cielo, más pequeño y débil que el que había conocido toda su vida, siempre encendido y omnipresente. Ni siquiera en aquel instante lo tenía directamente encima y para él era toda una novedad que se ocultara tras el horizonte, originando así la noche, la *oscuridad.*

Y la gente que circulaba por las calles. Gente de todas las razas. Miró a un anciano de raza negra que tropezó y cayó al suelo. Una mujer blanca se acercó inmediatamente para ayudarlo.

Nueva Germania había sido unirracial, no por libre elección, sino a causa de sus orígenes, y el coronel Bismarck conocía demasiado bien las atrocidades que se habían cometido en Alemania durante la guerra. Mientras observaba el heterogéneo río de personas que salían de la City, sonrió. Realmente se encontraba en una civilización progresista. *Continúe trescientos metros hacia la rotonda de Old Street, luego doble por la segunda salida*, recitó mecánicamente el GPS. Aunque los styx lo hubieran arrancado de su patria y arrojado a aquel mundo nuevo y extraño, no pensaba tirar la toalla. Era un hombre de recursos, un superviviente.

Y además tenía una cuenta pendiente.

# 2

—¡Maldita sea! —murmuró una voz en la pegajosa oscuridad de la cabaña de la finca de Parry. Si hubiera habido alguien allí para ver la rapidez con que el hombre se acercó a la ventana surcada de telarañas, no habría dado crédito a sus ojos. Cuando apartó la andrajosa cortina, la luz que se filtraba entre la lluvia cayó sobre su rostro: era el rostro de un sesentón.

Pero no era un rostro normal; su piel estaba ligeramente levantada, formando círculos concéntricos alrededor de los ojos. Y había una red de arrugas en su frente que le llegaba a las sienes y debajo de las orejas. Era como si unos gusanos se hubieran arrastrado por su carne y dejado huellas a su paso.

—¿Quién centellas anda ahí? —preguntó el hombre, haciendo una mueca mientras se apretaba con fuerza las orejeras de la gorra. El movimiento despertó crujidos en el forro metálico de la prenda. Repitiendo la pregunta, se apartó lentamente de la ventana.

—¡Detente! —exclamó Chester mientras Will corría a toda velocidad hacia la cancilla que había en el camino que tenían delante.

Will consultó su reloj digital, sin darse cuenta de la molestia que el inocuo aparato electrónico le estaba causando al hombre de la oscuridad.

—¿Por qué? Sólo llevamos corriendo unos treinta minutos —dijo a Chester. En aquel momento vio a través de los árboles el techo cubierto de musgo de la cabaña, pero no le dijo nada a su amigo.

—¿Media hora? —comentó Chester con un bufido, parpadeando al caerle el sudor sobre los ojos.

—Pues sí. ¿Por qué no comprobamos adónde conduce esto? —preguntó Will, mirando la senda—. ¿O es que ya has tenido bastante? Podemos dejarlo para otro día y volver a casa —sugirió.

—Ni hablar. Conmigo no cuentes —respondió Chester medio indignado. Señaló el rótulo de la puerta—. Ahí pone PELIGRO - NO PASAR.

—¿Peligro? ¿Cuándo nos ha detenido algo así? —inquirió Will, saltando la cancilla. Chester lo siguió a regañadientes.

—Estoy recuperando el aliento —mintió.

Ganando velocidad mientras arreciaba la lluvia, Will lo desafió:

—Muy bien, pues corre hacia ese bosque.

Chester se esforzó por alcanzar a su amigo bajo el aguacero.

—Creía que esto era una carrera —gruñó.

Drake había estado fuera cerca de un mes y, en su ausencia, Parry había ejercitado a los muchachos, haciéndolos correr y enseñándoles a utilizar las pesas en su anticuado gimnasio del sótano. Las ideas de Parry sobre el entrenamiento físico se remontaban a los años que había pasado en el ejército, de modo que los adiestraba con dureza, pero los muchachos no se quejaban porque no se habrían atrevido a llevar la contraria al viejo, y porque así mataban el tiempo mientras se escondían de los styx.

Resbalando en el barro, siguieron por el camino hasta que Chester dijo jadeando:

—Tiempo muerto. Las condiciones metereológicas impiden seguir con el ejercicio.

Se refugiaron bajo un viejo olmo cuyas ramas los protegieron hasta cierto punto de la lluvia.

—Con esta pinta parecemos dos presidiarios que se han fugado. —Will se echó a reír al mirar los uniformes gris oscuro que Parry les había proporcionado.

—Tienes toda la razón —dijo Chester—. Y estas zapatillas de tenis parecen de la Edad de Piedra. —Dio una patada en el suelo para quitarse el barro de las pesadas zapatillas negras y levantó los ojos hacia las hojas de los árboles, que empezaban a adquirir los primeros síntomas del otoño—. Qué raro. Durante todo el tiempo que estuve bajo tierra, no tenía ni la menor idea de dónde estaba. Y ahora que vuelvo a encontrarme en la Superficie, sigo estando en la oscuridad.

—Bueno... —repuso Will—. Parece que por aquí llueve más de lo normal... quizá porque el viento llega saltando sobre los ríos, o surcando el mar. —Se limpió la humedad de la cara con la manga—. Sí, creo que estamos cerca de la costa. Podría ser Gales o Escocia.

Chester estaba impresionado.

—¿De veras? ¿Puedes asegurarlo?

—No —admitió Will, riendo de nuevo.

—Menudo cateto estás hecho —sentenció Chester.

—Quizá, pero un cateto más rápido que tú —respondió Will, echando a correr otra vez.

—Eso lo veremos —gritó Chester a sus espaldas. Iba pisándole los talones cuando tomaron una curva del embarrado camino y se dieron de manos a boca con un hombre que empuñaba una escopeta.

—Buenas tardes —saludó el hombre mientras Will se detenía bruscamente y Chester chocaba con él. El hombre llevaba la escopeta abierta y colgada del antebrazo, que es como hay que llevar una escopeta cuando no se utiliza, así que ninguno de los chicos se asustó. A sus ojos, el hombre parecía un anciano, con aquella piel quemada por el sol y el ralo cabello casi tan blanco como el de Will.

—Vosotros debéis de ser los invitados del comandante —señaló el hombre. Se refería al padre de Drake, y Will cayó en la cuenta de que el hombre debía de ser el Viejo Wilkie, el encargado de la finca.

Will asintió lentamente con la cabeza, no muy seguro de cómo había que responder.

—Y usted debe de ser... bueno... el señor Wilkie, ¿no?

—Ése soy, pero por favor llamadme Viejo Wilkie. Todo el mundo me llama así —sugirió el hombre—. Y ésta es mi nieta, Stephanie.

—Steph —lo corrigió una voz femenina y ante ellos apareció una chica. Tendría entre quince y dieciséis años, era pelirroja y tenía el cutis pálido y sembrado de pecas. Miró a los dos muchachos de arriba abajo con cierto desdén, pero no dijo nada más, afianzando en el brazo las matas de guisantes que llevaba, como si le resultaran más interesantes que ellos.

El Viejo Wilkie miraba a la chica con orgullo.

—Stephanie ha venido a pasar el fin de semana conmigo. Va a la escuela de Benenden, para que lo sepáis. El comandante es un auténtico caballero... siempre se hace cargo de los gastos de la escuela...

—¡Abuelo! —exclamó Stephanie con voz cortante, girando sobre sus delgadas piernas y alejándose a zancadas.

El Viejo Wilkie se inclinó hacia los muchachos con aire cómplice.

—Ahora es una adolescente que dice que la vida en el campo es aburrida, y sólo quiere estar en Londres, de tiendas y viendo a sus amigos. No siempre ha sido así... le encantaba estar aquí cuando era pequeña. En todo caso, según parece, Londres y el sur están tan revueltos que es mejor que ella esté aquí hasta que todo estalle...

Ya invisible para todos, Stephanie gritó:

—Abuelo, ¿vienes o qué?

El Viejo Wilkie se enderezó.

—¿Os vais a quedar mucho tiempo con el comandante, vosotros y el resto del grupo?

Will y Chester se miraron. Drake les había advertido concretamente que no dieran al hombre ninguna información sobre sí mismos.

—Aún no estamos seguros —respondió Will.

—Bien. Si de verdad queréis entrenaros, al estilo guerrillero, seguro que os interesará el Camino del Árbol —sugirió el Viejo Wilkie.

—¿Qué es eso? —preguntó Will.

—Empieza ahí —contestó el Viejo, señalando una escalera con armazón de metal que habían construido alrededor de un inmenso pino. Luego señaló con el dedo las ramas de arriba, donde los chicos pudieron ver algo entre los árboles.

—Es una ruta de asalto que construí para el regreso del comandante. El Décimo de Paracaidistas de Aldershot me copió la idea, pero la mía es mejor y más grande. La conservo en buen estado, aunque el comandante no la ha utilizado en años. —El Viejo Wilkie sonrió a los chicos—. Stephanie la recorre como el rayo. Deberíais desafiarla, a ver si sois capaces de vencerla.

—Suena divertido —opinó Will.

—Sí, deberíamos probar —dijo Chester, no muy convencido, mientras recorría con la mirada la pista de metal que zigzagueaba entre las copas de los árboles.

—Bien, caballeros, será mejor que me vaya. Espero que nos encontremos de nuevo —repuso el Viejo Wilkie, poniéndose a silbar mientras seguía los pasos de Stephanie.

—Ahí arriba no me sacarás ventaja —afirmó Chester, sonriendo—. A menos que Steph quiera una carrera. Es muy simpática, ¿verdad? —Frunció los labios mientras reflexionaba—. He de decir que no me fío mucho de las pelirrojas después de lo que me hizo Martha, pero estoy dispuesto a hacer una excepción.

Había puesto cara soñadora.

—¿Te gusta más que Elliott? —lo pinchó Will.

—Yo... bueno... —Chester, abochornado, se atascó.

Will miraba sorprendido a su amigo. No creía que fuera a tomarse en serio el comentario.

—Bueno, no es que veamos mucho a Elliott últimamente, ¿verdad? —añadió Chester con las mejillas rojas como un tomate—. Siempre está metida en su habitación, tomando baños interminables y haciéndose la manicura y todas esas tonterías propias de las chicas.

Will asintió con la cabeza.

—Me dijo que le dolía mucho la espalda... que los hombros no dejaban de dolerle.

—Pues quizá sea eso, que no se encuentra muy bien —aventuró Chester—. Pero ya no es como antes. Es como si se hubiera ablandado.

—Cierto —convino Will—. Desde que estamos aquí ha cambiado mucho. Estoy muy preocupado por ella.

Mientras la lluvia seguía cayendo y recorrían el último kilómetro y medio que había hasta su casa, se les unieron *Bartleby* y *Colly*, los dos corpulentos Cazadores.

—Tenemos escolta felina —comentó Chester, echándose a reír cuando los dos gatos los flanquearon. Con la cabeza erguida, los felinos trotaban con soltura dando largas zancadas, como si quisieran darles a entender que aquel ritmo no era nada para ellos. Por toda respuesta, Will y

Chester aceleraron el paso, pero los Cazadores hicieron lo mismo.

—Nunca los derrotaremos —dijo Will, ya sin resuello, cuando los cuatro llegaron a la casa. Subieron a toda prisa los escalones que conducían a la entrada principal y cruzaron la puerta del vestíbulo. Parry apareció en seguida.

—Fuera zapatos, chicos, eh... —les ordenó, viendo que ya habían dejado un rastro de barro en el suelo de mármol blanquinegro—. Y mirad a esos dos animales sarnosos. —Señaló a los gatos, que tenían el pellejo salpicado de barro—. Están merendándose a todos los urogallos de la finca. Pronto no quedará ni uno de esos benditos pájaros —añadió Parry con resentimiento. El curtido anciano, con las greñas despeinadas y la barba enmarañada, llevaba un delantal de cocina sobre sus pantalones de mezclilla y un manojo de papeles en la mano, un listado de algo—. Habéis estado fuera más de lo que esperaba —comentó, mirando el reloj de péndulo.

Los muchachos guardaron silencio, preguntándose si debían hablarle del encuentro con el Viejo Wilkie y su nieta. No dijeron nada y Parry volvió a tomar la palabra:

—Bueno, me alegra que os toméis en serio el entrenamiento. Espero que ahora os apetezca comer algo.

Tanto Will como Chester asintieron con vehemencia.

—Me lo imaginaba. He dejado algo de sopa en el hornillo y hay una rebanada de pan recién hecho para acompañarla. Siento que no haya más, pero de momento estoy bastante ocupado. Hay un asunto en marcha.

Parry abrió la puerta de su estudio y entró a toda prisa. Pero antes de que la puerta se cerrara, los chicos pudieron echar un vistazo al interior.

—¿Era tu padre el que estaba dentro? —preguntó Will. Antes de que se cerrara la puerta, los chicos habían visto al señor Rawls al lado de un armatoste que parecía una impresora muy antigua a juzgar por el ruido que hacía.

—Sí, yo también lo he visto. Creía que el estudio estaba prohibido para todos —respondió Chester. Se encogió de hombros y se agachó para desatarse las zapatillas—. Ahora que lo pienso, no he visto mucho a papá últimamente... ¿Es posible que haya estado ahí dentro todo este tiempo?

—¿Qué habrá querido decir Parry? ¿Crees que es otro truco de «ya sabes quién»? —preguntó Will.

Habían pasado varios meses desde el ataque al distrito financiero de la City de Londres y las explosiones del West End, y desde entonces parecía que los styx habían cesado en su ofensiva contra los Seres de la Superficie.

—Si pasara algo, lo dirían en las noticias. Sirvámonos la sopa y nos la tomaremos delante de la tele —sugirió Chester.

—Parece un buen plan —apostilló Will.

Debido a las precauciones de seguridad, había largas colas para entrar a ver la representación especial de *La Bohème* en el Palais Garnier, en el IX Distrito de París. Se había establecido un dispositivo de seguridad extraordinario porque el presidente francés y su señora iban a asistir aquella noche.

Mientras los gendarmes de la entrada registraban con escáneres de mano a todos los miembros del público antes de dejarlos pasar al vestíbulo, una mujer esperaba pacientemente en la cola.

—*Bonsoir, Madame* —saludó un gendarme cuando le llegó el turno. La mujer le dio su bolso para que lo inspeccionara.

—*Bonsoir* —respondió ella mientras otro policía le pasaba el escáner de la cabeza a los pies, por delante y por detrás.

—*Anglaise* —comentó el gendarme con indiferencia mientras comprobaba que la entrada fuera válida—. Espego que disfgute de la guepresentasión.

—Gracias —respondió Jenny, y el gendarme le indicó por señas que podía pasar.

Mientras buscaba su asiento, avanzaba como si se estuviera moviendo entre un humo espeso y no pudiera ver el suelo bajo sus pies. Finalmente encontró su sitio y se sentó en silencio, esperando que se levantara el telón.

La mujer, Jenny Grainger, había pasado sin problemas la prueba del escáner y las demás medidas de seguridad en Saint Pancras International antes de subir al Eurostar de París. Y tampoco hizo nada que despertara sospechas durante el resto del viaje, aunque tenía el rostro demacrado y ligeramente amarillento, y la mayor parte del tiempo parecía mirar al frente sin parpadear siquiera. Pero si alguien le hubiera prestado atención, lo más probable es que hubiera supuesto que estaba agotada.

Una vez en el Palais Garnier, mientras todo el mundo se ponía en pie al entrar el presidente francés y su atractiva esposa, Jenny se puso a juguetear con el bolso. Las luces se apagaron y se levantó el telón.

En la butaca de al lado, el vecino de Jenny se molestó porque Jenny seguía toqueteando su bolso y susurraba frenéticamente. Cuando el hombre la miró con más atención, vio que parecía tener algún problema. Se había puesto la mano en el abdomen y apretaba con fuerza. Como era médico, le pareció natural preguntarle si necesitaba ayuda. Pero cuando le habló, la joven no respondió y sus susurros subieron de volumen.

De repente, Jenny se puso en pie. Molestando a todos

los de la fila, se abrió camino a toda prisa hacia el pasillo central. Pero en lugar de doblar a la derecha, en dirección a la salida, soltó el bolso de mano y echó a correr hacia el escenario. Hacia el presidente francés.

No llegó a su lado, pero la explosión mató a casi veinte miembros del público.

Varios testigos declararon que un segundo después de soltar el bolso se produjo una fuerte explosión, acompañada de un relámpago de luz cegadora. Pero mientras unos pensaban que la joven había tropezado con la alfombra, otros juraban que la había interceptado un miembro del personal del presidente. Esto último no pudo comprobarse porque el hombre en cuestión había muerto en el acto. Fuera lo que fuese lo que la había detenido, Jenny no consiguió su objetivo y el presidente y la primera dama fueron sacados a toda prisa del teatro por sus agentes de seguridad.

Aunque según los archivos de la policía Jenny no tenía filiación terrorista conocida ni intereses políticos, aparte de haber sido miembro de las Juventudes Conservadoras, era innegable que había conseguido colar un artefacto dentro del teatro. Pero esto entraba en conflicto con todas las pruebas forenses y las grabaciones de las cámaras de seguridad, que señalaban algo extremadamente raro.

Al parecer, la explosión había brotado del cuerpo de la mujer, y el detallado trabajo analítico apoyaba esta hipótesis, porque gran parte de su masa corporal había desaparecido de la escena de la explosión.

Rápidamente se formuló la hipótesis de que a Jenny le habían quitado órganos internos para poner en su lugar un explosivo consistente en dos agentes químicos que, al mezclarse, se convertían en un arma potentísima.

Esta londinense, un ama de casa normal y corriente que de todas formas habría muerto al cabo de pocos días a causa de las horribles mutilaciones sufridas, había sido una bomba ambulante.

Mientras volvía a su casa después del trabajo, el hombre salió de la estación de metro y dobló a la derecha por Camden High Street. Con sus gafas y su pulcra apariencia, parecía observar con atención los dispares grupos de la zona. En el curso del último decenio, el mercado de Camden Lock se había convertido en un punto de encuentro habitual entre los adolescentes vestidos de negro que curioseaban en las tiendas de ropa y en los mercados fijos. Pero en medio de ellos, incluso a aquella hora de la tarde, había aún un puñado de turistas a la espera de aprovechar la última travesía en barco por Little Venice o para ver cómo funcionaban las esclusas del canal.

Con su sobrio traje, el hombre casi desentonaba entre las botas de brillantes colores, los cinturones de piel con grandes hebillas de latón, las calaveras risueñas y los cartuchos cruzados que se exponían en los escaparates.

Se detuvo repentinamente ante el puente que cruzaba el canal, luego se apartó del bordillo de la acera para dejar pasar una falange de turistas australianos. Sacó el teléfono móvil del bolsillo y pareció hablar por él, riendo entre dientes.

—¿A eso lo llamas disfraz? —dijo—. Eres demasiado viejo para vestirte de gótico.

A unos pasos de distancia, en un entrante sombreado entre dos edificios, Drake también reía.

—Es posible, pero deberías saber que ahora se llaman emos. En todo caso, sigo siendo un gran admirador de The Cure —repuso.

Drake se adentró más en las sombras, pegándose contra el muro victoriano de ladrillo. Iba embutido en una guerrera y unos pantalones del ejército que le quedaban grandes, y calzaba unas Doc Martens. Pero no era eso lo que el hombre había encontrado tan divertido; Drake se había afeitado completamente la cabeza y se había dejado bigote y perilla. Como colofón, se había puesto unas gafas de sol redondas con cristales de espejo.

—Supuse que te pondrías en contacto —dijo el hombre, recuperando la seriedad—. He seguido la pista de los tres especímenes de Dominion que depositamos...

—Pues han desaparecido de los bancos de organismos patógenos —le interrumpió Drake—. Y tampoco ha quedado el menor rastro de ellos en las bases de datos.

—¿Cómo dices? —preguntó el hombre—. ¿Cómo lo sabes? —Empezó a volverse hacia donde estaba Drake.

—¡No! —advirtió Drake—. Podrían estar mirando.

El hombre se volvió de nuevo hacia la calle, asintiendo con la cabeza, como si estuviera de acuerdo con la persona que se encontraba al otro lado de la conexión telefónica.

—Y por eso necesito urgentemente tu ayuda —continuó Drake—. Te necesito, Charlie, mi inmunólogo favorito, para que me prepares más vacuna contra el Dominion, luego ya se me ocurrirá alguna forma de distribuirla. Y también hay otra cosa a la que quiero que le eches un vistazo.

—¿Tu inmunólogo favorito? —repitió Charlie en son de burla—. Apuesto a que soy el único inmunólogo al que puedes llamar, y desde luego el único lo bastante estúpido para arriesgar la vida por ti. —Respiró hondo y preguntó—: ¿Y cómo vamos a hacerlo esta vez?

—Cuando llegues a casa, encontrarás un paquete escondido detrás de tu cubo de basura; he dejado unas muestras de sangre en él y también algunos virus que cogí de la Colonia. —Drake dejó de hablar cuando pasó una mujer por la acera, junto a Charlie, y luego continuó—:

Contiene una cepa muy peligrosa, mortal, así que ten cuidado al manejarla.

—Tratamos todos los agente patógenos como si fueran el de la Peste Negra —apuntó Charlie.

—Eso está asombrosamente cerca de la verdad —susurró Drake con voz sombría—. Bien, será mejor que no te quedes más tiempo por aquí. Pasaré por tu casa dentro de unos días.

—De acuerdo —dijo Charlie, apretando la tecla que supuestamente ponía punto final a la inexistente comunicación telefónica, antes de continuar su camino. Al poco rato apareció Drake, detrás de dos roqueros algo carrozas que arrastraban los pies calzados con zapatos de gamuza y ostentaban un abundante tupé teñido de un negro negrísimo inverosímil. Anduvo detrás de ellos hasta que se dirigieron a la boca de metro de Camden, junto a la que se detuvo de repente un reguero de furgonetas de la policía.

Los empleados del metro, que estaban echando a la gente a empujones, acabaron cerrando las puertas enrejadas de la entrada. Más de una docena de policías con el equipo antidisturbios al completo habían bajado de sus vehículos a toda prisa y se habían parado en seco, con aire de perplejidad, como si no supieran qué estaban haciendo allí. Uno daba golpecitos con la porra en el escudo cuando dijeron por megafonía que la estación de metro se había cerrado para poder investigar un paquete sospechoso.

Drake se mezcló entre la multitud reunida alrededor de la boca de la estación y escuchó los airados comentarios de los usuarios. Esta clase de sucesos se había convertido en algo cada vez más común en Londres después de la primera oleada de ataques de los styx o, para ser más precisos, de los neogermanos sometidos a la Luz Oscura.

Durante los meses posteriores a las explosiones producidas en la City y el West End, el país, ya por entonces en una precaria situación económica, había entrado en una creciente y deprimente recesión. El asesinato del presidente del Banco de Inglaterra había indignado a la población. Y aunque los ataques terroristas perpetrados por elementos no identificados parecían haber cesado, la inquietud general continuaba. La población había pedido un cambio de gobierno y se habían celebrado elecciones anticipadas. El parlamento mixto que salió de las urnas condujo a una solución de compromiso para compartir el poder y a un clima de indecisión y confusión en el que los conflictos laborales eran la tónica dominante.

Condiciones ideales para los styx mientras seguían adelante con sus planes. Como Drake sabía muy bien.

—Vamos, vamos, circulen —ordenó un policía a la multitud—. La estación está cerrada. Tendrán que buscar otros medios de transporte.

—¿Qué quiere decir? —preguntó uno de los roqueros—. ¿Se refiere al autobús? ¿Acaso ha olvidado que esta semana están otra vez en huelga?

Como la multitud reunida empezó a gritar dándole la razón al roquero y envalentonándose, Drake decidió que lo mejor era salir de allí antes de que la situación se desmandara. Se alejó fingiendo absoluta indiferencia. Después de los atentados en la City, era un hombre buscado: los styx se habían asegurado de que fuera así. Y aunque confiaba en que su disfraz le ayudaría a pasar las inspecciones superficiales y rutinarias, la policía podía ponerse a practicar detenciones aleatorias para dispersar a la multitud, y él no quería tentar a la suerte. No cuando tenía tanto que hacer.

A la mañana siguiente, Chester se despertó más pronto de lo normal, a causa de un calambre en la pierna.

—Me he pasado —gimió para sí, masajeándose la pantorrilla y recordando lo lejos que Will y él habían llegado corriendo el día anterior. De repente, dejó de tocarse el rígido músculo y se quedó mirando al frente—. Son dolores del crecimiento —dijo, recordando lo que decía su madre cuando las piernas doloridas le hacían gritar de dolor en medio de la noche. La señora Rawls solía acudir corriendo a su habitación y sentarse a su lado en la cama, hablándole con su voz suave hasta que el dolor desaparecía. Nunca parecía totalmente catastrófico si ella estaba allí, y ahora no tenía ni idea de dónde estaba, ni siquiera sabía si seguía viva. Intentó no pensar en lo que los styx podían haberle hecho, porque imaginar era mucho peor que cualquier dolor físico. Aún albergaba la esperanza de que estuviera sana y salva, escondida en alguna parte.

Una vez vestido, salió de su cuarto y recorrió el pasillo dando largas zancadas, como esforzándose por relajar los músculos de las piernas. Llamó dos veces a la puerta de Will, para que su amigo supiera que ya estaba levantado, pero no esperó respuesta. En la planta baja no había señales de que se hubiera levantado nadie y, como de costumbre, la puerta del estudio de Parry estaba cerrada. Chester se detuvo allí un momento; por una vez, la impresora estaba en silencio y no se oía ningún ruido procedente del interior. Luego abrió la puerta del salón y entró.

El ambiente estaba caldeado por el fuego de la chimenea, enfrente de la cual, sentada con las piernas cruzadas sobre una manta de viaje escocesa, estaba la señora Burrows.

Tenía los ojos cerrados y el rostro sin expresión, y aunque fue inevitable que oyera entrar a Chester, no pareció darse por enterada. El chico no supo qué hacer: ¿debía anunciarse, arriesgándose a molestarla, o debía salir de la habitación sin decir ni pío?

Dio un respingo al oír un golpe detrás de él. Era Will, que había bajado de un salto los últimos peldaños.

—Te has levantado temprano —comentó a Chester en voz alta—. Apuesto a que tú...

Enmudeció al ver que Chester se llevaba un dedo a los labios y luego señalaba a la señora Burrows.

—No pasa nada —aclaró Will—. Está meditando. Lo hace todas las mañanas.

—¿Puede oírnos? —preguntó Chester entre susurros.

Will se encogió de hombros.

—Creo que sí, aunque puede quedarse en trance, si así lo desea.

La señora Burrows seguía con los ojos cerrados y tan inmóvil que ni siquiera parecía respirar, pero de súbito abrió la boca, por la que expulsó una ráfaga de aire helado o algo que se le parecía mucho. La nubecilla de vaho flotó ante su inexpresivo rostro durante un momento, a pesar de la elevada temperatura de la habitación.

—¿Cómo lo ha hecho? —murmuró Chester.

—Ni pajolera idea —respondió Will con aire ausente, más preocupado por los ruidosos gorgoteos de su estómago. Miró al pasillo por encima del hombro—. No huele a comida en la cocina. Me muero de hambre. Mataría por una de las fritangas de Parry.

Chester negó con la cabeza arrugando el entrecejo.

—Creo que la suerte nos ha abandonado en ese terreno. Está demasiado ocupado para cocinar. Decididamente, está pasando algo.

—Según los noticiarios, no —replicó Will. La noche anterior habían mirado en todos los canales de televisión sin enterarse de nada. Señaló la pizarra que había en un rincón del salón—. Puede que tampoco hoy tengamos *clase de guerrilla*.

Además de animar a los chicos a estar en forma, Parry

había hecho todo lo posible para mantener activo su cerebro dándoles clase todas las mañanas. A este fin anotaba lo que sabía, así que de un modo rayano en lo grotesco les enseñaba a leer mapas, operaciones militares y tácticas de combate.

—Cuellos de botella y radios de fuego cruzados —recitó Chester, recordando lo que Parry les había explicado sobre la teoría de la emboscada.

—Mi clase favorita era la de técnicas de dirección del combate. —Will sonrió—. Bueno, eso no nos lo enseñaban en la escuela, allá en Highfield.

Chester se quedó pensativo un momento.

—La de clases que nos habremos perdido este año —añadió Will—. Parece una eternidad. Apenas recuerdo nada de entonces... salvo lo de aparcar aquella caca de coche que tenía. Aún me sorprende que Parry nos confiara su querido Land Rover. Creí en serio que iba a volcar cuando bajaba por aquellas cuestas.

Chester volvió al presente riendo por lo bajo.

—Sí, no le hizo mucha gracia que me dejara el espejo retrovisor enganchado en un árbol, ¿verdad?

—No especialmente —intervino Parry desde la puerta. Chester pareció achicarse mientras el hombre continuaba—: Me temo que esta mañana tendréis que cuidaros solos, muchachos. He estado levantado toda la noche, examinando la situación.

—¿Así que se trata de los styx? —preguntó Will.

—Eso parece. Si estoy en lo cierto, acaban de pasar a la segunda fase de su ofensiva.— Parry frunció el entrecejo—. Sigo sin poder imaginar por qué ha habido un paréntesis de dos meses desde que pusieran la City patas arriba con aquellos ataques frontales.

—¿Y este último asunto es muy serio? —preguntó Will.

Parry asintió con la cabeza.

—Y condenadamente inteligente.

Los chicos se miraron, esperando que Parry se explicara, pero éste miraba fijamente al fuego. Parecía agotado y se apoyaba en el bastón con las dos manos.

—¿Está Drake metido en el ajo? —inquirió finalmente Will, esperando conseguir algo más de información.

—No, ha pasado a la clandestinidad.

—¿A la clandestinidad? —preguntó Will.

—Está trabajando solo, probablemente en Londres. Le he dejado mensajes pidiéndole que vuelva, si es que se digna escucharlos —respondió Parry, dándoles la espalda.

—¿Y mi padre... te está ayudando ahora? —se interesó Chester con algún titubeo.

—Ya os diré algo después... cuando sepa más —murmuró Parry, dirigiéndose a su estudio.

# 3

—¿De veras vive alguien en un agujero mugriento como éste? —Cuando el coche abandonó la autopista, Rebecca Uno se incorporó y se fijó en las zonas comerciales que atravesaban a cierta velocidad—. Hasta el nombre del lugar suena horroroso. *Cenagal.* ¿A quién se le ocurriría? —Cuando el coche tomó una curva la inercia impulsó su cuerpo contra la puerta del vehículo—. ¡Ah, mira!, otra rotonda. ¡Vaya lata!

Rebecca Dos no respondió. Estaba mirando por el cristal ahumado de su ventanilla, perdida en sus pensamientos mientras las farolas de la calle le iluminaban el rostro.

Irritada por el mutismo de su hermana, Rebecca Uno dio un gruñido. Empezó a limarse las puntiagudas uñas encima del asiento, ensuciando el lujoso cuero.

—Esa pasión que te corroe se está convirtiendo en algo realmente descarado. No creas que ha pasado inadvertido —proclamó. Esta vez sí tuvo una reacción, pues su hermana se volvió inmediatamente hacia ella.

—¿De qué hablas? —preguntó Rebecca Dos.

—Eso que sientes por el soldado de juguete que tenemos aquí —respondió Rebecca Uno con desprecio, señalando con la cabeza al hombre que iba al volante del Mercedes. Era el capitán Franz, el joven neogermano del que Rebecca Dos había quedado prendada en el mundo interior—. Debería conducir uno de los nuestros, no tu héroe de ojos azules embutido en ese cursi uniforme de chófer. Ni siquiera le obligaste a ponerse la gorra, para que puedas verle sus adorables rizos rubios.

Los ojos de Rebecca Uno miraban con ardor el atractivo cogote del capitán Franz, que al parecer conducía sin hacer caso de lo que se dirimía en el asiento de atrás.

—¡No dices más que tonterías! —exclamó Rebecca Dos, echando chispas—. No es lo que piensas.

—Ya, claro. Soy tu hermana... no puedes engañarme —replicó Rebecca Uno, sacudiendo la cabeza—. Y no cuela.

Rebecca Dos vio la expresión de los ojos de su hermana gemela; estaba realmente preocupada.

—¿Qué es lo que no cuela? —preguntó.

—Bueno, para empezar, ¿qué tiene de especial este tipo? Sólo es otro humano, otra insignificante babosa de la Superficie. Peor aún, ha estado tan sometido a la Luz Oscura que es un zombi. —Rebecca Uno sacó la lengua y puso los ojos bizcos para subrayar su argumento—. Es como un muñeco roto y vacío que llevas de aquí para allá por simple diversión, y no está sano.

El capitán Franz detuvo el Mercedes ante las puertas de una fábrica. Rebecca Uno interrumpió la perorata al ver dónde estaban.

—Es inmensa —comentó, mirando aquellos edificios que parecían hangares.

—Sí —dijo Rebecca Dos, aliviada porque su hermana tuviera otra cosa en que pensar.

Dos Limitadores, vestidos con ropas de la Superficie, abrieron la puerta. Tras comprobar quién iba en el coche, indicaron al capitán que siguiera.

Rebecca Uno se inclinó y propinó al neogermano unos golpes en el hombro.

—Oye, perrito faldero, ve por el lateral. Quiero ver antes los almacenes.

El capitán Franz hizo lo que se le ordenaba, yendo hasta más allá del edifico de oficinas, pero entonces empezó a detenerse.

—¡Sigue adelante, so bobo! ¡Ve hacia aquella entrada! —gritó Rebecca Uno, propinándole un coscorrón tan fuerte en la cabeza que hizo que Franz diera un volantazo—. ¡Y a ver cómo conducimos!

Rebecca Dos apretó los dientes, pero no dijo nada cuando el Mercedes entró en el almacén.

—Para aquí —ordenó Rebecca Uno con sequedad. El capitán Franz pisó el freno y los neumáticos chirriaron sobre el pintado suelo de hormigón. Cuando las gemelas bajaron del coche, el viejo styx y su ayudante, con el tieso cuello bien visible por encima de los largos abrigos negros, ya corrían hacia ellas.

—Menudo sitio —comentó Rebecca Dos para felicitar al viejo styx, mirando a su alrededor.

—Un total de quince mil metros cuadrados divididos en tres almacenes. Por allí —dijo el viejo, señalando una serie de puertas en el extremo opuesto del espacioso edificio— se va al hospital de campaña donde llevamos a cabo las sesiones en masa de Luz Oscura y los procesos de implante de bombas. Como muchas otras empresas de este lugar, esta fábrica se arruinó, así que conseguimos los locales por una ganga. Es ideal para lo que queremos, ¿y a quién se le va a ocurrir buscarnos aquí?

—¿Y las medidas de seguridad? —preguntó Rebecca Uno.

—Desde ayer hemos doblado la guardia en todas las entradas. Tenemos hombres nuestros y neogermanos haciendo guardia durante todo el día —respondió el viejo styx—. También vamos a poner controles de carretera en todos los caminos que conducen a la finca.

Rebecca Uno asintió con la cabeza.

—Entonces, ¿cuándo estará todo listo para nuestros invitados?

El viejo styx sonrió, con los ojos radiantes de emoción.

—Este primer almacén estará totalmente preparado al anochecer. —Guardó silencio mientras él y las gemelas observaban una columna de soldados neogermanos que empujaban camas de hospital con ruedas y las colocaban en filas—. Con tantos hospitales nacionales cerrados, no tuvimos problemas para conseguir las camas que necesitamos. Podremos alojar confortablemente a unos ciento cincuenta individuos en esta zona, y al menos el mismo número en los almacenes adyacentes. Luego pondremos los humidificadores y ajustaremos la atmósfera. Queremos que todo esté perfecto. —Echando la cabeza hacia atrás, olfateó el aire y dio una palmada con las enguantadas manos—. Nuestro momento se acerca. Por fin ha llegado.

—Ah, ya lo siento, ya lo siento —susurró Rebecca Uno.

Mientras el viejo styx hablaba, la chica se había deslizado los dedos por la nuca y se había estado masajeando las vértebras cervicales. Cuando retiró la mano, Rebecca Dos vio que tenía unas gotas de sangre.

También ella era muy consciente del dolor que sentía en la parte superior de la columna, y del irresistible tirón de la naturaleza.

Naturaleza styx.

Aunque su hermana y ella no habían pasado aún la pubertad y por lo tanto no podían tomar parte en lo que iba a suceder allí, el anhelo que sentía era intenso. Y embriagador. Era como si una extraña corriente eléctrica le recorriera el cuerpo y llevara su sangre al punto de ebullición. La antiquísima fuerza la llamaba, la obligaba a participar en un ciclo que tardaba cientos o miles de años en manifestarse.

Rebecca Dos se enjugó el sudor de la frente. Se dio cuenta con un sobresalto de que estaba tratando de luchar contra el impulso. Este rechazo la alarmaba; ¿por qué iba a querer ella resistirse?

No era natural.

Se apartó de su hermana y del viejo styx para que no advirtiesen su lucha interior.

Sonó un chirrido y los tubos temblaron; entonces llegó un mensaje con un seco y resonante golpe final. El Primer Agente se apretó el estómago con la mano y salió de su despacho con toda la rapidez que pudo. Localizó el tubo, abrió la tapa y sacó un recipiente en forma de bala, del tamaño de un rodillo pequeño.

—¿Qué es, señor? —preguntó el Segundo Agente, pasando del Calabozo a la zona de recepción.

—Deme tiempo —respondió con voz áspera el Primer Agente—. Todavía no lo he leído.

Después de los recientes alborotos en la Colonia, ninguno de ellos había dormido una noche entera durante semanas y el estado de ánimo se resentía seriamente.

—Sólo preguntaba —murmuró el Segundo Agente.

El Primer Agente desenroscó el tapón del cilindro y sacó el rollo de papel que iba dentro. Debido al cansancio, se le cayó y, deshaciéndose en maldiciones, se agachó para recogerlo del suelo. Al enderezarse se quejó, «ay, mis tripas», y se quedó quieto un momento, apretándose el estómago con la mano y con la cara verde.

—¿Todavía se encuentra mal? —preguntó el Segundo Agente.

Pensando que la pregunta era totalmente redundante, el Primer Agente lo fulminó con la mirada. Por fin desenrolló el papel y estiró el brazo para leerlo, tratando de enfocar la diminuta letra.

—Problemas en la Septentrional... peleas... los styx están llamando a todos los agentes disponibles.

El Segundo Agente no respondió en seguida, pero no era de extrañar que hubiera disturbios en la Caverna Septentrional. Se habían producido varios incidentes entre colonos que se peleaban entre sí, y no los culpaba. A muchos los habían desalojado de sus casas, que se habían requisado para que los soldados neogermanos tuvieran alojamiento. Y lo único que los styx ofrecían a cambio a aquellos pobres desahuciados era un alojamiento temporal en los campos de setas, donde habían levantado a toda prisa una ciudad de chabolas sobre el terreno húmedo.

Luego llegó el severo racionamiento de la comida; una gran parte de los alimentos de la Colonia fue distribuida entre las tropas que se entrenaban con los styx.

Y en medio de aquella mezcla ya de por sí explosiva, aparecieron brotes de una enfermedad que causaba diarreas graves, probablemente como resultado de la superpoblación crónica de las cavernas. El Primer Agente aún sufría de los efectos de esta enfermedad.

Así pues, al Segundo Agente no le sorprendía que hubiera más problemas, ni que los styx llamaran a la policía de la Colonia para poner orden.

El Primer Agente lo miraba fijamente, tamborileando con los dedos en el mostrador.

—Puedo ocuparme yo, si quiere —dijo el Segundo Agente.

—Lo quiero —respondió el Primer Agente con concisión.

—Al momento. Si no le importa encargarse del fuerte.

A pesar del hecho de que las celdas estaban hasta los topes de colonos descontentos, el Primer Agente soltó un exabrupto ante la sugerencia de que no iba a ser capaz de arreglárselas solo. Mientras estrujaba el mensaje de los styx, su estómago hizo un ruido indescriptible.

—Tengo que hacer una necesidad —gruñó, echando a correr hacia su despacho y cerrando la puerta.

—Déjate los pantalones puestos, ¿eh? —murmuró el Segundo Agente—. Aunque quizá no sea muy buena idea —añadió, permitiéndose una risa ahogada. Su alegría se evaporó cuando se acercó cabeceando al mostrador para recoger el casco, que colgaba de un gancho de la pared. Se lo puso y volvió a acercarse al mostrador para recoger la porra. Puede que la necesitara en el lugar al que se dirigía, pues los alborotos eran cada vez más violentos.

Balanceando la porra, cruzó las puertas y salió de la comisaría, deteniéndose un momento en el escalón superior para echar un vistazo a las casas de enfrente. A la luz luminiscente de las farolas vio movimiento en una ventana de arriba, como si alguien estuviera observando la comisaría. Probablemente no era nada, pero el Segundo Agente se puso nervioso. Nunca había visto un ambiente de rebelión semejante en la Colonia, ni una hostilidad tan intensa contra los styx, la clase dirigente. Pero los styx parecían tan concentrados en sus operaciones en la Superficie que ya no se preocupaban por lo que los colonos pensaran o hiciesen: su prioridad era llevar a cabo sus planes sin impedimentos.

El Segundo Agente bajó sin prisa los peldaños y, cuando llegó al nivel del asfalto, oyó unos gemidos. Aún abrigaba la esperanza de que su Cazador, *Colly*, regresara algún día a su lado. La gata había salido disparada después de la explosión en los laboratorios, un incidente por el que el Segundo Agente recibió una mención de honor, por haber perseguido valerosamente a los asaltantes. Al menos eso fue lo que les dijo a los styx, y al parecer éstos se habían creído su versión de los hechos.

Pero cuando el Segundo Agente miró a su alrededor, no vio a la gata, sino a un pequeño perro albino. Era un joven sabueso con un pelaje inmaculadamente blanco. El perro estaba allí, agitando la cola entre las piernas y mirando al hombre con sus ojos rosáceos. Era obvio que tenía hambre, pero lo que más inquietó al Segundo Agente era que sólo las familias más pudientes de la Colonia poseían animales de pura raza como aquel. Alguien debía de estar tan falto de alimentos que lo había abandonado.

—Pobre pequeño —dijo el Segundo Agente, alargando una mano del tamaño de un racimo de plátanos al perro, que gimió y le olfateó los dedos. Luego se acercó para dejarse acariciar la cabeza.

Y cuando el policía echó a andar por la calle, el perro lo siguió de cerca.

Al poco rato, el Segundo Agente llegó a la Puerta de la Calavera. Un styx vestido con el inconfundible uniforme caqui de camuflaje de los soldados de la División, salió de inmediato de la garita. El Segundo Agente utilizaba aquella ruta para entrar y salir de la Colonia varias veces al día, no sólo para ir a trabajar, sino también para cumplir sus obligaciones oficiales. A pesar de todo, el styx inspeccionó su tarjeta de identificación, mirando de vez en cuando al sabueso como si el Segundo Agente estuviera intentando pasar algo de contrabando.

El soldado le devolvió la tarjeta finalmente y levantó la linterna para indicar que abrieran la puerta, que se deslizó dentro de la gran calavera excavada en la roca superior, como si la monstruosa efigie se estuviera tragando los dientes. El Segundo Agente siguió su camino, introduciéndose en la boca de la calavera. Cuando enfiló el oscuro pasillo que era la principal vía de comunicación entre el Barrio y la Colonia, agradeció la compañía del perro que trotaba a su lado.

Al doblar la última esquina del pasadizo, oyó un creciente zumbido y la Colonia se desplegó ante él. Desde su posición elevada veía la Caverna Meridional, con sus interminables filas de casas, todas envueltas en una especie de gasa neblinosa de aire caliente y humo.

—¿Qué tal va todo? —gritó alguien.

El Segundo Agente se detuvo, mirando los peldaños de hierro que subían por la pared de roca. Divisó al Cuarto Agente en lo alto de todo. El hombre estaba de servicio en la entrada de la sala de control de la Ventilación, de la que salía el zumbido que había oído antes. Como muchos agentes de la policía de la Colonia, el Cuarto Agente era un hombre fornido con una larga cabellera blanca. Y estaba de servicio allí porque se había reforzado la seguridad desde que Drake y Chester utilizaran el sistema de ventilación para propagar un inocuo reactivo nervioso por la Colonia.

—¿Qué tal va todo? —repitió el Cuarto Agente, esta vez más alto, por si los ventiladores hubieran ahogado su voz.

—Como siempre —respondió el Segundo Agente—. Jaleo en la Septentrional.

El Cuarto Agente asintió con la cabeza y entonces vio al perro.

—Veo que has hecho un amigo.

El Segundo Agente miró a su nuevo compañero y se encogió de hombros antes de seguir bajando la pendiente.

En cuanto llegó al nivel del suelo, oyó ruido de pasos: muchos pies golpeaban los adoquines al unísono. Un grupo de neogermanos, unos cincuenta, corría en formación, mientras un militar a caballo marcaba el compás.

El perro se escondió detrás de las piernas del policía cuando la sección pasó estruendosamente. Los hombres parecían autómatas, miraban al frente mientras avanzaban en perfecta sincronización. Comprendió por qué tenían la cara tan inexpresiva: todos habían recibido masivas sesiones de Luz Oscura.

Ejercicios como aquél eran normales en la Colonia aquellos días y también era normal ver a aquellos hombres caer agotados durante el entrenamiento, algunos incluso muertos al sufrir un ataque cardiaco. El Segundo Agente había oído en alguna parte que los styx trataban con tanta dureza a los soldados porque querían adaptarlos a niveles de gravedad superior a los que estaban acostumbrados en su mundo.

—Vamos, muchacho. No hay nada que temer —dijo el Segundo Agente al perro cuando los soldados se alejaron, enfilando una de las calles de la Colonia. Pero en lugar de dirigirse directamente hacia la Caverna Septentrional, se dirigió hacia su casa.

Cuando entró, Eliza salió de la sala de estar.

—¿Cómo es que has vuelto tan pronto? —preguntó su hermana—. ¿Sabes que...? —Pero se interrumpió cuando su mirada se posó en el pequeño sabueso—. ¡Oh, no! ¡No habrás sido capaz! —exclamó.

—No podía dejar a este pequeño a la intemperie —dijo el Segundo Agente. Se arrodilló entre crujidos de rótulas que sonaron como escopetazos y acarició al perro. Los inquietos ojos del animal lo miraron directamente—. Me esperan en la Septentrional, pero descubriré dónde vive cuando vuelva.

Eliza se cruzó de brazos con actitud furiosa.

—El santo patrón de los sin techo, los extraviados y los Seres de la Superficie —comentó con un bufido—. Creía que ya habías aprendido la lección.

El Segundo Agente gruñó y se enderezó.

—¿Dónde está madre? —preguntó.

—Está arriba, descansando... —Pero se interrumpió al recordar lo que quería decirle a su hermano—. No imaginarías nunca lo que ha pasado hoy. Han desahuciado a los Smith.

El Segundo Agente asintió con la cabeza. Los Smith eran unos vecinos que vivían dos casas más allá, desde que podía recordar y sin duda desde muchas décadas antes de que él naciera.

—Mamá se lo ha tomado muy mal. Ya casi no queda ninguno de nosotros en esta calle. —Eliza frunció el entrecejo—. Nos están echando para hacer sitio a esos soldados neogermanos que ni siquiera responden cuando hablas con ellos. Se comportan como si no estuviéramos delante. No está bien lo que está pasando. —Su voz temblaba cada vez más a causa de la indignación, pero bajó el volumen por si había alguien escuchando—. Ni siquiera sé si a nuestra gente se la están llevando a la Septentrional o no; en el mercado se rumorea que están desapareciendo familias enteras. —Puso la mano en el brazo de su hermano—. ¿No puedes hacer nada? ¿No puedes hablar con los styx?

—¿Estás de broma? ¿Yo?

—Sí, tú. La única razón de que no nos hayan echado todavía es porque los styx creen que eres un héroe por haberte enfrentado a aquellos Seres de la Superficie tú solo, cuando vinieron a rescatar a tu amada. —Al Segundo Agente le costó sostener la mirada fulminante que le dirigió Eliza. Había podido engañar a los styx gracias a que su viejo amigo, el vigilante de los laboratorios, había corroborado su versión, pero su hermana lo conocía demasiado bien—. Y ya que piensan que eres tan *cojonudo* y maravilloso, quizás escuchen lo que tengas que decirles.

El Segundo Agente no sabía qué le escandalizaba más, si el vocabulario de su hermana o la extravagante sugerencia de que se enfrentara a los styx por lo que estaban haciendo en la Colonia.

Sacudió la cabeza mientras salía por la puerta, cuidando

de cerrarla para que el perro no pudiera seguirlo. Abandonó la cálida y cargada atmósfera de la casa con desgana, preocupado por lo que se esperaba que hiciera en la Caverna Septentrional y en general muy descontento con el papel que le había tocado representar en la vida.

Parry esperó a que estuvieran todos reunidos en el pasillo. Elliott fue la última en bajar, como si flotara por la escalera, con un vestido rojo y el brillante cabello negro recogido en un moño. Había crecido mucho desde que había subido a la Superficie, añadiendo varios centímetros a su estatura e incluso algunos kilos a su juvenil figura. Tal vez fuera el resultado de las generosas raciones de comida de Parry y su insistencia en que todos comieran bien, o quizá se debiera a la edad. Fuera cual fuese la razón, a Will y Chester nunca les había parecido tan femenina y en aquel momento trataban con todas sus fuerzas de no mirarla embobados. Por su parte, ella no miraba a nadie en particular, y mucho menos a los dos muchachos.

—Muy bien. Pasad —dijo Parry, abriendo la pesada puerta de roble que daba a su estudio. Entraron todos sin hablar, devorando con los ojos la habitación que les había estado prohibida hasta aquel momento. Era más grande de lo que Will esperaba, y tenía una fila de archivadores a lo largo de las paredes recubiertas de madera. Uno de ellos estaba abierto y Will pudo ver los expedientes guardados dentro.

—Hola, papá —dijo Chester, y el señor Rawls, con la ropa arrugada y barba de un día, se levantó de una silla cercana a la vieja impresora, que seguía traqueteando con un sonido chirriante mientras un rollo de papel con los extremos perforados alimentaba su interminable apetito.

Will vio algunas pantallas de ordenador encima de un banco, al lado de la impresora, pero estaban todas apagadas. Había otra pantalla en un escritorio pegado a la pared más alejada, pero estaba vuelta hacia el otro lado, así que Will no supo si estaba encendida o no. Y en la pared del fondo había un gran mapa de Escocia, con las tierras altas y bajas coloreadas con matices pastel. A excepción de la señora Burrows, todos dirigieron la mirada hacia allí.

—Sí, estáis en Escocia —dijo Parry, elevando la voz para que se oyera por encima del ruido de la impresora—. Noventa kilómetros al norte de Glasgow, para ser precisos. —Señaló con el bastón un punto del mapa—. Exactamente aquí. —A Will se le erizaron los pelos de la nuca; era obvio que ya no importaba que pudieran localizar la finca, y eso era un mal presagio. Parry abrió la boca, pero fue para chascar la lengua. Se dirigió al señor Rawls—. Para ese maldito chisme, ¿quieres? No puedo oír lo que digo.

El señor Rawls apretó un botón de la impresora y Parry se sentó en el borde del escritorio para continuar.

—Sin duda os preguntaréis por qué Jeff y yo nos hemos encerrado aquí durante las últimas veinticuatro horas. —Miró al señor Rawls, que asintió con la cabeza; Parry golpeó el suelo dos veces con el bastón—. Le pedí que me ayudara porque necesitaba que alguien se encargara del télex. Yo aún estoy ocupado con la lista de distribución de los boletines COBRA. —Parry sonrió, pero no porque aquello le pareciese gracioso—. Los poderes fácticos me tienen al corriente. En la ocupación que tenía antes uno nunca se jubila realmente.

El señor Rawls vio que su hijo fruncía el entrecejo.

—COBRA es un comité del gobierno que se reúne siempre que hay peligro para la seguridad del país —explicó.

—¿No sería más rápido conseguir la información en Internet? —preguntó Will, desplazando la mirada de la vieja impresora a la pantalla del ordenador.

—La Red nunca es segura —contestó Parry—. La única manera de rastrear este télex es desenterrar los kilómetros de línea a la que está conectado. —Respiró hondo—. Bien, ¿por dónde empiezo? Mi hijo, al que conocéis por el ridículo apodo de Drake, siempre ha rechazado de plano mi participación en su lucha contra los styx. Incluso anda diciendo por ahí que he estirado la pata, para protegerme. —Parry enarcó las cejas—. Pero mi seguridad ya no importa, porque el juego ha cambiado. ¿Puedes resumirles los últimos boletines de COBRA? —dijo al señor Rawls.

—Desde luego. Hace poco más de veinticuatro horas empezaron a llegar informes de incidentes producidos en toda Europa... múltiples atentados contra jefes de Estado y figuras políticas clave. En Francia, el presidente y su esposa escaparon por los pelos de la muerte, pero dos ataques posteriores en los parlamentos de España e Italia mataron a varias docenas de políticos. Y en Bruselas fue eliminada una sala llena de eurodiputados.

—Pero en televisión no dijeron nada anoche —observó Will.

—Y esta mañana no pudimos ver las noticias; la mayoría de los canales ha puesto un aviso diciendo que están fuera de servicio —añadió Chester.

—No me sorprende —manifestó Parry—. Pero lo primero es lo primero. Continúa, Jeff.

—Claro —dijo el señor Rawls—. La información sobre estos atentados se ha censurado para no herir susceptibilidades: todos han partido de aquí.

—De Gran Bretaña —aclaró Parry—. Ingleses vulgares y corrientes se han convertido en terroristas suicidas, en bombas ambulantes. La naturaleza de los explosivos que llevan en el interior del cuerpo, sin componentes ferrosos, hace que los equipos convencionales de detección no sirvan para nada.

—¿Bombas ambulantes? ¿Cómo funciona eso? —preguntó la señora Burrows, frunciendo el entrecejo.

—Un atentado frustrado en el parlamento nacional de Alemania, en Berlín, permitió capturar a una terrorista viva —dijo el señor Rawls—. Se descubrió que a la mujer le habían extirpado varios órganos de las cavidades torácica y abdominal.

Parry se inclinó hacia el otro lado del escritorio para coger un mensaje del télex y se puso las gafas para leerlo.

—«Lobectomía del pulmón derecho.» —Levantó la vista para explicarlo—: La inspección médica reveló que a la mujer le habían extirpado quirúrgicamente un pulmón entero. —Parry volvió a consultar el télex—. También le hicieron una cistectomía, una esplenectomía y una colecistectomía, lo cual quiere decir extirpación de la vejiga urinaria, del bazo y de la vesícula biliar, respectivamente. Por último, y ésta es la parte más truculenta, casi todo el tramo superior e inferior del colon había sido extirpado y reemplazado por un bypass provisional. Le habían quitado los intestinos.

Will se dio cuenta de que Chester hacía una mueca y se ponía un poco pálido.

—¿Habría muerto de todas formas? —preguntó la señora Burrows.

—Sí, en cuestión de días —respondió el señor Rawls—. Aún era capaz de beber y de ingerir líquidos, pero no podía digerir nada sólido. Pero aun antes de que la falta de nutrición acabara con ella, sin cuidados médicos especializados probablemente la habría matado una infección o el traumatismo masivo que había sufrido.

—Como un pez al que destripan, la evisceraron..., la vaciaron... —puntualizó Parry, quitándose las gafas y frotándose la frente—. En lugar de órganos, en su interior había un par de contenedores de plástico llenos de productos químicos. Mediante un tirón mecánico en la cintura, los productos químicos se habrían mezclado y habrían explotado con una fuerza considerable. Y alrededor de la mezcla explosiva había fragmentos de cerámica para multiplicar la destrucción.

La señora Burrows meneaba la cabeza.

—Así que los styx han hecho esto... Ellos han sometido a gente inocente a la Luz Oscura para después hacerles una carnicería y convertirlos en bombas ambulantes. Pero ¿por qué?

—¿Por qué? —preguntó Parry, y lo hizo con tal ferocidad que todos los asistentes se quedaron atónitos—. Para que el gobierno británico no pueda ofrecer al mundo una explicación de por qué ciudadanos supuestamente pacíficos, vulgares y corrientes, se han embarcado en unos actos terroristas sin sentido —gruñó—. Debido a la política liberal que se siguió en el pasado en cuestión de fronteras, Estados Unidos y muchas otras naciones vienen considerando nuestro país como un crisol de grupos disidentes. Los styx no hacen más que corroborar un prejuicio. —Recuperó la compostura y prosiguió—: En consecuencia, todas las fronteras del Reino Unido se cerrarán a la una de la tarde de hoy y se suspenderán todos los vuelos. Y es muy probable que se declare la ley marcial en el país.

Sonó un pitido y Parry sacó algo del bolsillo. Tenía el tamaño de una baraja y parecía más un busca que un teléfono móvil. Miró la pequeña pantalla.

—Un momento —dijo, inclinándose sobre el escritorio para mirar la pantalla del ordenador. Chester aprovechó la oportunidad para hablar.

—¿Y qué significa todo esto? —preguntó.

—Significa que nuestra pequeña isla estará cerrada a

cal y canto y completamente aislada del resto del mundo...
y bajo control militar —señaló Parry, metiéndose el objeto
en el bolsillo—. El ejército tomará las calles.

—Entonces los styx darán el siguiente paso —dijo Elliott
en voz baja. Era la primera vez que abría la boca y todos le
prestaron atención—. Sé cómo piensan los Cuellos Blancos. Van a invadir vuestro país utilizando a todos los neogermanos que han traído. Y también utilizarán a vuestros
soldados, una vez que los hayan sometido a la Luz Oscura.

—Pero aun en el caso de que contaran con una gran
fuerza terrestre, tendrían por delante un trabajo infernal.
—Parry estaba confuso—. No, no puede ser eso. Tiene que
haber en sus planes algún otro elemento que se me escapa.
Y no hago más que estrujarme los sesos para averiguar cuál
es. —Bajó del escritorio y se enderezó delante de ellos. Parecía muy débil, y en absoluto el depósito de energía que
Will había conocido hasta entonces.

—Se propongan lo que se propongan, no podemos permitir que se salgan con la suya —dijo la señora Burrows.

—Exactamente —respondió el anciano—. Y si no les
paramos los pies nosotros, ¿quién lo hará? —Se volvió hacia la puerta abierta del estudio—. Has llegado en el momento justo.

Cuando una figura vestida de negro apareció ante sus
ojos, Will y Chester, al unísono, pensaron lo peor: que
era un styx. Y ambos se aprestaron a defenderse. Pero la
señora Burrows sujetó a su hijo por el brazo para que se
calmara.

—¡Anda! —exclamó Chester cuando Will y él reconocieron al hombre calvo de la perilla.

—¿Que quién les parará los pies? —preguntó Drake,
secundando las palabras de su padre—. Maldita sea, pues
nosotros.

Elliott corrió hacia él y lo rodeó con los brazos, luego

retrocedió con una sonrisa deslumbrante, un destello de la antigua Elliott... la Elliott que Will y Chester tanto habían echado de menos.

—Pareces un auténtico renegado —comentó la muchacha riendo—. Bárbaro, sucio y genial.

—¡Ja! Pues mira que tú... —replicó Drake, admirando el vestido y el peinado de la joven—. Toda una señorita.

—Drake entró en la habitación, saludando a los chicos, a la señora Burrows y al señor Rawls, y se situó al lado de Parry.

—Así que os han permitido entrar en el santuario. —Recorrió el estudio con los ojos antes de volver a hablar—. Traigo noticias de última hora. Poco antes del amanecer hubo huelgas simultáneas en los estudios de televisión, servidores de Internet y en las centrales telefónicas.

—Por eso no encontramos noticias al conectar el televisor —observó Chester.

—No sólo eso, que es interrupción del servicio, además los styx están atacando los centros de comunicación e información. Y os puedo asegurar que en Londres las cosas están realmente mal. La gente corre despavorida, hay una auténtica histeria por comprar en las tiendas, que no se reabastecen. Y los servicios públicos son un caos, por no decir cosas peores; las calles están llenas de basura, las escuelas han cerrado y en los hospitales trabajan con personal reducido. Ha habido un par de apagones generales, zonas enteras de Londres han tenido cortes eléctricos intermitentes durante la última semana. Sí, la cosa está mal allí. Y además se rumorea que han desaparecido varios ministros del gobierno.

—Decapitación. Es de manual —señaló Parry. Will y Chester se miraron como si ambos se preguntaran si se estaría refiriendo a su libro favorito sobre subversión e insurrección, de Frank Kitson. Parry se pasó la mano por el cuello—. Se elimina a los de arriba, que son la cabeza, y el resto del país, que es el cuerpo, no tiene ni idea de cómo organizarse.

—Sólo que aquí lo más probable es que vuelvan a poner la cabeza en su sitio —apuntó Drake—. Pero será una cabeza styx.

—No lo entiendo. Con lo que está pasando, ¿no podemos acudir a las autoridades a decirles quién está detrás de todo esto? —sugirió Chester.

—Ésa sería una forma rápida de conseguir que nos mataran a todos —sentenció Drake—. El problema es que no se puede saber quién está controlado. No sabemos en quién podemos confiar.

Parry dio una palmada.

—Yo sí —dijo—. Es hora de despertar a algunos viejos fantasmas.

Drake miró a su padre a los ojos como si supiera a qué se estaba refiriendo, y luego levantó un dedo; acababa de recordar algo.

—Hablando de viejos fantasmas, olvidaba mi buena educación —comentó, dirigiéndose hacia la puerta. Estuvo un segundo fuera y reapareció con un hombre tapado con una capucha. Todos los que estaban en el estudio sabían lo que era aquello, dado que Drake había insistido en que se la pusieran cuando los condujo a la finca de su padre.

El hombre llevaba las manos atadas con un plástico, que Drake rompió con su cuchillo. Luego, con un floreo teatral, le quitó la capucha.

Will y Elliott se quedaron sin respiración.

—¡Coronel! —exclamó la chica, reconociéndolo inmediatamente, aunque iba vestido con un costoso traje de empresario de la City que por desgracia no era de su talla.

—¿Es el neogermano que os ayudó? —le preguntó Chester a Will, que no respondió y que miraba con desconfianza al hombre. Aunque el coronel Bismarck los había rescatado, a Elliott y a él, de las garras de los styx con uno de sus helicópteros, Will sabía que la única razón por la que seguramente se encontraba ahora en la Superficie era que estaba tomando parte en los atentados de la City.

El coronel, que no estaba acostumbrado a la luz, entornó los ojos cuando avanzó hacia el centro de la habitación. Con una reverencia formal y un taconazo, tomó la mano de Elliott.

—Es un honor verla de nuevo —dijo, saludando después a Will, que no se movió para estrecharle la mano y que seguía contemplando al hombre sin disimular su recelo.

—Podría ser un montaje, una trampa de los styx —observó Will—. No deberías haberlo traído. Ha sido sometido a la Luz Oscura.

Pese a todo, Drake no parecía intranquilo por el hecho de que estuviera en aquel lugar.

—Sí, fue programado a conciencia, pero parece que un golpe en la cabeza lo ha liberado. Ha visto lo que los styx estaban haciendo con sus hombres, utilizándolos para el trabajo sucio, y quiere vengarse.

El coronel Bismarck asintió mientras Drake continuaba:

—Y tienes razón, Will. El coronel es consciente de que puede suponer un peligro para nosotros. Ha accedido a que lo tengamos encerrado bajo llave mientras esté con nosotros. —Drake miró el mapa de la pared—. Sobre todo ahora que sabe más o menos dónde estamos.

Parry miraba al coronel con interés.

—*Wilkommen* —le saludó. Era evidente que reconocía a otro militar.

—*Danke* —respondió el coronel Bismarck.

—¿Y cómo diste con el coronel? —preguntó Parry a su hijo.

—Alguien de aquí se descuidó con el número de urgencia de mi servidor secreto. —Drake sonrió—. Por fortuna, el coronel lo llevaba anotado en un papel escondido en su cinturón, y los styx no lo encontraron.

—Esperemos que sea así —dijo Will.

Drake no hizo caso del comentario.

—Y el coronel dejó un mensaje para cierta persona de este cuarto.

Todos se miraron desconcertados hasta que Elliott volvió a abrir la boca. Advirtiendo la apremiante mirada de Will, murmuró:

—Esperaba que no tuviera necesidad de utilizarlo. Pero tuve la impresión de que él y sus hombres aparecerían pronto en la Superficie.

Will estaba a punto de decir algo, pero Drake se le adelantó.

—Bueno, me alegro de que lo hicieras, Elliott. El coronel es una carta más en nuestra próxima jugada contra los styx. Y por el momento llevamos las de perder en la partida.

A kilómetro y medio de allí, *Bartleby* trepaba a un viejo roble, clavando sus largas uñas en la corteza. Finalmente alcanzó una hendidura del tronco y maulló a *Colly*, que le devolvió el maullido e inmediatamente trepó detrás de él. Cuando llegó a la hendidura, *Bartleby* se encaramó a una rama que estaba sobre la pared que rodeaba la finca de Parry. Puede que los humanos entendieran que era vital no alejarse mucho, pero esto no tenía importancia para los Cazadores, con su voraz deseo de nuevas presas.

Abandonados a su propia suerte después de haberlos dejado sueltos, tenían todo el tiempo del mundo para dedicarse a los urogallos de Parry, a los que criaba especialmente para la temporada de caza. De hecho, aquellas aves más bien idiotas ni se enteraban de quién o qué las machacaba mientras los dos gatos las perseguían y devoraban a casi toda la población. Y ahora que quedaban pocos urogallos en la zona, el instinto natural de los Cazadores los incitaba a buscar comida fuera del recinto.

Cuando estuvo por encima del muro, *Bartleby* avanzó un poco más, con la rama cediendo bajo el peso de los dos felinos. Sacudió la cabeza para señalar a *Colly* que saltara ella primero. La gata habría sonreído si hubiera sabido. *Bartleby* era un compañero muy galante: no quería que ella se lastimara por tener que saltar desde tanta altura, y menos en su estado.

Aterrizó sin problemas, pero al saltar y reducir el peso de la rama, ésta subió de golpe. Pillado por sorpresa, *Bartleby* se vio obligado a saltar sin tomar precauciones. Agitando salvajemente la cola para controlar la caída, llegó al suelo de un modo más bien aparatoso. *Colly* se acercó inmediatamente para frotar su mejilla cariñosamente contra la de él.

*Bartleby* dejó escapar un gemido y, como cualquier macho, explotó el momento para conseguir toda la simpatía posible de su compañera. Exageró todo lo que pudo mientras se lamía la zarpa delantera, donde se le había clavado una piedra cortante con la caída. A los pocos segundos, *Colly* se hartó y le dio un suave cachete en la cabeza.

Funcionó. *Bartleby* se concentró en el asunto que tenían entre manos. Lo primero era lo primero; eligió un lugar adecuado para levantar la pata y lo regó con una abundante cantidad de orina. Cuando el nuevo territorio estuvo bien señalado, avanzó con la nariz pegada al suelo, fiándose de su bien desarrollado sentido del olfato para localizar la siguiente presa.

Pero no era fácil; estaban en la linde de un denso pinar que se extendía ante ellos, colina arriba, y el punzante olor de las agujas que se pudrían en el suelo complicaba la identificación de un rastro. Pero no se desanimó. Aunque los Cazadores sólo habían atrapado a un corzo solitario que había cometido el error fatal de tomar un atajo que atravesaba la finca de Parry, habían visto una manada entera pastando en aquel bosque. La saliva goteaba de las fauces de los Cazadores ante la perspectiva de saborear la deliciosa carne de venado. Pero para *Bartleby*, la presa suprema tenía que ser el venado que había oído al anochecer, cuando emitía su bramido inconfundible para impedir que se dispersara su harén de hembras.

*Bartleby* subió por la colina, zigzagueando por el terreno para encontrar el rastro del olor. *Colly* lo seguía, pero asegurándose de mantenerse a una distancia de cuatro metros. De vez en cuando, se detenían para mirarse a través de los pinos.

Parry y Drake se habrían sentido orgullosos de su táctica; los felinos maniobraban así para realizar un movimiento de pinza sobre su confiada presa, rodeándola por detrás y por delante. Uno de los Cazadores atacaría, la presa se asustaría y caería directamente en las fauces del otro Cazador.

Un pájaro graznó y el rumor de sus alas entre las ramas les hizo levantar la cabeza. Pero entonces, al filtrarse una brisa entre los árboles, *Bartleby* se fijó en la pendiente que tenía delante. Se agachó sigilosamente, agitando la nariz mientras supervisaba la zona. Un movimiento de sus orejas le indicó a *Colly* todo lo que ella necesitaba saber.

Había encontrado algo.

Los hombros de *Bartleby* subían y bajaban mientras seguía adelante, apoyando cuidadosamente una pata detrás de la otra.

*Colly* lo perdió de vista al poco rato. No obstante, esperó: cazar era una cuestión de paciencia y ritmo. Cuando decidió ponerse en marcha, avanzó de lado, sin hacer ningún ruido mayor que el susurro de las ramas que movía el viento. Se quedó quieta al oír un pequeño impacto. Una piña había caído al suelo. No era preocupante, así que siguió moviéndose.

Por desgracia, los árboles que tenía delante no eran muy numerosos y no le proporcionaban mucha cobertura. Así que se tomó su tiempo. No quería asustar demasiado pronto a la presa; si ésta no huía hacia el punto donde aguardaba *Bartleby*, sino hacia la izquierda o la derecha, el juego habría terminado. La presa se libraría de la red. Entonces vio un árbol caído un poco más adelante. Ajustó los pasos en consecuencia para que la presa no pudiera verla desde el otro lado.

Se agachó tanto que arrastraba el pecho contra el suelo del bosque.

Lo raro era que no pudiera hacerse una idea clara de la presa guiándose por su olor. Tanto ella como *Bartleby* estaban familiarizados con el olor de la orina y los excrementos de los venados, y aunque este olor se percibía ligeramente en aquel paraje, no era tan fuerte como debiera.

Pero quizá se tratara de un venado solitario, y no de toda la manada. No le importaba; con un animal tendrían comida de sobra para la noche.

Cuando calculó que ya había ido suficientemente lejos, clavó las garras en el suelo para prepararse. Después, bufando y gruñendo y haciendo todo el ruido posible, se lanzó a toda velocidad.

Los Limitadores no son como los soldados de la Superficie.

Independientemente del ambiente en que se muevan, viven completamente integrados en él, utilizando, comiendo, convirtiéndose en lo que los rodea. Los dos Limitadores olían a bosque de pinos porque habían estado escondidos allí durante semanas. No sólo comían los conejos y pájaros que podían cazar, sino también hongos y demás vegetación. En comparación con las Profundidades, era como un establecimiento de comida rápida. Y habían comido un par de veces la carne cruda de un venado, cuyo débil olor había detectado *Bartleby*.

*Colly* había salido disparada del árbol caído, pero entonces se dio cuenta de que allí había algo que no encajaba.

El reflejo del cristal de un telescopio. Estaba montado sobre un trípode.

Y detrás del telescopio apareció el rostro de un Limitador, un rostro que parecía una calavera.

Una fracción de segundo después vio el destello de su guadaña.

Con un maullido de alarma, arqueó el lomo y agitó las patas para modificar su trayectoria.

Tenía delante el tronco caído. Sólo con que consiguiera aterrizar encima, sin necesidad de sobrepasarlo, podría agazaparse tras él.

El Limitador tenía la guadaña levantada, dispuesta.

Cuando bajaba ya el brazo para abatirla sobre la gata, ésta oyó el áspero gruñido de *Bartleby*. Para salvar a su compañera, el macho se lanzó al ataque. Fue un fardo confuso de pellejo gris y músculos tensos lo que cayó sobre la espalda del Limitador, y le clavó con fuerza las garras en el cuello.

Pero la guadaña ya surcaba el aire.

Con un simple giro, la brillante hoja de metal produjo un corte en el flanco de *Colly*, desvió ligeramente su trayectoria y fue a clavarse contra un árbol.

Sólo fue una herida superficial, pero a pesar de todo la gata gritó de dolor y miedo.

Al oírla, *Bartleby* se convirtió en un imparable tornado de miembros. Rodeó la cabeza del Limitador y le arañó la cara con las garras delanteras. El Limitador llevaba una especie de gorro de lana, y el gato estaba a punto de darle un mordisco a la prenda cuando el otro Limitador abatió su guadaña sobre el cuello del Cazador, alcanzándolo en la base de la cabeza. Fue un golpe hábil y bien dirigido; la afilada hoja le segó la médula espinal.

*Bartleby* dejó escapar un gemido agudo que terminó casi tan pronto como había empezado.

Con un estertor de muerte.

El felino llegó al suelo sin vida.

*Colly* sabía lo que significaba aquel estertor.

Corrió y corrió hasta encontrar el árbol que habían utilizado para saltar el muro.

Siguió corriendo hasta llegar a la casa.


Parry estaba sentado a la mesa de la cocina, leyendo con las gafas puestas un libro de gastronomía de tapas raídas y desgastadas. «Rocíese el asado cada...», pero interrumpió la lectura cuando *Colly* cruzó la puerta como una exhalación, chocando contra sus piernas al esconderse debajo de la mesa.

—¡Mecachis en la mar! ¡Estos asquerosos gatos ya andan otra vez detrás de nuestra comida! —exclamó, levantándose de un brinco.

La señora Burrows inclinó la cabeza, inspirando ruidosamente por la nariz.

—No, no es eso —dijo rápidamente. Se apartó de la encimera donde trabajaba, espolvoreándolo todo con la harina que le embadurnaba las manos—. No se trata en absoluto de eso —añadió, agachándose al lado de la Cazadora—. Está muy asustada.

Tras limpiarse las manos con el delantal, acarició suavemente a *Colly*, cuya piel estaba perlada de sudor.

—¿Qué pasa, chica? —Percibió el olor a sangre que brotaba de la Cazadora—. Pásame un paño limpio del cajón, ¿quieres? —indicó a Parry, que enarcó las cejas pero hizo lo que le pedían.

—¿Qué ha pasado? —preguntó la señora Burrows a la gata, que había escondido la cabeza entre las patas. Aún jadeaba por el esfuerzo de la carrera.

—Aquí tienes —dijo Parry, dándole el trapo a la mujer, que se puso a limpiar el sudor y la sangre de la gata.

—Está claro que algo va mal —insistió ella, mientras *Colly* se ponía de costado con un gemido.

Parry frunció el entrecejo.

—¿Por qué lo dices?

—Porque lo sé. Está muy asustada y además está herida.

—¿Es grave? —preguntó él, poniéndose de rodillas—. Déjame ver.

—No es grave, unos arañazos y un pequeño corte en el costado —dictaminó la señora Burrows—. Pero hay algo que va mal. Lo presiento.

—¿Cómo qué? —preguntó Parry, observando cómo limpiaba al animal.

—Bueno, ¿dónde está *Bartleby*? Han sido inseparables desde que se conocieron. ¿Cuándo no los has visto juntos?

Parry se encogió de hombros.

—Estos malditos animales van y vienen a su antojo. Quizás el otro haya caído en una trampa o haya sufrido un accidente —gruñó Parry, poniéndose en pie—. Les diré a los chicos que vayan a buscarlo. —Estaba a punto de salir de la habitación cuando se detuvo—. Quizá Wilkie lo haya visto.

La señora Burrows puso la mano sobre la barriga ligeramente hinchada de la gata, dejando, al retirarla, una huella de harina en la suave piel del animal.

Una expresión de entendimiento iluminó sus ojos invidentes; luego frunció el entrecejo.

—Espero que no le haya pasado nada —dijo—. No en este preciso momento.

# 4

The *Buttock & File*, uno de los bares más concurridos de la Colonia, estaba en el cruce de dos avenidas. Cuando el Segundo Agente pasó por allí, estaba totalmente vacío. En tiempos había sido una taberna llena de vida, un lugar de reunión para los colonos tras el trabajo diario, pero ahora las puertas estaban cerradas y en el lugar reinaba el silencio.

Varias calles más allá, dobló la esquina y se detuvo en seco. Era una de las zonas más pobres y el alumbrado allí era deficiente. Aunque las puertas de las casas adosadas estaban abiertas, las viviendas estaban a oscuras por dentro. Pero no fue por esta razón por la que el agente se detuvo. A lo largo de la calle había un pelotón de cincuenta neogermanos de uniforme. Como si fueran maniquíes de un escaparate, esperaban en fila india, mirando al frente.

No parecían estar bajo el mando de ningún styx, pero el Segundo Agente vio a lo lejos el edificio de la Guarnición, dentro del complejo de los styx. Por las ventanas del edificio salían pequeñas chispas de luz morada, como estrellas lejanas de una constelación desconocida. El Segundo Agente cabeceó: nunca había visto utilizar la Luz Oscura a aquella escala.

Momentos después atravesaba el corto túnel que conducía a la Caverna Septentrional. El grupo de chozas era visible de lejos, gracias a las esferas luminiscentes que jalonaban el perímetro de la ciudad de chabolas. La Caverna Septentrional era una zona agrícola en la que se cultivaba gran parte de los productos de la Colonia y, hasta hacía poco tiempo, una de las cavernas menos pobladas. Al acercarse, vio que se habían construido más chabolas, aumentando el número total a varios centenares. Pero a pesar del tamaño de la nueva ciudad, se veían pocos colonos por la calle.

El Segundo Agente tenía ese sexto sentido que desarrollan todos los miembros de las fuerzas de seguridad. Si había habido algún problema, ya había acabado. Un espeso y opresivo silencio envolvía el lugar. Siguió andando y, en un claro abierto en medio del laberinto de chozas, vio al Tercer Agente en el suelo. Tenía la cabeza entre las manos.

—¿Estás bien? —preguntó el Segundo Agente, dirigiéndose a él a zancadas.

—Me propinaron un par de puñetazos —respondió el hombre, temblando—. Nada serio.

Levantó la cabeza y el Segundo Agente vio que le chorreaba sangre por la cara.

—¿Quién te lo ha hecho? —preguntó.

El Tercer Agente señaló una zona, al lado de una de las chozas.

—Ellos —dijo.

El Segundo Agente vio los cadáveres, se llevó la mano al cinturón y empuñando la linterna reglamentaria se acercó a los cuerpos.

Eran tres y yacían despatarrados sobre una alfombra de champiñones podridos que se habían convertido en pasta grisácea. No muy lejos de los cuerpos había una mesa plegable, caída de lado, y naipes esparcidos en aquella pegajosa guarrería.

—Cresswell —murmuró el Segundo Agente al dar la

vuelta a uno de los cadáveres—. El herrero. Le han disparado en el cuello.

El Tercer Agente murmuró algo. A pesar de estar herido, el Segundo Agente no le hizo caso. No tenía tiempo para aquel hombre: el Tercer Agente era un zoquete que no estaba hecho para el trabajo policial. Un tío suyo, de la Junta de Gobierno, lo había ascendido de categoría, y por ese motivo era despreciado por sus compañeros.

El Segundo Agente era el primero en admitir que él no era la mente más brillante de la Colonia, pero tenía lo que su hermana llamaba «cacumen práctico»; era espabilado y lo bastante listo para hacer bien su trabajo. Y había sido ascendido a su grado actual por su determinación y sus años de trabajo duro.

El Tercer Agente seguía murmurando.

—Calla un minuto —le espetó el Segundo Agente, acercándose al segundo cadáver—. Grayson... un picapedrero —dijo. Al darle la vuelta al cadáver para inspeccionar la herida de bala, de la manga le salió un as de corazones.

El Tercer Agente, con las manos en la frente, se había puesto en pie a trompicones y señalaba el último cadáver.

—Y el primo de Cresswell, Walsh —dijo.

—Sí, ya lo veo. Otro tiro certero en el cuello —observó el Segundo Agente. Naturalmente que era Heraldo Walsh, un hombre musculoso, cuadrado y bajo, con un llamativo pañuelo rojo en el cuello. El Segundo Agente se rascó la barbilla mientras encajaba todas las piezas—. Así que Cresswell y Grayson estaban jugando a las cartas... apostando esas cajetillas de tabaco. —Señaló con la cabeza los paquetes de papel de estaño que había entre las cartas—. Discutirían, probablemente porque Grayson hacía trampas, y luego Walsh intervendría para ayudar a su primo.

—Cuando llegué para poner fin a la pelea, los tres se abalanzaron sobre mí —informó el Tercer Agente—. Y se había congregado una multitud... Pensé que me iban a linchar.

El Segundo Agente resopló.

—Hoy ya no respeta nadie las leyes —dijo, dándose cuenta de que en aquel rompecabezas faltaba una pieza.

Creía conocer la respuesta, y aunque tenía que formular la pregunta, enmudeció de súbito al percatarse de que había un Limitador. El soldado se había materializado detrás de él como un fantasma, con el fusil colgado del hombro.

En sí no era una gran sorpresa; todo el mundo sabía que los Limitadores habían sido designados para acabar con los robos en las plantaciones de champiñones del fondo de la caverna.

Y la presencia del Limitador explicaba por qué los hombres habían sido abatidos con tal precisión, pero el Segundo Agente estaba más que desconcertado por una de las muertes. Todos sabían que Heraldo Walsh había estado a sueldo de los styx, espiando a los colonos para denunciarlos y agitando a las masas cuando les convenía. Walsh no era precisamente un ciudadano modelo y había llevado una vida regalada hasta aquel momento, gracias a la libertad que los styx le concedían.

—Has tardado un buen rato en llegar —dijo en voz baja el Limitador. El Segundo Agente estaba a punto de explicar que había tenido que desplazarse desde el Barrio cuando el Limitador propinó un puntapié a la cabeza de Walsh.

El Segundo Agente no tenía muchos motivos para tratar con los Limitadores y, francamente, les tenía un miedo cerval. Se armó de valor para decir algo, porque necesitaría conocer todos los hechos para rellenar el informe sobre el incidente.

—Aunque atacaran a un policía, no veo que ninguno de estos hombres fuera armado. ¿Era necesario dispararles?

El Limitador volvió la cabeza con brusquedad hacia el

Segundo Agente, concentrando en él toda la fuerza de sus ojos. Eran como dos puntos de fuego hundidos en el rostro entrecano y surcado de cicatrices. El Segundo Agente era un policía veterano y había visto cosas realmente horribles en su vida, pero en aquel momento tembló. Era como si estuviera asomándose al mismo infierno por dos ventanucos gemelos.

—Es mejor que te ocupes de tus asuntos —gruñó el Limitador—. No estabas aquí.

El Segundo Agente barbotó un «sí» y apartó la mirada del Limitador. Sabía que tenía que permanecer callado, pero siguió hablando, por puro nerviosismo.

—Habrá que abrir una investigación. Llevaremos los cadáveres a...

—No habrá investigación —decretó el Limitador con una voz que parecía un trueno lejano, empuñando el largo fusil como si pensara usarlo de nuevo, esta vez contra el Segundo Agente—. Y deja los cadáveres donde están. Que sirvan de ejemplo para los demás. —Al cabo de un segundo, había desaparecido entre las sombras.

—No habrá investigación —murmuró el Segundo Agente. Así que ahora los styx aplicaban sumariamente la pena capital sin ningún proceso judicial de por medio. El Tercer Agente y él se miraron, pero no dijeron nada, porque no era asunto suyo cuestionar a los styx.

—Alucinante —suspiró el Segundo Agente, moviéndose lentamente entre los cadáveres. Los niños se despertarían a la mañana siguiente para verlos cubiertos de gusanos; si es que un Cazador callejero no los despedazaba durante la noche.

El Segundo Agente envió al Tercero a casa para que se recuperase y luego estuvo varias horas patrullando entre las chozas. Todo el mundo permanecía oculto después del incidente, pero detrás de las puertas cerradas oía llanto de mujeres y también murmullos de furia, voces que disentían. En el interior de unas chozas que tenían las puertas abiertas vio relampaguear pares de ojos que lo miraban con resentimiento y el resplandor repentino de las cazoletas de las pipas.

Por fin fue relevado por uno de sus colegas y, con los pies doloridos de tanto patrullar, regresó a casa. Entró silenciosamente para no despertar a nadie a una hora tan tardía y oyó ruidos en la cocina.

—Hola, madre —dijo, entrando en el cuarto lleno de vapor, sorprendido de verla levantada.

La anciana, que estaba de cara al hornillo, se sobresaltó y giró sobre sus talones.

—Ah, hola, hijo. Debes de estar agotado. Ve a sentarte al lado del fuego. Eliza y yo ya hemos cenado, pero te he guardado un plato caliente. Puedes comértelo sentado si te lo apoyas en las rodillas.

El Segundo Agente se apoltronó con agradecimiento en el sillón de la salita. Miró con cansancio la pala de Will, que habían puesto en un lugar prominente, encima del aparador. Después de descubrirla en la habitación, su madre y su hermana la habían dejado intencionadamente a la vista, como recuerdo, casi como una advertencia, para que no olvidase el episodio con la señora Burrows. Pero surtió el efecto contrario: lo reconfortaba verla allí. Le recordaba a Celia.

—Ten, cariño —dijo su madre dejando la bandeja, con un gran cuenco encima, sobre las rodillas de su hijo. Estaba hambriento, cogió la cuchara con ganas y se puso a comer, sorbiendo el caldo con ruido: los típicos modales groseros de la Colonia.

Su madre no dejó de farfullar y parlotear mientras el hijo comía.

—No podía creer que los styx se presentaran en el número veintitrés y echaran a la calle a los Smith. Fue muy doloroso verlo. La señora Smith tuvo que llevarse los vestidos bajo el brazo... entre ellos algunos que le había cosido yo. Su hija organizó un buen espectáculo. Aullaba y lloraba a moco tendido, tendrías que haber estado aquí para oírla. Pero la señora Smith fue sin inmutarse a donde la llevaron, con la cabeza gacha, como si fuera a la horca. Era descorazonador ver aquello. Apuesto que en la Septentrional también ha sido horrible. —Levantó una mano como si no soportara oír nada más al respecto y esperó pacientemente la respuesta de su hijo.

Como el hijo no dijera nada, la madre prosiguió:

—Ya sabes que no te habría hecho ningún reproche si te hubieras ido allá arriba con esa mujer de la Superficie. Estos días los styx no dan un céntimo por nosotros. Este no es lugar para una persona joven, aunque Eliza y tú ya no sois unos polluelos.

El Segundo Agente dejó de masticar y se quedó con la cuchara a la altura de la boca. Su madre no solía expresarse así sobre la Colonia ni sobre los styx. Era uno de los miembros más respetables de su sociedad y normalmente no habría permitido que se dijera nada malo sobre nadie que tuviera autoridad.

—¡Madre! —exclamó el Segundo Agente—. ¡No hablarás en serio!

La anciana agachó la cabeza. No se había peinado el cabello gris después de la siesta y lo tenía tan revuelto como el nido de un pájaro azotado por el viento.

—Pues me temo que sí —susurró la madre con tono deprimente—. Hablo en serio. Creo que todo ha terminado para nosotros.

—No creerás realmente eso que dices. —Había una nota de reproche en la voz del Segundo Agente, aunque hablaba con la boca llena. Al darse cuenta de que la grasa de la cuchara le goteaba sobre la guerrera azul, enderezó el tórax para que las gotas cayeran sobre la bandeja. Al hacerlo, percibió cierto olor a estofado—. Está delicioso —aduló a su madre para levantarle el ánimo—. Te has superado esta vez. —Frunció el entrecejo—. Pero no solemos comer rata entre semana, ¿verdad que no?

Removió el caldo del cuenco. Al hacerlo, emergió algo del fondo.

Aunque el calor le había dado un tono gris mate, el ojo del perro aún conservaba cierto matiz rosáceo.

Dejó la cuchara en el cuenco.

—¡No habrás sido capaz!

Su madre ya se había levantado de la silla y se dirigía presurosa a la puerta.

—Son tiempos difíciles. No hay suficiente comida para...

—¡Eres una bruja, un monstruo! —gritó el Segundo Agente, lanzando la bandeja al otro lado de la sala—. ¡Has sido capaz! ¡Has cocinado a mi perro!

—Me han contado que mi padre te ha enseñado a conducir, ¿por qué no haces pues los honores? —Drake dio a Will las llaves del coche—. Y tómatelo con calma porque de camino os quiero dar ciertas instrucciones —dijo, señalando la senda que llevaba al bosque.

Siguió hablando mientras avanzaban con lentitud.

—Voy a presentarte a unos viejos amigos. No están muy acostumbrados a tener gente cerca, así que tendréis que ir con pies de plomo.

—¿Por qué? ¿Quiénes son? —preguntó Chester desde el asiento trasero.

—Están en la finca porque no tienen otro sitio donde ir. Todos han trabajado con Parry en el pasado, nada me-

nos que desde sus viajes por Malasia. Muchos de ellos son...
¿cómo lo diría...? —Drake se pasó la mano por la cabeza
rapada mientras buscaba la expresión exacta—. Tienen
fatiga de combate. Y a otros se les considera demasiado
problemáticos para permitirles vivir entre la gente. Así que
Parry acordó con las autoridades que les proporcionaría
un hogar aquí.

Los muchachos meditaron sobre aquella información.
Will se arriesgó a preguntar:

—¿Son peligrosos?

—Potencialmente, sí. Estos hombres han servido a su
país en operaciones que no podríais ni imaginar. Han estado en el lado oscuro... un lugar del que no se regresa
indemne.

Cuando Will vio la cancilla con el rótulo de PELIGRO,
Drake le dijo que parase. Detuvo el Land Rover con una
sacudida y apagó el motor. Drake no se movió para bajar,
así que los chicos se quedaron en sus asientos.

—¿Y conoces bien a esta gente? —preguntó Will.

—Andaban por aquí cuando yo era niño. Mi madre murió joven y ellos ayudaron a Parry a criarme, sobre todo
cuando él tenía que estar fuera mucho tiempo. Es como
si fueran de mi familia. —Drake sonrió para sí—. Son una
especie de tíos, pero muy raros y a la vez muy interesantes.

—¿Y por qué vamos a reunirnos con ellos? —preguntó
Chester—. ¿Por qué no mi padre y la señora Burrows?

Drake volvió la cabeza para poder hablar con Will y
Chester al mismo tiempo.

—No tenéis ni idea de lo mucho que habéis cambiado,
¿verdad?

—¿A qué te refieres? —preguntó Will, cruzando una
mirada con Chester.

—Cuando empecé a ocuparme de vosotros en las Profundidades, erais unos críos con cara de bebé, y no sabíais

lo que hacíais. Pero ahora lo sabéis. —Drake dejó que asimilaran sus palabras y añadió—: Ya sé que no ha sido fácil para vosotros, con los styx pisándoos los talones.

—Y que lo digas —murmuró Chester.

—Eso se nota —apuntó Drake—. Estos hombres lo reconocerán en vosotros, lo leerán en vuestra cara. Ellos también han estado allí en algún momento de su vida. Y necesito que tomen conciencia de que la amenaza es real, para convencerlos de que se unan a nosotros... Los necesito a nuestro lado para tener una oportunidad entre mil de vencer a los styx.

Cuando bajaban del coche, Drake se volvió hacia ellos.

—No llevéis ningún aparato eléctrico encima. Nada relacionado con la electricidad. Ni siquiera una linterna.

Will y Chester rebuscaron en los bolsillos y entonces Will recordó su reloj digital.

—Llevo esto, pero sólo tiene una pequeña pila...

—No importa. Quítatelo —interrumpió Drake—. Si no se le avisa antes, no puedes acercarle un objeto como ése.

—¿A quién hay que avisar? —preguntó Chester, empezando a ponerse nervioso.

—En primer lugar nos reuniremos con el capitán Sweeney. Se le conoce por Chispas, pero no debéis llamarlo así... Bueno, todavía no.

Will se quitó el reloj de la muñeca y lo dejó en el asiento del coche. Drake descorrió el cerrojo de la cancilla y enfiló el camino, el mismo camino que Chester y Will habían recorrido al trote unos días antes para llegar a los bosques.

—Por aquí —indicó Drake mientras Will divisaba a lo lejos el techo cubierto de musgo que ya había visto en la ocasión anterior. Drake se apartó del sendero y bajó por un terraplén. Se metió en lo que parecía maleza impenetrable, pero en medio había una estrecha vereda que los llevó hasta la cabaña que había al fondo de la hondonada.

Costaba creer que alguien viviera en aquella casa, completamente destartalada. Aunque las ventanas delanteras estaban intactas, eran prácticamente opacas debido a la cantidad de hierbajos que cruzaban los cristales.

—Quedaos detrás de mí, y será mejor que no habléis. Si él os pregunta algo, responded en voz baja... Y quiero decir muy baja —recomendó Drake. Llamó dando un golpecito, tan suave que casi no se oyó, empujó la puerta y esta giró sobre las oxidadas bisagras.

Drake penetró en la oscuridad. Will y Chester avanzaron tras él a ciegas, mientras se preguntaban dónde se estaban metiendo. El único ruido de la habitación procedía de las pisadas de sus botas sobre la basura del suelo de piedra, y el aire olía a humedad y a cerrado. Incapaces de ver nada, los chicos se mantuvieron cerca de Drake hasta que Will notó que Drake le apretaba el brazo, lo que tomó por una señal para detenerse.

—Hola, Chispas —susurró Drake—. Espero llegar en un momento oportuno.

—Pues claro, te estaba esperando. Tu padre dijo que vendrías —respondió una voz áspera desde un extremo. Will y Chester oían a Drake dirigirse hacia la voz, pero por mucho que forzaban la vista, no conseguían ver quién estaba en la oscuridad. Se oyó rascar una cerilla y la mecha de una lámpara de aceite se iluminó débilmente dentro de una pantalla manchada de carbón.

Alguien más se hizo visible delante del bulto de Drake. Aunque seguía siendo difícil discernir algo a la luz de la lámpara, se notaba que el hombre medía diez o quince centímetros más que Drake y tenía la constitución de un oso.

—Has estado lejos mucho tiempo —gruñó el hombre, aunque había afecto en su voz.

—Sí, mucho tiempo —repuso Drake.

—Has traído a los dos contigo. Supongo que te gustaría que saliera para recibirlos correctamente.

Con Drake guiándolos, Will y Chester volvieron sobre sus pasos hasta la puerta principal. Como si fuera un espectro reacio a mostrarse, el hombre salió a la luz del día. Aunque su rostro distaba de estar limpio, los chicos vieron que alrededor de sus ojos había una serie de círculos concéntricos que sugerían algo bajo la piel. Las arrugas eran casi negras y el efecto resultaba fascinante; evocaba un rostro adornado para algún rito tribal.

Mientras Will miraba al hombre, no pudo sino pensar en el tío Tam, que tenía una constitución parecida. Aunque Sweeney tenía aspecto de poder darle una buena paliza al tío Tam. Sus hombros eran inmensos y las muñecas, que sobresalían de su jersey de lana del ejército, eran gruesas y musculosas.

Llevaba además unos pantalones de camuflaje sucios que le quedaban grandes, y en la cabeza una gorra militar de montaña cuyas orejeras le colgaban sobre ambos oídos. Cuando se la quitó, la parte interior reflejó la luz como si estuviera forrada con láminas de metal.

—¿Sirve para algo? —preguntó Drake.

—No mucho —respondió Sweeney con un gruñido.

Ahora que no llevaba la gorra, Will vio un intrincado laberinto de arrugas en su frente. Con aquel extraño rostro, a Will le resultaba difícil averiguar los años que tenía el viejo Sweeney, pero calculó que debía de andar por los sesenta, porque tenía poco pelo y porque éste era gris.

Entornando sus extraños ojos, Sweeney observó a Will y a Chester por turnos.

—Os ha contado algo de mí, ¿verdad? —preguntó, señalando a Drake con el pulgar.

Los muchachos asintieron con la cabeza.

—Creía que no —dijo, aclarándose la garganta—. Hace

cuarenta años, yo estaba en la infantería de Marina, en la Sección Especial, para ser exactos. Pero en mi familia ha habido casos de miopía progresiva y mi vista no estaba muy bien. Así que tenía dos opciones, o la baja médica o pasarme el resto de la vida revolviendo papeles en un despacho; pero entonces apareció en el cuartel, preguntando por mí, un listillo de un programa de investigación del ejército. Fue como si se realizara un milagro; prometió arreglarme la vista para que pudiera volver al servicio activo. El ejército era mi vida y no me podía imaginar haciendo otra cosa, así que aproveché la oportunidad. Pero ya conocéis el dicho...

—Nunca te presentes voluntario para nada —completó Drake con una sonrisa.

—Tienes toda la puñetera razón del mundo. El caso es que estaba todo por hacer en el tema de mejorar la percepción para el combate. —Con dos dedos, Sweeney trazó un ocho alrededor de sus ojos, como si se estuviera bendiciendo o algo parecido—. Veréis, me insertaron quirúrgicamente unos aparatitos en las retinas y en los oídos, estimularon la conductividad de los nervios y las sinapsis de mi coco, y el resultado fue que mi vista y mi oído alcanzaron una agudeza muy por encima de los límites humanos. Un efecto colateral fue que mis reacciones también fueron mucho más rápidas. —Se aclaró la garganta con dificultad—. Yo era el tercer militar que caía en manos del cirujano en cuestión y cuando llegó el momento de que me abrieran y me ajustaran los cables, gracias a Dios ya se lo habían hecho a otros dos. Más o menos. Los otros conejillos de indias no fueron tan afortunados... Uno murió en la mesa de operaciones y el otro quedó paralizado de cuello para abajo.

Como Drake les había aconsejado, Will y Chester permanecieron en silencio. Llenos de horror, se limitaban a mirar al hombre que hablaba.

—Así que... soy rápido y puedo ver y oír cosas que vosotros no podéis —concluyó Sweeney, mirando la gorra que tenía en las manos.

—Lo cual está muy bien para operaciones nocturnas y para incursiones en lo más profundo de la jungla —acotó Drake

—Sí, para cosas así me utilizaban... Tres décadas merodeando en la oscuridad —recordó Sweeney, asintiendo con la cabeza mientras levantaba la vista—. Todo está como amplificado... como recargado... Si no estoy prevenido, los ruidos fuertes pueden ser atroces. —Frunció el entrecejo y las arrugas de su frente formaron una sucesión de uves—. Pero al final, lo que te mata es que no hay un botón de apagado. Lo que ellos no previeron fue la sobrecarga sensorial que has de soportar veinticuatro horas al día, los siete días de la semana. Puede hacer que te vuelvas majareta perdido.

Señaló hacia el bosque y ladeó la cabeza.

—En estos momentos oigo a unos insectos que escarban bajo la corteza de esos árboles. Suenan como un martillo neumático. —Señaló la dirección por la que habían llegado Drake y los chicos—. Y el vehículo que dejasteis al lado de la cancilla...; desde aquí percibo cómo se enfría el motor. Es como si hubiera icebergs explotando aquí dentro. —Sweeney se llevó las manos a las sienes, pero no las tocó—. Y no hay forma de hacerlo parar.

—¿De veras puede oír todo eso? —preguntó Will en voz muy baja.

—Sí. Y en cuanto a mis ojos, puedo soportar la luz del día, pero sólo en periodos limitados.

—Eso me pasa a mí también —murmuró Will.

Sweeney lo miró sin comprender antes de continuar:

—Pero lo peor de todo es que cualquier cosa con corriente eléctrica puede trastocar el circuito de mi sesera.

Así que no me queda más remedio que vivir sin electricidad en esta casa. Utilizo aceite para obtener la poca luz que necesito y cocino en un horno de leña. A veces siento como si hubiera vuelto a la Edad Media.

—Y no intentéis jugar al escondite con Chispas... Os descubrirá antes de que os deis cuenta —advirtió Drake con una sonrisa, como para quitar hierro al asunto—. Os puede localizar sólo por la respiración.

—Bueno, os dejaría ganar de vez en cuando —dijo Sweeney, lanzando una carcajada gutural y retumbante.

Pasó un enorme brazo por las axilas de Drake y lo levantó del suelo. Después de soltarlo, le dijo:

—Tú y yo tenemos que hablar. —Luego miró a Will y a Chester con sus extraños ojos—. Encantado de haberos conocido, chicos.

—Me reuniré con vosotros en el coche —dijo Drake, y los dos muchachos subieron por el terraplén, dejándolo a solas con Sweeney.

Cuando Drake se reunió con ellos, le tocaba conducir a Chester. Después de calcular que estaban lo bastante lejos para que Sweeney no los oyera, Will preguntó:

—¿No se le puede quitar todo ese cableado de la cabeza para que vuelva a ser normal?

—Tal vez sí, pero no quiere que le hurguen en el cerebro por segunda vez. Arrancar los cables después de tanto tiempo podría causarle multitud de problemas —respondió Drake, mirando a Will por encima del hombro—. Chispas es muy fuerte y se pone de mal humor de tanto en tanto, pero nos será muy útil si puedo convencerlo de que entre en acción de nuevo.

Will hizo una mueca.

—Siempre y cuando esté de nuestro lado.

Drake asintió con la cabeza.

—Ya sé a qué te refieres. Y en cierto modo es parecido

a tu madre. Con los dos en el equipo, tendremos algo muy parecido a un radar detector de styx. Lo cual es de lo más conveniente, considerando a quién vamos a ver ahora.

—¿A quién? —preguntó Will.

—Al profesor Danforth —respondió Drake—. Trabajaba en defensa electrónica, en campos como los radares de bajo nivel y seguridad en armas nucleares. Ahora se dedica a cuidar de su jardín... bueno, algo así. El profesor es el hombre más inteligente que conozco, un genio fuera de serie. —Drake señaló la última casa de la fila—. Para allí.

Cuando el Land Rover se detuvo, Will miró la casita, más bien cursi; junto a puertas y ventanas colgaban cestas con macetas de prímulas rojas y amarillas.

—¿Hay algo que necesitemos saber antes de conocerlo? —preguntó Chester mientras se dirigían a la casa.

—Nada en especial... Es un tipo bastante inofensivo, pero le entra la paranoia si lo tocan. Cree que pueden contagiarle cualquier cosa —explicó Drake, dirigiéndose a la puerta principal y poniendo la mano abierta sobre una especie de panel de cristal empotrado en la superficie. Se oyó un sonido metálico sordo, se corrieron los cerrojos y la puerta se abrió de par en par.

Al pasar al interior, brillantemente iluminado, los chicos se sorprendieron al ver la diferencia que había con la casa de Sweeney. Aquella vivienda era cálida y seca y las paredes estaban pintadas de color crema, y había profusión de acuarelas con escenas campestres. Sobre la chimenea había más cuadros aún y los muebles georgianos de la habitación estaban tan encerados que brillaban.

Un hombre se levantó de un sillón. Llevaba gafas y estaba pulcramente vestido con un chaleco granate y pantalones beis. Antes de levantarse había estado trabajando en algo a la luz de la ventana y lo dejó sobre la mesa que había junto al sillón. Se movía como un pájaro y andaba encorvado. Se parecía a un tío ya mayor. Drake parecía casi un gigante al lado del diminuto profesor cuando los dos quedaron frente a frente.

—Después de todos estos años, su escáner de manos aún funciona a las mil maravillas —anunció Drake, levantando la mano y abriendo los dedos, como si fuera un saludo especial establecido entre ellos—. Y conserva mis huellas en el sistema.

—Por supuesto... al contrario que tu padre, nunca creí que te hubiera ocurrido nada malo. Sabía que volverías con nosotros algún día —opinó Danforth, riendo por lo bajo y añadiendo—: El diablo cuida de los suyos. —Se volvió hacia los chicos—. Y éstos deben de ser los muchachos que mencionó este buen hombre... Me refiero a Parry, no al diablo, aunque a veces me pregunto si no serán el mismo.

Miró fijamente a Will a través de sus gafas de gruesos cristales.

—Albino... entonces tú debes de ser Will Burrows... sí... —El profesor miró al vacío mientras recitaba—: «Su cabeza y sus cabellos eran blancos, como la lana blanca y como la nieve; y sus ojos, como llamas de fuego».*

Volvió a escrutar fijamente a Will.

—Albinismo... Por otro nombre, acromía, acromasia, acromatosis. Aparece un caso cada diecisiete mil especímenes, un gen recesivo hereditario —señaló, barbotando las palabras.

—Bueno... verá... ¿Qué tal está usted? —murmuró Will, apabullado por toda la atención que le dedicaban, cuando el profesor guardó silencio finalmente.

Y alargó la mano hacia el hombre, para estrechársela,

* Cita del Apocalipsis, 1, 14 *(N. del T.)*

pero Danforth retrocedió un paso, murmurando algo que sonó aproximadamente: «El huevo... romperá el huevo». El profesor se aclaró la garganta con mucho ruido y concentró su atención en Chester—. Y tú debes de ser Rawls. Bien, bien.

Irritado consigo mismo por haber olvidado la advertencia de Drake a propósito del profesor y su repugnancia por el contacto físico, Will se puso a examinar el chisme en el que estaba trabajando Danforth cuando entraron. En un cojín de unos veinticinco centímetros por veinticinco había un retal de encaje, con varias bobinas colgando de los lados. Estaba sin terminar, pero en las zonas acabadas, Danforth había cosido unas intrincadas formas geométricas.

—Un anacronismo, lo sé, pero me ayuda en los procesos mentales —explicó el profesor al ver el interés de Will—. Para mí la meditación es una actividad básicamente preconsciente.

Mientras Will asentía con la cabeza, Danforth señaló a Drake.

—Enseñé a este mocoso todo lo que sabe. Fui su tutor en electrónica elemental cuando aún no se sabía atar los cordones de las zapatillas. Lo tuve de aprendiz.

—El aprendiz de Merlín —dijo Drake con una sonrisa de cariño—. Imposible olvidarlo; comenzamos con una radio de bigotes de gato cuando yo tenía tres o cuatro años, y luego avanzamos rápidamente hacia la robótica y los aviones teledirigidos explosivos.

—¿Aviones teledirigidos provistos de explosivos? —preguntó Chester.

—Aparatos para los militares, aviones guiados por control remoto que llevaban nuestros explosivos caseros —respondió Drake—. Parry interrumpió nuestros vuelos de prueba en la finca cuando uno se estrelló en el invernadero y estuvo a punto de arrancarle la cabeza al Viejo Wilkie.

El profesor se removió con impaciencia, como si todo aquello empezara a aburrirle.

—Sí, bueno, recibí tu paquete con los componentes y los diseños. Fascinante, he de reconocerlo. —Se quitó las gafas y se puso a limpiarlas con precisión obsesiva. El gesto le resultó tan familiar a Will que casi lanzó una exclamación; le chocó que Danforth hiciera tantos gestos que le recordaban al doctor Burrows, el difunto padre de Will. Y el parecido tampoco escapó a Chester, que por lo visto se dio cuenta al mismo tiempo. Mirando a Will, le hizo una seña de asentimiento.

Danforth no podía detenerse, como si estuviera dictando una clase.

—Los styx, siguiendo una ruta evolutiva paralela a la nuestra en el campo científico, han desarrollado una tecnología realmente innovadora. Sus logros tanto en el campo subsónico como en el control de la mente son lo que los militares estadounidenses estaban tratando frenéticamente de conseguir en la década de 1960. Y os aseguro que los americanos pagarían un buen dinero por obtener sus...

—Pero ¿ha conseguido algo relacionado con la Luz Oscura? —interrumpió Drake.

—¿Que si he conseguido algo? —exclamó el profesor como si la pregunta de Drake fuese una afrenta—. ¿Tú qué crees? Venid por aquí. —Con su peculiar modo de andar, los llevó hacia la pared del extremo de la habitación, donde había una estantería de libros y, a semejanza de Drake cuando había apoyado la palma en el escáner exterior, Danforth apretó la suya contra lo que parecía un espejo común y corriente. La parte central de la librería crujió y se desplazó, dejando al descubierto una habitación oculta.

—Juraría que es el laboratorio de Dexter —susurró Chester a Will con todo descaro, mientras entraban con Danforth en la habitación, que estaba llena de material electrónico. Un interminable despliegue de luces parpadeaba en los aparatos a ritmos y cadencias diferentes.

Pero no se detuvieron allí, ya que el profesor se dirigió a una estrecha escalera de madera que había en un rincón. Una vez arriba, Will y Chester se encontraron en un gran desván, de más de treinta metros de longitud, que evidentemente abarcaba la totalidad de la fila de casas. Estaba igualmente lleno de equipo, aunque casi todo estaba sepultado por gruesas capas de polvo. Al lado de unos bancos de pruebas, al fondo del desván, había una silla de metal atornillada al suelo. Cuando Danforth llegó a ella, sacó un carrito en el que había varias cajas de componentes electrónicos.

El profesor apretó un botón y en una pequeña pantalla circular apareció una señal verde que trazaba una línea ondulada. Luego cogió lo que parecía un casco, con dos parches para cubrir los ojos y varios cables conectados al equipo del carrito.

—¿Que si he conseguido algo? —repitió Danforth con indignación, agitando el chisme delante de Drake—. Por supuesto que sí. Aquí está lo que pediste... Un antídoto contra la Luz Oscura. —Pulsó un interruptor de la parte posterior del casco y, con un zumbido, los parches de los ojos comenzaron a brillar con un intenso color morado. Cuando Danforth se volvió, sujetando aún el casco, Will vio la luz morada. Sintió un pinchazo detrás de los ojos, luego un fuerte y rápido tirón, como si algo, un haz succionador, tratara de arrancarle los ojos de las órbitas.

Dejó escapar una exclamación involuntaria y retrocedió. Apenas había visto una pequeña chispa de luz, pero fue como si la bola erizada de energía se hubiera abierto paso otra vez hasta el interior de su cráneo.

—No —gruñó, abrumado por un alud de recuerdos no deseados, de las sesiones de Luz Oscura a las que los styx le habían sometido cuando Chester y él estuvieron prisioneros en el Calabozo.

Cuando se recuperó, vio que Drake estaba observándolo.

—¿También te afecta a ti? —preguntó Drake.

Will respondió con un «sí» a regañadientes. Danforth, mientras tanto, hacía gorgoritos.

—Bien, bien. Es mucho más potente que los de los styx —dictaminó con entusiasmo.

Con los ojos protegidos por los parches luminosos del casco, Drake se dirigió a Danforth.

—Así que según usted este aparato es capaz de curar a cualquiera que haya sido sometido a la Luz Oscura.

—En teoría, sí —repuso Danforth apagando el casco—. Los sensores secundarios realizan una lectura de la actividad cerebral alfa del sujeto en estado normal —explicó, mirando la onda verde que surcaba la pantalla—. Luego utilizo un circuito de realimentación para borrar todos los elementos extraños, cualquier extra que los styx hayan implantado.

—¿Y está seguro de que funciona? —preguntó Drake—. ¿Sin efectos indeseables? ¿Sin pérdida de memoria ni daños mentales de algún tipo?

El profesor exhaló un suspiro de impaciencia.

—Sí, según mis cálculos, funciona. ¿Y cuándo me he equivocado?

—Supongo que sólo hay una forma de saberlo —opinó Drake al momento. Quitándose la guerrera militar y dejándola en el suelo, se sentó inmediatamente en la silla—. Vamos a probarlo.

Will y Chester se quedaron atónitos.

—Drake, ¿de veras crees que es buena...? —comenzó Chester.

Drake lo interrumpió.

—¿De qué otra manera podemos saber que funciona? No podemos probarlo en un conejo, ¿verdad que no?

—Pero podríamos probarlo antes con *Bartleby* —sugirió Will—. Él también fue sometido a la Luz Oscura.

Danfoth no tenía tiempo para objeciones. Tras ofrecer amablemente el casco a Chester porque no quería que el muchacho estuviera muy cerca de él, inclinó la cabeza hacia Drake.

—Ponle el casco. Asegúrate de pegar los sensores contra las sienes para que la lectura sea fiable —ordenó.

—De acuerdo —accedió Chester a desgana. Colocó el casco en la calva cabeza de Drake mientras Danforth ajustaba los controles de las cajas electrónicas.

—¿Te importaría ayudar, mozalbete? —dijo el profesor a Will—. Átalo bien. Asegúrate de que esté bien sujeto.

Will miró a Chester sin expresión y luego hizo lo que le habían dicho, asegurándose de que los brazos y piernas de Drake estuvieran bien sujetos a la silla por varias correas.

Se produjo un momento de silencio mientras el profesor hacía los últimos ajustes. A Will le chocó de nuevo lo mucho que aquel científico se parecía a su difunto padre; parecía importarle un comino que la persona de la silla, si fallaba el proceso, resultase lesionada. Más aún, Danforth conocía a Drake desde niño y había tenido sobre él una gran influencia. La especialización de Drake en optoelectrónica y el tiempo que había pasado en la universidad estudiando se debían probablemente a la influencia de Danforth, y aun así el profesor sólo estaba interesado en descubrir si funcionaba su artilugio. El doctor Burrows había sido igual, capaz de sacrificar cualquier cosa y a cualquiera de los suyos si era necesario con tal de tener éxito en su búsqueda de conocimiento y descubrimientos.

—Todos los sistemas listos —anunció Danforth, apretando un interruptor. Durante varios segundos no pasó nada. Drake permaneció quieto en la silla, con los ojos cubiertos por los parches.

La rabia y el resentimento de Will crecieron hasta tal punto que sintió ganas de golpear a Danforth. Quería detener el proceso y liberar a Drake de la silla, pero entonces el hombre parecido a un pájaro habló:

—Ya he terminado con la lectura normalizada —anunció—. Ahora vamos a la purga. —Apretó un botón.

Drake sufrió varias sacudidas. Luego gritó con toda la fuerza de sus pulmones, arqueando la espalda en la silla y tensando los músculos con tanta fuerza que Will creyó que iba a romper las correas que sujetaban sus muñecas y tobillos.

El zumbido de las cajas parecía resonar en todos los objetos del desván. Un ligero resplandor de luz morada escapaba por los bordes de los parches, por lo que a Will le resultaba difícil mirar directamente el rostro de Drake.

—Oh, no —murmuró Chester al ver el sudor que goteaba por el rostro de Drake y caía sobre su camisa.

—Es evidente que ha recibido una gran cantidad de condicionamiento —anunció Danforth secamente, como si estuviera hablando del tiempo—. Ahora voy a incrementar la amplitud para completar la purga. —Giró un botón.

Drake tenía la boca abierta, pero no emitía ningún sonido, ningún grito. Los tendones de su cuello y muñecas estaban tan tensos que parecía que le iban a reventar la piel. Luego empezó a balbucir.

—Dios mío, escuchad... ¡Es styx! —exclamó Chester—. ¡Está hablando en styx!

Will escuchó atónito mientras los labios de Drake se movían y los extraños sonidos surgían del fondo de su garganta en pequeñas ráfagas que recordaban el crujido del papel seco cuando se rompe con las manos. Era muy extraño oír a un no styx hablando en aquella lengua.

—Deberíamos estar grabando es...

—Se está grabando —interrumpió Danforth, señalando el techo, encima de la silla, donde había una cúpula de espejos.

—Tal vez Elliott sepa decirnos de qué habla —sugirió Chester mientras el profesor agitaba la mano en el aire como si dirigiera una orquesta.

—Y ya debería haber acabado —anunció.

Apretó un interruptor. El zumbido se redujo y la luz morada de los parches se debilitó mientras Drake caía desmayado hacia delante.

—Quítaselo todo —ordenó Danforth a Chester, que hizo rápidamente lo que se le pedía, despojando a Drake del casco y de los sensores que tenía pegados a la piel perlada de sudor.

Will soltó las correas que lo ataban a la silla y luego se puso en pie.

—¿Drake? ¿Hola? —dijo con voz preocupada, cogiéndolo por los brazos y sacudiéndolo—. ¿Te encuentras bien?

Drake no se movió. Tenía la cabeza caída sobre el pecho. Parecía estar fuera de combate.

—¿Qué hacemos ahora? —preguntó Will, retrocediendo un paso.

—Dale una bofetada —contestó el profesor, frotándose las manos como si pensar en hacerlo él fuera una aberración.

—¿Lo dice en serio? —preguntó Chester.

—Sí —respondió Danforth—. Dale un sopapo.

—Como quiera. —Chester levantó la cabeza de Drake y le atizó.

—Con más ganas, caramba. Dale más fuerte —susurró Danforth.

Pero Chester esperó al ver que Drake agitaba la cabeza.

—Ha despertado —comentó Chester con un suspiro de alivio.

—Dime cuántos hay —ordenó el profesor poniendo tres dedos delante de Drake—. ¿Cuántos dedos hay aquí?

—Cuatro y veinte mirlos —respondió Drake con voz de borracho, parpadeando con los ojos a medio abrir.

—Dale otra bofetada —ordenó Danforth.

Chester tragó saliva y se disponía a hacerlo, pero Drake le cogió la mano antes de que llegara a propinársela.

—Estaba bromeando, ¡por el amor de Dios! —exclamó Drake, irguiéndose en la silla y enjugándose el sudor de la frente—. Estoy perfectamente bien.

Will miraba a Drake con cara de reproche.

—Lo sé, lo sé —dijo Drake, respirando hondo—. En circunstancias normales no habría corrido el riesgo. Pero con lo que tenemos por delante, tengo que hacer todo lo posible por mejorar las posibilidades de ganar.

—¿Estás seguro de que no te sientes diferente? —preguntó Will, observándolo con atención—. Tu voz suena rara.

—No, estoy bien. De verdad. Me he mordido la lengua, eso es todo —respondió Drake. En efecto, su dicción era un tanto extraña, pero quizá se debiera al alivio por haber salido indemne de la prueba. Will y Chester no pudieron evitarlo: se echaron a reír de buena gana—. Muchas gracias a los dos —añadió Drake, sintiendo por fin la punta de la lengua. Sonrió, pero acto seguido adoptó una actitud seria—. Supongo que no sabremos qué tal ha funcionado hasta que tropecemos de nuevo con los styx.

—Hombres de poca fe —sentenció Danforth con irritación.

Drake gruñó al levantarse de la silla. Le costó unos segundos controlar sus piernas; luego se volvió para examinar las cajas electrónicas del carrito.

—¿Podría miniaturizar este aparato? Necesitaríamos que fuera portátil para poder desprogramar sujetos sobre la marcha.

—Ya he comenzado a trabajar en ello —respondió el profesor—. Bien, ¿quién va ahora? —preguntó, mirando a Will con fría determinación.

—Bueno... yo... Supongo que sí —balbuceó Will.

—No es tan malo —dijo Drake para tranquilizar al muchacho mientras éste se quitaba la cazadora y se sentaba en la silla—. Recuerda que ya hemos contraprogramado el deseo de muerte que plantaron en tu mente.

—Eso es cierto, Will —dijo Chester, haciendo todo lo posible por parecer optimista—. No querrás ir por ahí saltando de las azoteas, ¿verdad que no?

Puso el casco a su amigo y se aseguró de que los sensores estuvieran en contacto con las sienes.

—De momento, no —replicó Will en voz baja.

Drake terminó de atar las correas en los brazos y piernas de Will, luego hizo una bola con un pañuelo y se lo metió en la boca.

—Toma, muérdelo —le aconsejó—. No quiero que pierdas la punta de la lengua.

—Gracias —farfulló Will. Podía oír al profesor apretando interruptores, pero no podía ver nada a través de los parches de los ojos—. Sólo sé que esto va a ser horrible —intentó decir.

—Quédate callado y quieto —lo reprendió Danforth—. Ya he tomado la lectura normalizada... y ahora...

Al pulsar el interruptor principal, la oscuridad adquirió un intenso color morado, entrando a borbotones en la cabeza de Will. Luego sintió un dolor intenso, pero no en un lugar particular de su cuerpo, de hecho no era consciente de su cuerpo mientras era lanzado a un espacio lleno de resplandores blancos, como si se dispararan varios flashes de cámaras fotográficas a la vez. Los flashes eran cada vez más frecuentes y, entre ellos, Will entreveía figuras negras. Se dio cuenta de que estaba viendo a los dos styx de las sesiones de Luz Oscura a las que había sido sometido varios meses atrás, después de ser capturado en el Barrio. Pero lo más extraño de todo era que tenía la sensación que se estaba repitiendo todo el proceso.

Sintió más dolor, como si le fuera a estallar la cabeza. De repente cesó y vio a Chester y Drake inclinados sobre él.

—¿Estás bien? —preguntó Drake.

—Sí —respondió Will, aunque sentía la boca seca y le dolían los brazos.

—Creí que me reventabas los tímpanos con todos los gritos que dabas —dijo Chester—. Escupiste el pañuelo y casi se hunde el techo. ¡Gracias a Dios que estás bien!

Will advirtió que su amigo estaba francamente pálido.

—¿Por qué? ¿Qué ha ocurrido? —preguntó—. ¿Dónde está el profesor?

—Has estado desmayado durante unos diez minutos —le informó Drake.

El profesor apareció; había estado en la planta baja.

—Ah, ya ha vuelto en sí. En consecuencia, no necesitaremos las sales ni el botiquín de primeros auxilios —refunfuñó.

—Nos has tenido preocupados —comentó Drake—. Los styx han debido de programarte más a fondo de lo que yo había previsto. Probablemente nunca sabremos cuánto, ya que ahora se ha borrado todo.

Chester curvó el labio como si hubiera comido algo amargo.

—Estuviste hablando en styx... Daba escalofríos.

—¿Qué? ¿Yo también? —se asombró Will—. Qué raro. No recuerdo nada en absoluto.

Entonces le llegó a Chester el turno de probar el «Purgador de Danforth», como habían empezado a denominar al aparato. Al principio apenas sudó, pero al poco rato tenía el rostro empapado y también lanzó alaridos y comenzó a parlotear en styx. Y apenas era consciente de lo sucedido cuando terminó el tratamiento.

—Supongo que eso significa que también me habían insertado algo en la cabeza mientras nos tenían en el Calabozo —sugirió después de beber agua y recobrarse.

—Me temo que sí. No pierden ninguna ocasión, ¿verdad? —señaló Drake—. El único consuelo es que tu reacción fue menos intensa que la mía o la de Will. Supongo que a ti te trataron con menos intensidad que a nosotros.

—Apagado —anunció Danforth mientras desconectaba la última caja del carrito y desaparecía el zumbido—. Yo diría que ha sido un resultado muy satisfactorio.

Cuando salían de casa del profesor, Drake se volvió hacia el singular hombrecillo.

—¿Y qué pasa con Jiggs? ¿No está por aquí? —preguntó.

—Ahora no nos hablamos —respondió Danforth—. Lo más probable es que esté observándonos desde alguno de esos árboles. Ahora pasa las noches ahí, como si fuera un babuino. Aún no puede soportar los espacios cerrados después de haber estado en Wormwood Scrubs.

—Claro —dijo Drake, como si la explicación no lo pillara por sorpresa—. Dele recuerdos de mi parte si por casualidad tropieza con él.

—No es probable —respondió el profesor, cerrando la puerta.

Will y Chester siguieron a Drake, camino del Land Rover, observando la zona de bosques y preguntándose por qué habría estado Jiggs en prisión, y también qué clase de hombre podía dormir en un árbol.

—No lo veréis. Ni aunque estuviera a tres metros de nosotros —dijo Drake, sin mirar a los chicos mientras se dirigía al vehículo—. Eso es lo que Jiggs hace. Se esconde. Y es muy bueno en esos menesteres.

# 5

Hacía dos días que *Bartleby* no aparecía y Will y Chester volvieron a salir en su busca, esta vez acompañados por la señora Burrows.

—Podría estar en cualquier parte —dijo Chester, caminando por el sendero fangoso que discurría junto a las espadañas que bordeaban el lago. Se detuvo a mirar el agua—. Y si ha caído ahí y se ha ahogado, nunca lo encontraremos. Podría haber ido de pesca.

—No es tan descuidado y, además, sabe nadar. Estoy seguro de que se encuentra bien, dondequiera que esté —opinó Will. Trataba de parecer optimista, pero Chester no estaba convencido.

—Si tú lo dices... —murmuró.

Will asentía para sí, moviendo lentamente la cabeza.

—Apuesto a que aparece de nuevo en casa como si nada.

—No —dijo bruscamente la señora Burrows.

Los dos chicos la miraron como si estuviera a punto de dar una mala noticia, pero ella se refería a su nuevo sentido, que había estado utilizando para ver si descubría el paradero del Cazador.

—Puede que sean ecos de donde ha estado antes, donde haya marcado su territorio, pero no percibo nada nuevo.

La señora Burrows viró hacia el este, irguió la cabeza y luego se movió lentamente hasta que sus ojos ciegos se orientaron hacia la isla que había en medio del lago. Llevaba un vestido largo de algodón blanco que Parry había encontrado en un arcón de ropa, en una de las habitaciones que no se utilizaban. La brisa que agitaba su vestido y su cabello le daba cierto aspecto beatífico, allí de pie, en la orilla del lago.

—¿Así que no creéis que *Bartleby* haya abandonado a *Collie* y haya huido a las colinas? —preguntó Chester—. Es un gato, después de todo, y los gatos no son muy de fiar.

—Como los maridos —respondió la señora Burrows con aire distante; de repente volvió la cabeza al oeste, como si hubiera oído algo.

Los chicos callaron, esperando que hubiera captado el olor del Cazador, pero la mujer no dijo nada.

—Mamá, ¿es él? —preguntó Will.

—Es otra cosa... muy lejos... no puedo asegurarlo... Quizás un venado.

Chester asió una espadaña y la arrancó.

—Parry dijo que tampoco el Viejo Wilkie supo qué pensar cuando estuvo por aquí. —Chester se quedó pensativo un momento mientras se golpeaba la mano con la parda mazorca de la espadaña—. No sé... ¿No creéis que ha podido tener algo que ver con esto?

—Podría haber insectos ahí —observó Will con malicia, sabiendo la fobia que su amigo tenía a cualquier cosa que se arrastrara—. ¿Y a qué te refieres? ¿Por qué el Viejo Wilkie iba a hacerle daño a Bart?

Chester soltó inmediatamente la espadaña y se frotó las manos, examinándolas después cuidadosamente.

—Bueno... Parry dijo que el spaniel del Viejo Wilkie se perdió, y ya sabes a quién le echaron la culpa.

Will descartó la idea.

—¿Crees que mintió a Parry? El Viejo Wilkie ha trabajado para él durante años. No es probable.

La señora Burrows seguía mirando en la misma dirección, hacia el oeste, donde el bosque de pinos cubría una pequeña montaña como una sábana verde. Donde los Limitadores tenían su puesto de observación.

—Sí... venado... Tiene que ser venado —dictaminó—. Me vuelvo ya —anunció, dando media vuelta y subiendo la pendiente en dirección a la casa.

—Como quieras, mami —dijo Will—. Nosotros buscaremos un poco más.

Chester esperó a que la señora Burrows se hubiera alejado lo suficiente para no poder oírlos.

—Sabes que esto es una pérdida de tiempo, Will. No vamos a encontrarlo. ¿Por qué no lo atraemos con un conejo o con un pollo? También podríamos atar una cabra viva delante de la casa y esperar a que la huela. Eso lo haría regresar rápidamente.

—Tengo un mal presentimiento —respondió Will, sin prestar atención a la idea de su amigo—. Vamos a echar un vistazo por esa colina.

Abandonó la orilla del lago y empezó a subir la cuesta.

El rostro de Chester se contorsionaba en el monitor. Mientras el chico gritaba tan fuerte que distorsionaba el sonido, Elliott se removía en la silla. Cruzó los brazos sobre el pecho y se masajeó un hombro con la punta de los dedos.

—¿Tanto te cuesta mirar? —preguntó Drake, deteniendo la cinta.

—No, no es eso —respondió Elliott—. Últimamente me molesta la espalda.

Elliott había sido la última en pasar por el Purgador de Danforth, aunque no le había provocado ninguna reacción, lo que significaba que los styx no le habían aplicado el controlador mental. Todos los demás habitantes de la finca habían sido purgados, con tres excepciones. A Drake le preocupaba que a la señora Burrows le hubiera resultado demasiado traumático tras las excesivas sesiones de Luz Oscura que había sufrido en la Colonia, así que la eximió de la purga. Y nada en el mundo habría inducido a Parry a soportarla; le dijo a Drake que no dejaría que nadie se acercara a su cerebro, ni siquiera Danforth, en quien confiaba incondicionalmente. Y Jiggs, porque nadie sabía dónde estaba.

Drake había llevado copias de las grabaciones realizadas en el desván del profesor, y Elliott y él las estaban viendo en un monitor que había en la sala de billar. Danforth había hecho dos versiones de cada toma: una era la grabación directa y otra la grabación al revés, porque las víctimas más afectadas por la Luz Oscura, a saber, Will y Chester, parecían estar hablando al revés.

—Es tan raro ver a Chester y a los demás hablando styx... —comentó Elliott.

Ellos ya habían visto la grabación de las purgas de Drake, Will y el coronel Bismarck, pero Elliott no había sido capaz de descifrar nada, exceptuando unas pocas frases confusas y sin sentido. Desde luego, nada que proporcionase ninguna pista sobre la naturaleza de su programación.

—¿Quieres que sigamos? —preguntó Drake.

Elliott asintió con la cabeza.

Drake le dio al mando a distancia y escucharon las ásperas palabras styx que brotaban de la boca de Chester.

—No son más que tonterías —dijo Elliott, encogiéndose de hombros—. En su mayor parte palabras extrañas, y aunque haya más, no tienen el menor sentido. —Escuchó atentamente—. Es como si alguien hablara en sueños.

Drake respiró hondo. Se resignó al hecho de que las grabaciones no revelarían nada significativo.

—De todas formas, vamos a ver la sesión de Chester hasta el fi...

—¡Espera! —gritó Elliot, irguiéndose de repente—. ¡Rebobina!

Will y Chester habían trepado lo suficiente por la colina para poder ver la casa, aunque estaba bastante lejos.

—¡Bart! ¿Estás ahí, *Bart*? —gritó Will, mientras Chester andaba a su lado.

Oyeron un crujido y alguien salió de detrás de un grueso roble.

—¡Stephanie! —exclamó Chester.

La muchacha llevaba un teléfono móvil en la mano y vestía un chubasquero azul oscuro con el cuello levantado. Se había recogido el llamativo cabello rojo con una cinta para que el viento no se lo enredara. Will vio que llevaba unos zapatos negros de tacón alto, lo que parecía bastante incongruente allí, en medio de ninguna parte.

—¡Ah, hola! —dijo, tratando de esconder el teléfono en su espalda—. ¿Qué estáis haciendo aquí arriba? Esperad, ya lo sé. Estáis buscando esa cosa parecida a un perro que perdió Parry. Mi abuelo también ha estado buscándolo.

—Pues sí —respondió Will—. La cosa parecida a un perro se ha perdido.

—Bueno, yo no lo he visto —replicó Stephanie con indiferencia. Miró a los chicos con una cara que casi era de desprecio y sacudió la cabeza como dándoles a entender que no tenían derecho a estar allí.

—¿Y tú qué haces aquí? —preguntó Chester, haciendo un esfuerzo por ser cordial.

La muchacha no respondió; se limitó a mirarlo como si la pregunta hubiera sido una impertinencia.

—Estabas hablando por teléfono, ¿verdad? —dijo Will con tono acusador.

Al darse cuenta de que la habían pillado, Stephanie suavizó sus modales.

—Estoy tratando de buscar cobertura para este estúpido chisme —confesó, enseñando el teléfono que había puesto a su espalda—. El abuelo no atiende a razones; dice que Parry tiene enemigos y que los móviles están prohibidos en la finca. —Se encogió de hombros—. Y yo... Bueno, digamos, ¿a quién conozco yo que le importe todo esto? —Dirigió una mirada tímida a Will y Chester—. No se lo contaréis al abuelo, ¿verdad? Ni a Parry —añadió como si ya los hubiera convencido y su secreto estuviera a buen recaudo.

—Claro que no —dijo Chester enseguida.

—¿Y a quién estabas llamando? —preguntó Will, entornando los ojos con suspicacia.

—Trato de leer los mensajes de texto que me mandan mis amigos, pero la señal es muy débil. Esta noche hay como una superfiesta en Londres. Todos van a asistir y yo... No me dejan salir de esta... —Se interrumpió, como si no fuera necesario decir lo que opinaba de la finca.

—¿Una fiesta? —dijo Chester.

—Sí, van a ir unos chicos superguays que conocemos, de Eton. Y también de Harrow. No puedo creer que yo no pueda ir. —La desesperación de su voz había aumentado una octava—. ¿Adónde vais vosotros? —preguntó.

—¿A qué escuela? —balbuceó Chester, que miraba arrobado a la chica. Le resultaba difícil enhebrar más de unas cuantas palabras seguidas en su presencia.

—A Highfield —dijo Will.

La joven frunció el entrecejo y movió las manos como si describiera una zona en un mapa.

—Eso está más bien como al norte... Al norte de Londres, ¿no? —Se mordió el labio inferior como si sintiera lástima de los muchachos.

—No, allí no —dijo Will riéndose—. Tú pronuncias «haifild», pero en realidad se pronuncia «hifeld». Está en Suiza.

Stephanie pareció confusa.

—¿En Suiza? Nunca había oído hablar de ese sitio...

—No, no es probable —la interrumpió Will, sacando pecho—. Es como muy selecto. Y como muy caro. Es un sitio realmente guay. Todas las mañanas esquiamos antes de las clases.

—¿De veras? Mis padres nunca me han llevado a esquiar —confesó con expresión sombría—. Me gustaría mucho ir.

Sin que Stephanie lo viera, Chester agitaba la cabeza frenéticamente y formaba con los labios la palabra «¡No!» Pero Will no tenía intención de detenerse.

—Y aquí mi amigo es como una megaestrella de las pistas. Nuestro profesor de esquí cree que es tan extraordinario en el eslalon que seguro que estará en el próximo equipo olímpico. —Will dio un silbido y movió los brazos como había visto hacer a los esquiadores en televisión.

—¿De veras? —murmuró la chica con voz cascada y volviéndose hacia Chester tan aprisa que casi pilló gesticulando a Will—. ¡Eslalon! ¡Eso es, bueno, como muy fenomenal! —Pestañeó hacia el perplejo muchacho—. Ahora podré decir que he conocido a un esquiador olímpico.

—Vamos, no soy tan bueno —murmuró Chester—. Y ahora tenemos que irnos. —Asió a Will por el brazo y lo arrastró colina abajo con él—. ¿Por qué has dicho todo eso? —preguntó—. ¿Por qué le has mentido?

—Porque es una engreída. Eton. Harrow. Cree que somos unos inútiles porque no vamos a esos sitios. La verdad es que no vamos a ninguna escuela porque un ejército de locos homicidas que vive bajo tierra quiere arrancarnos la cabeza. ¿Preferirías que le hubiera contado eso? —dijo Will—. ¿Crees que eso habría sido como muy mejor?

—Deja de decir «como muy» todo el tiempo, ¿quieres? —dijo Chester con resignación—. A mí me parece simpática.

Will miró por encima del hombro y vio que Stephanie seguía mirándolos. La saludó con la manno y ella le devolvió el saludo con entusiasmo. Will dobló las rodillas y se bamboleó de un lado a otro como si estuviera esquiando. Y mientras se movía, daba silbidos. Stephanie lanzó una risa aguda, pero no desagradable.

—¡Y deja de hacer eso de una maldita vez! —exclamó Chester, echando a correr colina abajo.

Después de ver dos veces la última grabación de Drake, Elliott volvió a su habitación. Al sentarse ante el tocador de tablero de cristal, recorrió con la mirada los objetos que la señora Burrows había obligado a Parry a comprarle. Había algo gratificante en los frascos de laca para las uñas, que comenzó a colocar al lado del lápiz de ojos, el maquillaje y la pintura de labios. Y allí estaba el frasco de perfume que la misma señora Burrows le había dado.

Elliott levantó el frasco para que reflejara la luz y luego lo olió. Entre todos los objetos del tocador, el perfume era el que más valor tenía para ella. Le traía recuerdos de su madre, que tanto se había esforzado con los aromas sencillos y elementales que vendían en la perfumería de la Caverna Meridional. Elliott sonrió al recordar los sentimientos encontrados que le habían suscitado los perfumes de la Colonia cuando el hijo del perfumero, un chico de su edad, le había contado que estaban preparados con una mezcla de jugo de hongos fermentados y orina de Cazador. Hasta la fecha seguía sin saber si le había contado la verdad.

Dejó el frasco en el tocador, bostezó y se estiró. Le daba la impresión de que había transcurrido una eternidad desde su estancia en las Profundidades; después de residir en casa de Parry, se sentía una persona completamente diferente. Había tenido una tregua en aquella lucha a vida o muerte que durante tanto tiempo había sido su existencia; aquel no saber lo que la esperaba a la vuelta de la esquina, si un renegado hostil, un styx o algún depredador en busca de su siguiente presa. Los Seres de la Superficie daban muchas cosas por sentadas y vivían su vida en un entorno benigno, con toda la comida que necesitaban.

Pero por encima de todo, los meses pasados en casa de Parry habían permitido a Elliott la oportunidad de estar limpia. Tras todos aquellos años de ropa grasienta y sucia, puede que se hubiera extralimitado con los baños, que a veces tomaba dos y tres veces al día, pero era un lujo que no había conocido hasta entonces.

Y siempre había sabido en lo más profundo que aquella vida no podía durar.

Que finalmente aparecería algo que la interrumpiría. Y ese algo se acercaba inexorablemente hacia Will, Chester y todos ellos en aquellos precisos momentos, y no le quedaba más remedio que volver a su antigua personalidad. Por su propio bien, y por el bien de todos sus seres queridos.

Suspiró y miró el fusil apoyado al lado del tocador. Alargó la mano para cogerlo y echó atrás el cerrojo para comprobar si la cámara estaba vacía. Por la ventana de su cuarto veía una de las esculturas de Parry que había en el césped de la parte trasera de la casa, un San Jorge luchando con el dragón. Acercó el ojo a la mira telescópica, la ajustó para compensar la distancia y apuntó a la cabeza del dragón. Sonó un chasquido cuando apretó el gatillo.

—Esto es todo lo que sé —dijo, bajando el arma y poniéndosela en el regazo. Pasó un dedo por las rayas del cañón y por las muescas de la culata de madera. Casi todas evocaban momentos de peligro, retos que había conseguido ganar.

Hasta el momento.

Giró el asiento para mirar a la Elliott del espejo del tocador, la del cabello arreglado y la piel sin manchas, vestida con un jersey rojo de angora y una falda hasta la rodilla. Mientras miraba su reflejo, le pareció que se trataba de otra persona. Alguien que no era ella.

La sensación era tan fuerte que cuando sacudió la cabeza, casi esperó que el reflejo permaneciera quieto, incluso que comenzara a hablar con ella.

—Y no te conozco. —Inquieta ante aquella expresión extraña, Elliott apartó rápidamente la mirada del espejo, se levantó de la silla y puso el fusil en el tocador. Tras apartar los frascos y artículos de maquillaje, algunos de los cuales cayeron al suelo, fue a recoger sus viejas ropas.


En el momento en que Will y Chester entraron en la casa y vieron a Elliott al pie de la escalera, supieron que algo iba mal. No sólo empuñaba el fusil, sino que las ropas femeninas habían desaparecido y de nuevo llevaba el pelo corto. La Elliott en la que habían confiado durante todos los meses que estuvieron bajo tierra había reaparecido ante ellos.

—Ah, ah —murmuró Will—. Parece que hay problemas.

Chester estaba a punto de preguntarle qué pasaba cuando Elliott ordenó:

—Entrad. —Señaló el salón.

Los chicos vieron que ya estaban todos sentados alrededor de la chimenea, a excepción de Parry.

Will dirigió a Drake una mirada inquisitiva.

—Estamos esperando a mi padre —dijo.

Parry irrumpió en aquel momento y, sin perder un segundo, empezó a hablar.

—Todas las llamadas hechas desde el estudio se registran. —Agitó las hojas que llevaba en la mano—. Como ya habréis imaginado, la línea no está aquí para nada remotamente confidencial. Está para las cosas cotidianas, de rutina: pedir combustible para la calefacción central y cosas por el estilo.

Se puso las gafas de leer para examinar la hoja superior.

—Hay un número que aparece en los registros poco después de vuestra llegada. Al principio no me fijé, pero al examinarlo más atentamente, encontré dos llamadas posteriores al mismo número. La duración de cada una fue de un minuto aproximadamente. Y no tienen nada que ver conmigo.

—Pero a ninguno de nosotros se nos permitía entrar en el estudio hasta hace poco —dijo la señora Burrows, volviéndose a Drake—. ¿Estás seguro de que no fuiste tú?

—Ni siquiera estaba en casa cuando hicieron la segunda y la tercera llamadas —respondió—. La única explicación es que alguien se ha colado y ha hecho las llamadas en secreto.

Todos se miraron.

—Pero ¿por qué iba a hacer una cosa así uno de nosotros? ¿Y a quién iban dirigidas las llamadas? —preguntó la señora Burrows.

—Londres. Y el número es imposible de localizar a estas alturas —dijo Parry.

Drake se puso en pie.

—Me temo que sé quién ha sido, pero no quiero que se lo reproches. Él... no lo hacía conscientemente.

—¿Has dicho *él*? —exclamó Will.

Drake asintió con la cabeza.

—Y las llamadas cesaron después de haber sido purgado por Danforth.

Will se agitó nervioso, pensando si habría sido él.

—Así que los styx me programaron... a mí o a otro... para hacer...

Drake le indicó por señas que callara.

—Elliott y yo hemos estado viendo las grabaciones de todas las sesiones de purga. Lamento informarte —se volvió para mirar a Chester— de que tú mencionaste un par de dígitos del número de teléfono, junto con algunas palabras en styx que Elliott ha traducido.

—Que yo... ¡no! —gritó Chester, palideciendo—. ¿Yo?

—Sí, tú. Lo más probable es que los styx te programaran para que los llamaras y les informaras de nuestra situación. Puede que incluso los llamaras alguna vez sin saberlo, mucho antes de venir aquí —dijo Drake sin reprenderlo—. Así que es muy probable que sepan dónde estamos en estos momentos.

—¡Pero... yo no haría una cosa así! —protestó Chester, dando un paso atrás.

Elliott se acercó a él y le cogió la mano.

—No debes culparte. No pudiste evitarlo.

—No, no fui yo —dijo Chester con voz quebrada—. Recordaría algo.

—No, no recordarías nada —dijo Drake con amabilidad.

Chester lo miró con los ojos arrasados en lágrimas, tratando de hablar, de decir algo en su defensa.

—Oh, Dios mío, lo siento mucho —exclamó y salió corriendo de la habitación. El señor Rawls lo siguió.

—La cosa marcha inmejorablemente —dijo Parry sin el menor matiz de ironía. A continuación se dirigió al resto—. Así que ahora estamos en alerta roja, y no podemos quedarnos mucho tiempo. Nos han localizado.

—Pero si se trata de los styx, ¿por qué no han atacado ya? —preguntó Will.

—No lo sé. Quizás estemos en su lista de «Asuntos pendientes» y pasen por aquí cuando tengan un momento libre —respondió Parry con sarcasmo. Era evidente que no se estaba tomando muy bien los últimos acontecimientos—. Ya he avisado a Wilkie y los demás, y Danforth está haciendo un examen completo del sistema de cámaras de seguridad y sensores térmicos que rodean la finca para comprobar si funcionan bien.

Drake tomó la palabra.

—Lo que es seguro es que somos un objetivo prioritario para los styx. No querrán que aparezcamos en el momento más inoportuno y nos colemos en su fiesta. Cuando se presenten por aquí (y conste que no digo si se presentan), tendremos que largarnos a toda prisa. Así que todo el mundo a hacer las maletas. Y todos deberéis coger un arma del arsenal del sótano.

Parry hizo una mueca.

—¡Vaya fastidio! —comenzó a murmurar para sí—. Somos demasiados. Necesitaremos más agua y víveres para trasladarnos a otro lugar, y no puedo conseguir todo eso sin una varita mágica.

Golpeando el suelo con el bastón, salió a toda prisa del estudio sin dejar de quejarse.

# 6

Will tenía apoyado el Sten en sus rodillas.

—Me siento mejor ahora que mi viejo amigo ha vuelto. —Miró a Chester—. ¿Ya te has recuperado del todo del asunto de la Luz Oscura?

Chester se encogió de hombros.

—Lo más extraño es que no pueda recordar nada de esas malditas llamadas. Nada de nada. —Frunció el entrecejo—. Ni siquiera lo que pasó cuando estuve en aquella casa de Norfolk con Martha la loca... había un teléfono... Quizá llamé a los styx desde allí. No habría podido decirles mucho, porque no tenía ni idea de dónde estaba. Cuando ella me golpeó la cabeza, pensaba que iba a llamar a mis padres. Pero quizá no, y quizás ella tenía razón...

—No —dijo Will—. Acabarás volviéndote loco si no lo olvidas. Ahora ya no importa. Está hecho. Y recuerda lo que insertaron en mi cabeza. Eso era peor.

—Tienes razón —concedió Chester—. Vamos, te toca mover.

Estaban en el salón, jugando su segunda partida de ajedrez, cuando un tronco chisporroteó en la chimenea. Drake les había pedido que se quedaran despiertos hasta el amanecer por si algún visitante inoportuno decidía entrar en la finca.

Will había movido la mano hacia la reina, pero la retiró y se concentró en las llamas que danzaban en la chimenea.

—Hablando de Martha, ¿recuerdas cuando jugábamos al ajedrez en su choza? —preguntó.

Chester asintió.

Will seguía con la mirada perdida en el fuego.

—Estábamos convencidos de que Elliott iba a morir —dijo.

—Te gusta demasiado, ¿verdad? —preguntó Chester, como sin darle importancia, evaluando su posición en el tablero.

Will no respondió directamente.

—Bueno, supongo que sí. Pero a ti también te gusta, ¿no?

—Mmmmm, no creo que yo le guste tanto como tú —replicó Chester sin dejar de mirar sus piezas.

—No estoy tan seguro —murmuró Will, volviendo a concentrarse en la partida con un gruñido... No iba como él quería.

—Deberías decirle algo —sugirió Chester.

Will movió al fin la reina y luego habló con sinceridad; sentía que podía confiar en su amigo.

—No, no con todo lo que está pasando ahora. Complicaría mucho las cosas. —Will miró a Chester y se le ocurrió que a lo mejor había sacado el tema porque su amigo también abrigaba sentimientos profundos por Elliott y quería su bendición. Pero al quedar Chester en silencio, Will supuso que el motivo no había sido ése—. Debo confesar que no estoy seguro de estar hecho para todo este rollo de las relaciones —admitió Will—. Y menos después de lo que pasó con mis padres.

Will había estado pensando en el doctor y la señora Burrows. Atrapados en su letárgico matrimonio sin amor, habían llevado vidas separadas durante años. No conseguía olvidar la hostilidad que palpitaba entre ellos cuando el doctor Burrows y él regresaron a Highfield. La señora

Burrows había dejado muy claro que no estaba preparada para volver con su marido.

—¿Qué padres? —preguntó Chester.

—¿Eh? —dijo Will.

—¿Qué padres? ¿Te refieres a los auténticos? —insistió Chester.

Will, motivado por aquella pregunta, pensó en sus padres biológicos y en lo que Cal le había contado; que la lealtad del señor Jerome no había sido hacia su mujer cuando su hijo pequeño estaba enfermo de muerte por culpa de unas fiebres crónicas, sino hacia las leyes de la Colonia. Loca de dolor, Sarah Jerome había abandonado a su marido y había hecho lo impensable, había escapado a la Superficie.

Aunque parecía irreverente en aquellas circunstancias, Will se echó a reír.

Chester lo miró sorprendido.

—Mueve —dijo Will—. Eran tan malos como los otros.

Oyeron pasos apresurados en el vestíbulo y Parry apareció en la puerta.

—¡Señales múltiples! —gritó a los muchachos, con el localizador pitando tan deprisa que casi era un pitido continuo. Se acercó al gong que había sobre la mesa del vestíbulo y comenzó a golpearlo, llenando la casa de ecos metálicos. Luego entró en el estudio con los chicos tras él. El señor Rawls, todavía manipulando el télex, estaba ya en pie. Parry se dirigió directamente al ordenador de su escritorio. Pulsó teclas y por la pantalla pasó un desfile de imágenes correspondientes a las distintas cámaras de vigilancia—. ¡Ahí! ¡He pillado a uno con los infrarrojos! —gritó Parry—. Han cruzado el muro.

Will vio con claridad una forma oscura correteando al pie de un árbol. Ahogó una exclamación cuando, captado por otra cámara, se vio perfectamente a un hombre con la verja principal de la finca a sus espaldas.

—Mira el arma —señaló Will, reconociendo al momento el fusil de cañón largo con la abultada mira de visión nocturna que utilizaban los Limitadores—. ¡Son ellos!

—Dios mío —exclamó Chester—. Lo son.

—Desde luego, no es el vicario visitando a sus feligreses. Y hay otro equipo. —Parry señaló el monitor, en el que se veía al menos a cuatro hombres trepando al abrigo del muro—. Tenemos varias brechas en el perímetro... todas al sur. —Parry levantó la vista cuando Drake entró con el coronel Bismarck—. ¿Has visto eso? —preguntó a su hijo—. Están aquí.

Drake asintió con la cabeza.

—Hora de largarse.

Parry consultó la hora al salir de detrás del escritorio.

—Los styx van a pie, así que les doy ocho, quizá nueve minutos para llegar. Seguid al dedillo el proceso de evacuación del que hablamos —indicó a Drake—. Llévalos hacia el este mientras nosotros vamos al Bedford por la alcantarilla. Y si Chispas no te está esperando, vete sin él. Puede cuidarse solo.

—¿Jiggs y Danf...? —preguntó Drake.

—A Jiggs le gusta ir a la suya y Danforth ya se ha marchado. —Lo interrumpió Parry, levantando el busca—. Ahora a moverse, a moverse... ¡SALID DE UNA VEZ! —ordenó. Hincó una rodilla junto al escritorio y abrió una trampilla del suelo. En el pequeño agujero había una llave insertada en una ranura. La giró—. Ya he preparado las cargas. No se llevarán nada de esta habitación.

Drake, Will, Chester y el señor Rawls se reunieron con Elliott y la señora Burrows al pie de la escalera.

—Sentí que algo se dirigía hacia aquí antes incluso de oír el gong. Le dije a Elliott que se vistiera —dijo la señora Burrows—. Entiendo que nos vamos.

La Fase

—Sí —confirmó Drake—. Recojan todos el equipo. —Echó un vistazo a las mochilas militares Bergen y a las armas alineadas al fondo del pasillo—. Mi padre los llevará al Bedford. —Miró al coronel Bismarck como si fuera a decirle algo, pero pareció cambiar de idea y se dirigió a Will—. ¿Tienes a mano el ocular de visión nocturna? Will señaló la parte superior de su mochila Bergen.

—Bien —dijo Drake—. Durante la mayor parte del camino no vamos a utilizar luces, pero me iría bien tener un copiloto. ¿Estarás preparado?

—Pues claro... Sí —respondió Will, sintiéndose halagado por haber sido elegido en lugar del coronel.

Tras recoger la Bergen y un par de bolsas de equipamiento para Drake, Will no tuvo tiempo de despedirse como es debido. Le dio un rápido abrazo a su madre y se volvió hacia Elliott, pero la joven estaba muy ocupada con los preparativos y no se dio cuenta. Drake y él recorrieron aprisa el pasillo y entraron en la cocina. Will no dejó de sorprenderse cuando vio que Drake dejaba encendidas las luces mientras corría hacia la puerta trasera, que incluso encendía la luz exterior.

—Cuídate de que la vean cuando nos pongamos en marcha —dijo Drake, entregándole una linterna de buen tamaño—. Queremos llamar la atención.

—¿Eso queremos? —preguntó Will.

—¿No te he dicho que vamos a ser la liebre? —apuntó Drake riendo por lo bajo—. Vamos a hacer que los styx nos sigan para que Parry tenga más posibilidades de llegar al Bedford sin contratiempos.

Fueron a la parte trasera de la casa, donde había un cobertizo que Will nunca se había molestado en investigar. Cuando Drake abrió las puertas, Will percibió olor a gasolina, y a la débil luz reinante pudo distinguir un vehículo cuadrado. Tenía parabrisas pero no capota.

—Mi viejo jeep —comentó Drake, dejando su equipo en el asiento trasero—. Lo tengo desde que era niño.

—¡Uuuh! —exclamó Will cuando advirtió que desde la oscuridad lo miraba un extraño rostro.

—No te lo hagas en los pantalones, chico —gruñó Sweeney. Se volvió a Drake, que ya estaba sentado al volante—. He oído a nuestros invitados en el camino. Farfullaban cosas que no he reconocido. Puede que fueran palabras, pero sonaba horrible.

—Debían de estar hablando en styx —sugirió Will—. Así es como suena su lengua.

—¡Ah, caramba! —exclamó Sweeney, echándose a reír—. Así que los styx hablan raro.

—¡Venga, moved el culo y subid al coche! —ordenó Drake. Estaba a punto de encender el motor cuando vaciló.

—Tranquilo —dijo Sweeney, suspirando y bajando las orejeras de la gorra—. Los componentes eléctricos de los vehículos no son muy dolorosos, aunque la corriente del alternador me da una dentera atroz.

—No, no estaba pensando en eso —lo contradijo Drake—. ¿Por qué iban a hablar los Limitadores durante una operación? Son endiabladamente buenos en lo suyo, demasiado para cometer un error así. —Se encogió de hombros y arrancó el jeep, encendiendo las luces largas—. Hora de encender la linterna y moverla a todo tren —indicó a Will.

Acelerando el motor para hacer todo el ruido posible, Drake salió marcha atrás del cobertizo y se dirigió a la parte delantera de la casa para enfilar el camino. Las ruedas hacían crujir la gravilla mientras Will dirigía la potente luz de la linterna hacia la colina por la que avanzaban los styx.

—Supongo que con esto bastará, Will. ¡No es posible que no la vean! —dijo Drake por encima del ruido del motor. Dirigió el coche hacia el otro lado de la casa y pisó el acelerador para saltar por encima de una zanja de desagüe. Aterrizaron estrepitosamente al otro lado y atravesaron varios campos hasta que Will vio una valla delante. Pero Drake no se detuvo, sino que se lanzó directamente contra ella y bajó por un terraplén—. Es la nueva puerta del norte —comentó riéndose—. Apaga la linterna ya, Will. Ahora toca ir a oscuras. —Se bajó las gafas de visión nocturna al mismo tiempo que apagaba los faros del jeep—. A partir de ahora guardaremos silencio, amigos.

Siguieron a Parry en fila india cuando éste bajó la escalera que llevaba al sótano. Recorrieron apresuradamente el oscuro y polvoriento pasillo, que los llevó a través del gimnasio, la bodega y finalmente el arsenal. Cuando Parry llegó a una puerta de metal reforzado, se detuvo para ver si todos lo habían seguido.

—¿Por qué no me sorprende? —preguntó cuando *Colly* asomó la cabeza detrás de la señora Burrows. Sin esperar respuesta, se volvió hacia la puerta y levantó la barra de hierro que la atrancaba y que estaba ya cubierta de telarañas—. Puede que necesite ayuda con esto —dijo a Chester, señalando los tiradores que había en el borde de la puerta. Tiraron los dos con fuerza, pero no se movió. Tras una segunda tentativa, la puerta se abrió levantando una nube de óxido y polvo. Chester fue recibido por una ráfaga de aire húmedo y cuando Parry iluminó la oscuridad con la luz de su linterna, distinguió una especie de conducto de ladrillo.

—Este túnel lleva al sumidero principal. Pero ten cuidado, en el mejor de los casos es un pelín resbaladizo —advirtió a Chester, dándole la mano para que pasara por la abertura—. Sólo tienes que deslizarte con cuidado y sin pararte —añadió Parry.

Chester se encontró sobre una pendiente viscosa que se inclinaba en un ángulo de cuarenta y cinco grados. Con la pesada Bergen a la espalda y el Sten colgado del hombro, rasgó la oscuridad con el haz de luz mientras bajaba sentado hacia el fondo. Al cabo de unos metros la pendiente se volvió tan húmeda y resbaladiza que no pudo controlar la velocidad. Trató de echarse hacia atrás y clavar los talones para frenar, pero no sirvió de nada. Siguió resbalando pendiente abajo, ganando velocidad, hasta que sus pies se hundieron, entre salpicaduras, en un charco de agua de varios palmos de profundidad.

—Vaya, muy hábil por mi parte —gruñó Chester, enjugándose el maloliente líquido de la cara. Mientras se enderezaba la Bergen en la espalda, la luz de su linterna cayó sobre una rata marrón de peligroso tamaño. Al oír el alarmado grito de Chester, la rata se asustó y salió corriendo.

Parry oyó el grito y llamó a Chester.

—¿Te encuentras bien? —preguntó desde el otro extremo del tobogán.

—¿Por qué siempre, *siempre*, termino en lugares como éste? —se preguntó Chester en voz alta con un escalofrío. Dirigió la luz hacia Parry y gritó—: ¡Sí, estoy bien!

Cuando los demás se deslizaron por la pendiente, los ayudó para que no se lesionaran al aterrizar. No supuso ningún problema para la señora Burrows, que se servía de su nuevo supersentido. Parry bajó el último y les habló nada más llegar:

—Ésta es la alcantarilla principal, que conecta el lago con el río..., una excelente muestra de la ingeniería hídrica eduardiana. Pero ahora tenemos que darnos prisa.

Sin perder un instante, empezó a avanzar por el agua cenagosa.

Todos lo siguieron, acribillando con los haces de luz las paredes del sumidero, construido con ladrillo antiguo.

Debido a su cojera, pronto se vio que a Parry le costaba avanzar aprisa. Pero el señor Rawls era igual de lento y perdió pie varias veces, cayendo al agua. Chester siempre se acercaba a ayudarlo.

En menos de diez minutos llegaron al final. El viento en la ropa mojada les produjo escalofríos cuando salieron a una acequia, cuyas paredes casi verticales estaban cubiertas de helechos y otras plantas. A unos seis metros de distancia, donde el conducto se ensanchaba, Chester vio la oscura forma de un camión. El Viejo Wilkie apareció detrás del vehículo con una pistola en la mano y Parry y él comenzaron a hablar de inmediato entre susurros.

Los demás se acercaron al toldo que cubría la parte trasera del Bedford y Stephanie asomó la cabeza de súbito. Estaban todos empapados y sucios de barro y, durante un momento, la muchacha los miró con consternación. Entonces vio a Chester.

—¡Vaya, pero si eres tú! El abuelo no me dijo que tú también vendrías.

—Yo... pues sí —respondió Chester.

—¿No es como muy emocionante? Nunca pasa nada guay en este vertedero y yo adoro este rollo de espías. Armas y viajes supersecretos por la noche. ¡Es como estar en una película!

—¿No vas a presentarme a tu amiga? —preguntó Elliott.

Estaba Chester balbuceando las presentaciones cuando Stephanie vio a *Colly* y lanzó una exclamación.

—¡Encontraste a la cosa parecida a un perro!

—Haced el favor de bajar la voz —gruñó Parry.

—Ooooh, lo siento —respondió Stephanie con la misma voz chillona, llevándose la mano a la boca y poniendo cara de tonta—. Siempre me meto en problemas por culpa de mis gritos.

—No es *la* cosa parecida a un perro —aclaró Chester—. Es... bueno... la otra cosa parecida a un perro. Hay dos iguales.

Stephanie asintió con la cabeza, consciente de que Elliott la miraba fijamente.

—Bueno, quiero que vengas y te sientes a mi lado. Quiero a mi esquiador cerca —exigió Stephanie—. Ssssss, ssssss —añadió, moviendo las caderas y riendo.

—¿Ssssss? —repitió Elliott, frunciendo el entrecejo.

—¿Esquiador? —preguntó el señor Rawls.

Chester los miró con desamparo, luego lanzó la Bergen a la parte posterior del Bedford y subió tras la mochila.

—Y como que no pienso sentarme al lado de esos animales muertos. Uf, cerdos y vacas —sentenció Stephanie con firmeza. Una vez debajo del toldo, Chester vio que al fondo del camión habían amontonado una docena de cajones y bidones de plástico azul. Encima de ellos colgaban animales muertos y envueltos en una especie de lona—. ¡Puafff, qué asco! ¿Ves a qué me refiero? —exclamó Stephanie señalando las reses, que se balanceaban ligeramente—. Seguro que gotean cosas como muy sucias que podrían mancharme el chubasquero.

—No... sí, podrían —comentó Chester, preguntándose cuánto le habrían contado exactamente sobre la situación general.

—¿Nos vamos ya? —preguntó el coronel Bismarck a Parry.

—Sí, ha de subir todo el mundo al Bedford. A unos doscientos metros más allá, la acequia desemboca en el río, que tiene mucho caudal en esta época del año. Así que tendremos que mojarnos —dijo Parry. Luego se dirigió al coronel—. Y me gustaría que fuera usted armado.

—*Ja.* Por supuesto —respondió el coronel, palpando su fusil de asalto.

Cuando todos hubieron cargado el equipo en el camión y asegurado la portezuela de atrás, se colocaron en los bancos de ambos lados. Parry se subió a la cabina con el Viejo Wilkie y puso en marcha el motor. Siguieron por la pendiente hasta que salieron por completo de la acequia. Parry cambió de velocidad y todos sufrieron una sacudida cuando el camión remontó un talud lleno de grava y se introdujo en el río. Aunque era difícil ver nada en la oscuridad, debajo de aquel toldo, alcanzaron a oír el gorgoteo del agua que inundaba el piso de la caja del camión y se deslizaba entre sus pies.

—¡Uuufff! —exclamó Stephanie con actitud teatral, levantando las botas y agarrándose al brazo de Chester.

Drake sacó el jeep del camino y se introdujo unos metros entre los árboles. Utilizó un machete para cortar unas ramas, que Will le ayudó a poner sobre el vehículo, para ocultarlo.

Volvieron al camino, donde los esperaba Sweeney. Llevaba abrochadas las orejeras de la gorra militar, y tenía la cabeza ladeada, orientada hacia el punto por el que habían llegado.

—Todavía nada —dijo a Drake, abriendo su zurrón—. He traído algunos regalos de bienvenida para vuestros styx. —Sacó un impresionante cuchillo de combate, de treinta centímetros de longitud, se lo puso entre los dientes como si fuera un pirata y siguió rebuscando en el zurrón.

—No lleva pistola —observó Will.

—Nunca me han gustado —replicó Sweeney, haciendo una mueca apenas visible detrás del cuchillo. Levantó una de sus enormes manazas y la cerró como si apretara un cuello; los nudillos sobresalieron como corchos de botella de champán—. Prefiero trabajar con éstos. Con ellos puedo ser más creativo. —Por fin encontró lo que estaba buscando—. Ah, aquí están. —Levantó un par de granadas—. Piñas frescas.

—Gracias —dijo Drake, cogiendo una con tanta naturalidad como si le dieran una barra de chocolate. Will y él se apostaron a un lado del camino, Sweeney al otro, y quedaron a la espera. Drake le había dicho a Will que se concentrara en la zona aledaña al camino porque un Limitador que se preciara nunca se acercaría directamente. Así que, aferrando el Sten con las manos, Will se mantuvo alerta. Los troncos de los árboles y los arbustos se veían de color naranja a través del ocular que tenía adosado al ojo derecho y que le permitía ver los alrededores con tanta claridad como si fuera de día. Se preguntó qué le parecería a Sweeney, con su aguzada vista.

Después de pasar una hora oyendo la lluvia, la emoción de Will se diluyó. Al principio, el corazón le latía de emoción ante la perspectiva de pillar desprevenidos a los Limitadores, pero la humedad le estaba calando la ropa y cada vez se sentía más incómodo. Soportó allí otras dos horas de infelicidad hasta que Drake lo llevó de nuevo al camino.

—¿Todavía nada? —preguntó Drake a Sweeney cuando apareció éste.

El hombretón negó con la cabeza.

—Ni una triste salchicha —dijo y luego miró a Will—. Sólo este mozalbete, que bostezaba y removía el culo como si estuviera sentado en un hormiguero.

—Lo siento —murmuró Will.

—Han tenido tiempo de sobra para alcanzarnos —reflexionó Drake en voz alta, mirando el camino—. No es posible que no nos hayan visto partir, así que seguro que saben qué dirección tomamos.

—Quizá se hayan atrincherado cerca de la casa, pensando que vamos a ser tan estúpidos de volver —sugirió Sweeney.

Drake examinó la granada que le había dado Sweeney.

—Quizá —dijo.

Drake dio la vuelta al coche y esperó a que Will y Sweeney subieran para alejarse de la finca de Parry.

—Árboles —murmuró Will viendo pasar kilómetro tras kilómetro de bosque. No había mucho donde mirar y Sweeney iba en el asiento de atrás, con sus extraños ojos circulares fuertemente cerrados y el zurrón en las rodillas.

De repente Will se dio cuenta del frío que tenía y se tapó con la bufanda, pero no le sirvió de mucho. Diciéndose que tenía que relajarse porque era imposible que los Limitadores conocieran el terreno tan bien como Drake, Will se rindió al cansancio y se durmió.

Cuando Drake tomó una curva tan aprisa que el jeep se puso sobre dos ruedas, Will despertó de golpe, agarrándose con todas sus fuerzas. Los primeros síntomas del amanecer eran visibles y el cielo era ya de un color azul cobalto. Derraparon en otra curva y bajaron por una pendiente. Al final de la cuesta, Will vio un vado que atravesaba el camino, pero lo distrajo un grito de Sweeney. Se volvió, pero el hombre y su zurrón no se veían por ningún lado.

Drake pisó el freno y el vehículo se detuvo en seco.

—¿Quién es ésa? —susurró Will.

A unos diez metros delante de ellos, en medio del vado, había una mujer haciendo señales con una linterna.

Will oyó que Drake pronunciaba el nombre de la señora Rawls mientras ponía la marcha atrás y retrocedía.

Will era incapaz de conjeturar por qué Drake no reculaba a más velocidad.

—¿A qué estás esperando? —preguntó con alarma—. Esto tiene que ser una trampa.

—Demasiado tarde. Ya hemos caído en ella —replicó Drake en voz baja. Dejó el motor en marcha y bajó del coche. Will hizo lo mismo con el Sten preparado.

La señora Rawls llamó varias veces a Drake, pero éste, en vez de responder, movió la Beretta en abanico, apuntando hacia los árboles, mientras avanzaba hacia el vado siguiendo una trayectoria curva.

—Y ahora ¿qué? —preguntó Will.

—Improvisemos —susurró Drake. Y, con los dientes, arrancó el seguro de la granada para activarla. Pero en vez de lanzarla, la conservó firmemente en la mano mientras escupía el seguro. Luego miró a Will—. Cuídame las espaldas —dijo.

Will no necesitaba que se lo dijera. Ya había apuntado con el arma al camino que había tras ellos.

—¡Drake, no pasa nada! —gritó la señora Rawls, sin dejar de agitar la linterna.

Aparte de la madre de Chester, no había el menor rastro de vida por ningún lado. Y tampoco se veía a Sweeney por ningún lado, aunque Will tampoco esperaba verlo. El viejo militar estaba haciendo aquello para lo que había sido entrenado.

—¡Todo está bien! —gritó la señora Rawls bajando la linterna—. ¡De veras, Drake... Todo va bien!

—Emily —dijo Drake sin dejar de observar los árboles—, ¿quién está con usted?

—Hola, Drake —saludó Eddie, saliendo de detrás de un árbol del otro lado del vado. Se dirigió hacia la señora Rawls.

—¡Detente ahí! —ordenó Drake, apuntando a la cabeza del styx—. Ya supuse que serías tú.

Eddie levantó lentamente las manos y las abrió para que vieran que no llevaba nada.

—No voy armado. Sólo quiero hablar contigo.

Aunque se suponía que tenía que vigilar la retaguardia, Will nunca había visto antes al ex Limitador y no pudo contener el deseo de mirarlo. Era flaco como un palillo, al igual que todos los styx. Llevaba un tres cuartos marrón oscuro, calzaba botas de goma y se cubría con una gorra. Si no hubiera sido por sus mejillas hundidas y los ojos de color negro azabache, podría haber pasado por un campesino que estuviera de paseo.

—Esto no es una emboscada. Si lo fuera, no estaría aquí, hablando contigo —dijo Eddie, bajando los brazos—. Es de vital importancia que hable contigo. Es mucho más importante que todo el rencor que podamos tenernos.

Drake estaba apostado a un lado del vado y Eddie al otro, con la señora Rawls en medio, metida en el agua hasta los tobillos.

—¿Cómo sabías que vendría por este camino? —preguntó Drake.

—Una deducción táctica —respondió Eddie—. He tenido la casa vigilada y, naturalmente, he echado un vistazo a los alrededores.

—Naturalmente —lo imitó Drake con ironía.

—Como no era una ruta de huida obvia, calculé que sería la que tú elegirías. —Eddie miró a la señora Rawls—. ¿Sabes? Trataron de utilizar a Emily para el ataque a la City, pero yo intervine. Ha estado bien cuidada.

—¿Es eso cierto? —preguntó Drake—. ¿Le salvó la vida?

—Sí —confirmó la señora Rawls con una sonrisa y un ademán de la cabeza. Desde luego, no parecía haber sido maltratada ni estar bajo coacción.

—Y te la he traído —dijo Eddie—. Una oferta de paz.

La señora Rawls echó a andar hacia Drake.

—Lo siento Emily, pero no se acerque más —le ordenó Drake—. Podría haber sido sometida a la Luz Oscura. Will, sigue apuntándola con el arma.

—Hola, señora Rawls —murmuró Will con incomodidad mientras dirigía el Sten hacia ella—. ¿Cómo está?

—Muy bien, gracias, Will —respondió la mujer.

—No la han sometido a la Luz Oscura. Al menos, yo no lo he hecho —comentó Eddie.

Se quedaron en silencio. Lo único que se oía era el rumor del arroyo y el trino de un pájaro lejano.

—Muy bien, ¿dónde están los otros? —preguntó Drake—. No habrás estado vigilando la casa ni reconociendo los alrededores sin ayuda de más hombres.

—Tienes toda la razón —respondió Eddie, comenzando a levantar la mano—. ¿Me permites?

—Adelante —dijo Drake.

Eddie chascó los dedos.

De súbito se oyó un rugido de motores en el camino, por delante y por detrás.

Aplastando las plantas a su paso, dos grandes vehículos militares norteamericanos aparecieron ante sus ojos.

—¿Humvees? —aventuró Drake con alarma.

Los vehículos se detuvieron y bloquearon el camino por ambos lados. Estaban pintados de un verde mate y llevaban los cristales ahumados.

Cuando los motores enmudecieron, se abrieron las portezuelas.

De los vehículos bajaron unos cuantos styx. Otros salieron de entre los árboles. Will contó ocho en total.

—¿Limitadores? —preguntó Drake, más alarmado aún.

—Así es —respondió Eddie.

Ninguno de los soldados styx llevaba el uniforme de combate de color pardo, sino un surtido de ropas de los Seres de la Superficie: cazadoras acolchadas, parkas y botas de excursionista. Uno incluso llevaba pantalones vaqueros. Pero con aquellas caras demacradas y aquellos ojos hundidos, la elite militar era inconfundible. Ninguno llevaba

armas, pero eso no los hacía menos amenazadores a los ojos de Will, a quien se le encogió el estómago de miedo. La última vez que había tropezado con un pelotón más o menos como aquél, su padre había sido abatido a tiros por una de las gemelas Rebecca.

—¿Dónde quieres que nos situemos? —preguntó Eddie. Drake volvió la cabeza en dirección a Eddie.

—A tu lado, donde pueda veros a todos.

Los Limitadores se acercaron obedientemente a la orilla y formaron una fila detrás de Eddie. Will vio que uno de los Limitadores llevaba toda la cara vendada y su ojo izquierdo parecía cosido. Su aspecto era así más temible aún.

—¿No falta nadie? —preguntó Drake, señalando con la pistola al grupo.

Eddie pareció vacilar al inspeccionar a sus hombres. Estaba a punto de decir algo cuando Drake lo interrumpió:

—Chispas... ya puedes salir —dijo, levantando apenas la voz.

—¡Guau!, ya empezaba a tomarle gusto a esto —repuso alguien y una risa ronca resonó entre los árboles. Sweeney apareció en el camino contoneándose. Venía cargado con dos Limitadores, uno en cada hombro—. He cazado un par de styx. Un poco lentos estos chicos, ¿verdad?

Los llevaba a cuestas como si no pesaran en absoluto. Eddie volvió la cabeza hacia el hombretón.

—¿Los has herido? —preguntó Drake.

Sweeney hizo una mueca.

—Bah, no iban armados, así que no se me ocurrió. Están durmiendo el sueño de los justos. —Miró por turnos a los dos Limitadores—. Unos justos feos como cerdos. —Miró a Drake—. ¿Dónde los pongo? ¿Al lado del Gran Jefe styx?

—No, déjalos ahí —dijo Drake, sonriendo a Eddie, que miraba a Sweeney con intensa curiosidad—. Saluda a Chispas, un viejo amigo mío. Tengo más amigos como él.

Eddie enarcó las cejas, incapaz de creer que hubieran pillado desprevenidos a los soldados styx.

—Todavía falta uno —señaló.

—Jiggs —observó Sweeney.

—¿Jiggs está aquí? —preguntó Drake con una nota de asombro en la voz.

—Claro. Dejó a uno de estos sujetos fuera de combate.

—Buen chico —dijo Drake. Lanzó una risa seca al mirar a todos los Limitadores que estaban pacientemente en fila—. ¿Dónde está toda la *troupe*, Eddie? ¿De excursión? —preguntó fríamente—. ¿Tengo que suponer que estos Limitadores se han dirigido a ti sin más ni más? ¿Y cómo sabes que puedes confiar en ellos?

—Me son leales —confirmó Eddie, sin rastro de vacilación en la voz—. Recuerda que te dije que había otros que pensaban igual que yo. Estos hombres son afectos a mí debido a sus convicciones. Creen que la actual escalada de violencia no es procedente y que hay que detenerla.

Drake miró a Will y se dio cuenta de que el muchacho tenía el rostro congestionado.

—¿Te encuentras bien, Will? —preguntó.

Will no se encontraba bien. Se preguntaba si alguno de aquellos Limitadores habría estado en la cima de la pirámide, viendo cómo mataban al doctor Burrows. Había criticado mucho a Chester por la breve alianza de Drake con Eddie cuando habían organizado juntos una operación en la Ciudad Eterna, aunque no había dicho nada a Drake. Le parecía increíble que pudiera haber styx buenos.

—¿Will? —repitió Drake.

—Sí... estupendamente —mintió Will con los dientes apretados.

—Así que eres Will Burrows —dijo Eddie con amabilidad—. He oído hablar mucho de ti.

—Qué bien —gruñó Will, inquieto por la atención que le dedicaba el styx.

—Y de tu familia: Tam, tu madre Sarah... y tu hermano Cal. Tenemos que pedirte que le transmitas nuestras disculpas.

—¿A Cal? —fue todo lo que Will pudo decir.

—Sí, por su Cazador. Creo que el animal se llamaba *Bartleby*.

—¿Se llamaba? —exclamó Drake, pero Eddie continuó:

—Fue un grave e inexcusable fallo de protocolo en uno de los puestos de observación que establecí en las colinas que rodean la finca, y tu Cazador tropezó con el equipo que lo ocupaba —dijo Eddie—. El Limitador de servicio permitió que el animal le saltara encima y atacó.

—¿De qué estás hablando? —preguntó Will.

—Por desgracia, *Bartleby* resultó muerto. —Eddie señaló con la garra el Humvee aparcado en el camino, detrás de Will. Éste dio media vuelta y echó a andar mecánicamente hacia el vehículo. No quería ver lo que sin duda lo esperaba, pero se sentía obligado a mirar.

Había un bulto encima del capó. Will se apartó el ocular del ojo; empezaba a amanecer y ya no lo necesitaba. Al llegar al vehículo, vio que el bulto era *Bartleby*. Sus patas traseras y delanteras estaban atadas con una cuerda, su cuerpo estirado encima del capó como si el gigantesco gato fuera un trofeo cazado en una montería.

Parecido al color predominante en el cielo al amanecer, Will pudo ver claramente la red de venas color cobalto bajo la piel gris pizarra del animal, que parecía haberse vuelto más clara con la muerte. Y los ojos color ámbar del Cazador también habían perdido su intensidad y ahora eran blanquecinos, como la leche agria, con la pupila opalescente fija en el vacío.

Pero por encima de todo, a Will le resultaba imposible aceptar que el gato estuviera inmóvil. Siempre había estado lleno de vida, siempre brincando por todas partes en su búsqueda permanente de comida, siempre tramando diabluras, como un niño travieso.

—Bart —susurró Will. Una parte de él aún esperaba que el felino despertara, como había hecho tantas veces antes, cuando Will lo molestaba mientras dormía. Pero sabía que eso no iba a pasar. Alargando la mano, acarició una de las zarpas del Cazador—. Pobre viejo *Bartleby* —dijo con voz cargada de emoción—. Pobre viejo amigo.

Seguía murmurando las mismas palabras y sacudiendo la cabeza cuando volvió al vado. Arrastraba los pies, todo su cuerpo pesado por el dolor y la frustración.

Todos lo miraban, pero nadie habló hasta que Eddie rompió el silencio.

—Siento muchísimo este accidente.

—Lo sientes, claro —gruñó Will.

Podía oír la voz de su hermano muerto gritándole al oído, la voz de Cal, ansiosa de venganza, diciendo: «Mata a esos bastardos de cuello blanco! ¡Vamos, Will, machácalos!»

Will se dio cuenta de que en aquel momento no se interponía nada en su camino. Podía matar a Eddie y a aquellos soldados y ya no habría vuelta atrás. No infringiría ninguna ley. Drake y Sweeney podrían enterrar los cadáveres en el bosque, tal como había que enterrar a *Bartleby*.

—¿De veras lo sientes? —preguntó, desafiando al hombre a que respondiera—. Maldita sea, ¿cuánto lo sientes? —Aprestó el fusil y apuntó directamente a Eddie.

Deseaba apretar el gatillo.

Tenía lágrimas en los ojos.

—Los tuyos me lo han arrebatado todo. Una y otra vez. Lo único que sabéis hacer es matar. Yo...

Tensó el dedo.

—¡Will! —gritó Drake.

—Tranquilo... No hagas nada que puedas lamentar luego, mozalbete —dijo Sweeney, acercándose y bajando el cañón del Sten para que apuntara al suelo. Will no impidió que Sweeney le quitara lentamente el arma de las manos—. Nunca actúes motivado por la ira.

—Quisiera reparar el daño causado —propuso Eddie.

Drake estaba desconcertado.

—¿Qué?

Eddie avanzó hacia él.

—Deja que me haga cargo de eso —señaló la granada que el otro llevaba aún en la mano—. Ya no la necesitas.

Drake miraba a Eddie sin comprender.

—No pienso en absoluto usarla contra nosotros —prosiguió Eddie—. No soy un suicida.

Drake frunció el entrecejo y, ante la sorpresa de Will, permitió que el styx se hiciera con la granada. Lo más extraño era que Will no detectaba ninguna animosidad entre Drake y Eddie, sino algo completamente distinto. Camaradería. Amistad, incluso. Aquello le dolió.

Eddie volvió a la fila de los Limitadores y entregó la granada al styx de la cara vendada, que la recibió en silencio.

—Este soldado quiere expresaros cuánto lo siente —anunció Eddie. El Limitador echó a andar y se metió en el bosque.

—¡No! —exclamó Drake al darse cuenta de lo que iba a suceder. Se volvió en redondo hacia Sweeney—. ¡Chispas! ¡Tápate los oídos! —alertó.

En el momento en que la última palabra salía de su boca, el Limitador se arrojó encima de la granada. Hubo una explosión ahogada. Will vio el resplandor cuando el cuerpo del Limitador saltó por los aires. Todos fueron rociados con tierra y astillas. Un árbol crujió y se desplomó. La señora Rawls dio un grito.

—¡Uufff! —se quejó Sweeney con las manos en los oídos—. Qué trueno.

—No era necesario —dijo Drake a Eddie con voz grave.

El rostro de Eddie y el de los otros Limitadores tenían la expresión de siempre: inescrutable.

—Sí lo era. Ha sido el castigo por negligencia en el cumplimiento del deber —explicó Eddie—. Y acabo de responder a tu pregunta, Drake. Todos estos hombres me obedecen ciega y absolutamente. Me son completamente leales. Por eso están aquí. Harán todo lo que les pida.

Eddie se dirigió a Will, que seguía medio agachado después de la explosión y con los ojos abiertos como platos.

—Como ya he dicho, sentimos muchísimo la muerte del Cazador. Ahora que el responsable ha sido castigado, espero que de alguna manera hayamos reparado el daño. —Eddie se volvió hacia Drake—. Y ahora, ¿podríamos hablar, por favor?

—Siempre que no vuelvas a hacer una escena como esa —dijo Drake.

El Sten parecía un juguete en las manazas de Sweeney cuando Will y Drake lo dejaron para vigilar a la señora Rawls y a los Limitadores. Eddie había sugerido con mucho tacto que hablaran en el Humvee que estaba más alejado del vado, lo que evitaría a Will tener que ver el cuerpo de *Bartleby* otra vez. Will se sentó en el asiento delantero. Nunca había estado en un Humvee y se puso a mirar el espacioso interior.

—¿Te encuentras bien? —le preguntó Drake, sentándose en un asiento de atrás.

Will se volvió y asintió con la cabeza, pero Drake ya estaba inspeccionando las armas almacenadas en la parte trasera del vehículo. Había casi una docena de fusiles styx y armas de la Superficie de último modelo. Y al lado había un equipo de comunicaciones de aspecto muy caro.

—Apuesto a que tuviste que vender unos cuantos diamantes para comprar este equipo —comentó Drake cuando Eddie subió y se sentó junto a él.

—Tengo otros dos como éste en Londres —respondió Eddie—. Y algunos vehículos de transporte blinda...

Will se quedó de piedra cuando Drake, sin previo aviso, propinó al styx un puñetazo en la cara.

—Esto por haberme sometido a la Luz Oscura —explicó Drake, frotándose los nudillos.

Eddie rebuscó en su bolsillo con los ojos lagrimeantes. Sacó un pañuelo y se frotó la nariz con él. Will vio un reguero de sangre en su labio superior.

—Supongo que me lo merez...

Drake le asestó otro puñetazo, aún más fuerte que el primero. El pañuelo salió volando y la nariz empezó a sangrarle en serio.

—¿Y esto? —dijo Eddie, con acento más nasal que nunca.

—Ha sido por Chester —gruñó Drake—. Fue un golpe muy bajo someterlo también a él a la Luz Oscura.

—¿Qué? —exclamó Will—. Entonces, ¿no fue un auténtico styx?

—No, no lo fue, ¿verdad Eddie? —le espetó Drake en tono acusador.

El styx asintió con la cabeza.

—Supongo que también me merecía este puñetazo —convino. No parecía resentido por el trato que le estaba dispensando Drake y prosiguió con voz impasible—: Fui yo quien lo hizo, pero porque necesitaba un medio para seguirte el rastro. Así que cuando dejaste a Chester solo en mi casa, le apliqué un poco de condicionamiento lumínico. No fue nada drástico.

—Haces que suene como si le hubieras aplicado un producto para el cuidado del cabello —comentó Drake secamente, sacudiendo la cabeza—. Así que hemos huido de la casa de mi padre por nada. Maldita sea, ¿por qué no te limitaste a llamar a la puerta?

Eddie aspiró fuerte por la nariz para despejarse la sangre que le salía.

—Necesitaba que me prestaras toda tu atención. Si me hubiera limitado a aparecer, no me habrías tomado en serio. Y parece que pasas por alto el gran favor que te hice. Cuando empujaste a Emily Rawls al estanque, yo me tiré a salvarla, y ahora te la he devuelto sana y salva.

—¿Qué la tiraste al estanque? ¿A qué se refiere? —preguntó Will a Drake.

—Lo quiso ella —se defendió Drake, pero Will vio que Eddie lo había puesto en una situación comprometida—. Emily estaba resuelta a ayudar, y yo necesitaba una manera de saber lo que los styx planeaban hacer a continuación.

—Así que estás diciendo que lo que yo le hice a Chester fue peor que dejar a su madre a merced de los lobos —dijo

Eddie, respirando hondo—. Pero mira, esto no nos lleva a ninguna parte y tengo que informarte de un asunto...

Estaba claro que a Drake no le había gustado nada la acusación de Eddie y lo interrumpió con actitud hostil.

—Muy importante tiene que ser para que hayas organizado todo este alboroto. Si se trata de tu hija, estás perdiendo el tiempo. Ella no quiere saber nada.

—Sí... y no —respondió el styx en tono comedido—. No, no he venido por Elliott, pero ¿has observado algo diferente en ella? ¿Algún cambio?

Drake frunció el entrecejo; no entendía por qué Eddie le había hecho aquella pregunta.

—Bueno, está creciendo muy aprisa —respondió—. Lo mismo que cualquier adolescente normal.

—Adolescente normal —repitió Eddie en un susurro, abriendo y cerrando la mano con rigidez. Era un pequeño pero inconfundible signo de ansiedad, que Will y Drake captaron inmediatamente. El styx miró fijamente a Drake—. Tengo que decirte algo que ningún ser humano ha escuchado antes. Voy a explicarte por qué mi gente ha aumentado sus operaciones en la superficie terrestre.

—Continúa —lo animó Drake, cruzándose de brazos y apoyándose en el respaldo—. Soy todo oídos.

—Tengo que hablarte de... —dijo Eddie, vacilando un momento como si sus labios se negaran a obedecerle— de *la Fase.*

Los dos neogermanos abrieron la verja de la factoría y el capitán Franz entró con el Mercedes en una zona en cuyo asfaltado suelo se leía: RESERVADO PARA VISITANTES. Allí aparcó.

Sin perder un instante, bajó del coche y se dirigió a la parte trasera para dejar salir a las gemelas. Luego corrió a abrir la puerta que daba al edificio de oficinas. Pero las Rebeccas se habían detenido un momento en el aparcamiento para admirar las filas de coches de lujo.

—Hace que te sientas importante —dijo Rebecca Uno al ver un Bugatti Veyron al lado de un Ferrari Enzo.

Su hermana murmuró que estaba de acuerdo y continuaron andando hasta el edifico de oficinas, donde el capitán Franz mantenía la puerta abierta.

—Muy amable, gracias —dijo Rebecca Dos, pasando junto a él.

—Muy amable, gracias —repitió Rebecca Uno imitando la voz de Marilyn Monroe al pasar junto al capitán y rematando la imitación con una ligera flexión de la rodilla y una leve reverencia.

Rebecca Dos pasó por alto la burla de su hermana; en aquel momento un Limitador con uniforme de combate se acercó a recibirlas.

—Veo por los coches que ya están todos aquí —le dijo Rebecca Dos—. Acompáñalos a la sala de juntas.

Avanzando con rapidez desde la zona de recepción, las gemelas entraron en un pasillo y cruzaron una puerta abierta. Era una sala enorme, dominada por una mesa de unos siete metros de largo y con varias sillas alrededor. Las gemelas se dirigieron directamente a la cabecera de la mesa y se sentaron. El capitán Franz se situó detrás de ellas en posición firme, con las manos a la espalda.

Menos de un minuto después entraba en la sala un reguero de mujeres styx. Procedían de todas las zonas de la Superficie y diferían mucho entre sí. Unas habían conservado el cabello negro, pero otras se lo habían oxigenado o teñido, y sus ropas también eran muy variadas. En lugar de esconderse entre las sombras, como sus compañeros masculinos, muchas de aquellas mujeres se habían situado en los principales ramos del comercio de la Superficie y en los niveles más altos del gobierno, y a menudo estaban en primer plano. Eran miembros importantes y valorados de la sociedad inglesa, muchas de ellas responsables de decisiones clave en sus respectivas áreas de trabajo.

Había cuarenta mujeres en total. Y aunque de diferente aspecto, tenían una cosa en común: su excepcional belleza, que se caracterizaba por sus pómulos altos y ojos penetrantes, y eran todas increíblemente altas y esbeltas. Según los valores de la Superficie, eran mujeres que quitaban el hipo.

Una de cabello negro y corto se dirigió pavoneándose a la silla que había en el extremo opuesto de la mesa, frente a las gemelas, donde se sentó cruzando elegantemente las piernas.

—Hermione —la saludó Rebecca Uno.

Hermione sonrió.

—He visto la entrevista que te hicieron en el *Hola* —continuó Rebecca Uno—. Estás sencillamente fantástica en las fotos.

—Sí, me gustó cómo quedé en las fotos —respondió Hermione. Con casa en Londres, París y Nueva York, era la inspiración de una de las compañías de relaciones públicas más importantes del mundo.

Otra mujer, con el cabello rubio hasta los hombros y vestida con un traje negro Vivianne Westwood, ocupó la silla contigua a la de Hermione. Moviéndose con la gracia de un gato, se sentó y apoyó un pie, calzado con un zapato Jimmy-Choo, en el borde de la mesa.

—Hola, Vane —dijo Rebecca Dos—. Ha pasado mucho tiempo.

—Sí —respondió la otra.

Aunque era difícil distinguirlo a primera vista, Hermione y Vane eran gemelas, al igual que las Rebeccas, y siempre habían sido un modelo de conducta para las jóvenes.

—Hemos visto que has estado ocupada con tu último programa —le comentó Rebecca Dos a Vane.

La mujer esbozó una leve sonrisa. Era la principal presentadora de uno de los *realities* televisivos con más audiencia del país.

—No hace falta esforzarse mucho para entretener a un Ser de la Superficie —comentó con desdén.

Hermione se frotó el hombro por debajo de la chaqueta, echando un vistazo a la sala.

—Qué lugar más soso. No hay nada que destaque.

Rebecca Dos asintió:

—Sí, es perfecto, ¿verdad? Y ahí detrás —dijo, señalando a la derecha con la cabeza— hay media hectárea de ambiente controlado.

Rebecca Uno tomó la palabra, dirigiéndose a todas las mujeres:

—Y en esa media hectárea ya tenemos preparados trescientos sujetos para vosotras.

Todas las mujeres reaccionaron inmediatamente con murmullos de aprobación. Y todas sin excepción comenzaron a respirar con dificultad y a ruborizarse. Algunas se masajearon los hombros.

Pero había una en medio del grupo, detrás de Vane y Hermione, que no parecía impresionada en absoluto.

—¿Eso es todo? —preguntó con voz cortante. Su aspecto era vulgar en comparación con las otras: no iba maquillada, y cuando se quitó la gorra de oficial, dejó al descubierto un cabello de color castaño apagado. Vestida con uniforme caqui, era una de las mujeres de más alta graduación en el ejército británico—. Porque sé que podemos conseguir muchos más candidatos —dijo, refiriéndose a los soldados bajo su mando—. Y están todos en unas condiciones físicas excelentes.

Rebecca Uno respondió sin dilación:

—No hacen falta. Todos están pasando ahora el proceso y pronto estarán listos para vosotras. Eso debería ser apropiado incluso para tu voraz apetito, comandante.

Una mujer con traje azul oscuro se apartó del grupo dando un paso al frente. Había acudido directamente desde la clínica optométrica de Harley Street, donde administraba regularmente sesiones de Luz Oscura a muchos políticos y empresarios importantes.

—¿Podría empezar por él? —preguntó segura, abriendo mucho los oscuros ojos, con los que se comía al capitán Franz—. Es un bocado exquisito.

—Yo lo vi primero —señaló Hermione riendo, descruzando las piernas y pasándose la lengua por la perfecta dentadura.

—Os equivocáis. Creo que vais a descubrir que es mío —dijo Vane.

—No —respondió Rebecca Dos con sequedad—. Es útil para nosotras.

—¿De veras? —preguntó Hermione con ojos relampagueantes al advertir el tono defensivo de Rebecca—. ¿Y de qué forma podría considerarse «útil» ese Ser de la Superficie?

Para calmar los ánimos, Rebecca Uno dio una palmada y se puso en pie.

—Si todo el mundo está listo, por favor, seguidnos.

Las gemelas se pusieron en cabeza y las mujeres styx las siguieron. Sus tacones llenaron el aire de ruidos y ecos agudos cuando abandonaron la zona enmoquetada y desfilaron por el linóleo del corredor que llevaba al primero de los almacenes. Un par de Limitadores, los soldados más aguerridos del regimiento de elite styx, estaban apostados a la entrada de la antigua fábrica. Pero ahora no parecían tan intrépidos, y se encogían y retrocedían para alejarse de la horda de mujeres. Al pasar por su lado, Hermione se inclinó hacia uno y emitió un gruñido. El Limitador dio un bote.

—Los hombres son unos calzonazos —dijo riendo por lo bajo guturalmente.

Las otras mujeres no dijeron nada y entraron en la fábrica. Las unidades industriales humidificantes traqueteaban y el aire era espeso y cálido. El interior, iluminado sólo por ocasionales esferas luminiscentes montadas en trípodes, estaba casi a oscuras.

Y en el otro extremo había trescientas camas de hospital dispuestas en forma de parrilla. En cada cama había una figura inconsciente. La escena recordaba un dormitorio atestado de seres humanos dormidos. Todos eran Seres de la Superficie o colonos; incluso habían llevado un puñado de neogermanos para aumentar el número.

Rebecca Uno se volvió hacia el grupo de mujeres.

—Esto es... —anunció, pero entonces se dio cuenta de que las mujeres styx no le hacían caso. Arrastradas por el impulso irresistible, primario, presente en todas ellas, muchas se dirigían ya a las camas. Rebecca Uno levantó las manos y se dirigió a las mujeres alzando la voz todo lo que pudo—. Éste es uno de los momentos más grandes de nuestra larga historia, y estamos orgullosas de haber sido capaces... —Enmudeció al darse cuenta de que era inútil; las mujeres ni siquiera la escuchaban mientras sus miradas iban de cama en cama.

—Cuando hayáis terminado aquí, podéis ir a los otros dos almacenes, donde os estarán esperando los demás candidatos —añadió Rebecca Dos—. No os preocupéis si no podéis con todos, ya que luego vendrán más hermanas.

—Procuraremos dejarles unas migajas —aseguró Hermione. Estalló un coro de carcajadas, casi todas de expectación ante lo que las aguardaba.

—¡Que comience la Fase! —exclamó Rebecca Uno.

Las mujeres se desperdigaron por la fábrica, algunas corriendo para apoderarse de los humanos que estaban en los rincones.

—Hemos recorrido un largo camino desde Rumanía —dijo Rebecca Uno—. Es mucho más fácil ahora que tenemos una tecnología que nos permite lavarles el cerebro —dijo, refiriéndose a las sesiones intensivas de Luz Oscura a las que habían sido sometidos los sujetos de las camas.

—Sí, es mucho menos complicado que dejarlos lisiados. Incluso con los tobillos rotos eran capaces de resistirse —admitió Rebecca Dos jadeando, mientras veía a Hermione aproximarse a una de las camas más cercanas.

Cuando la styx llegó al lado del humano, se quitó la chaqueta y la blusa, se sentó a horcajadas sobre él, arqueó el cuerpo y echó la cabeza atrás, dando un grito primario y penetrante que se elevó hasta el techo y pareció que después reverberó en el suelo de la fábrica.

Ya tenía sangre en la espalda. Pero en cuanto se puso a dar alaridos, en la parte superior de sus omóplatos se abrieron dos ranuras y la carne se desgarró.

De las ranuras surgieron patas de insecto. Se retorcieron como si acabaran de nacer y respiraran por primera vez, y acto seguido se desplegaron y estiraron hasta alcanzar toda su longitud.

Eran miembros insectoides, negros, brillantes de sangre y plasma, y cubiertos de flagelos.

Hermione seguía chillando, pero el griterío se convirtió en algarabía cuando las otras mujeres, sentadas sobre sus víctimas, también comenzaron a chillar. Chillaron hasta que el volumen resultó insoportable en el recinto de la fábrica. El ruido incluso sacudía las paredes.

Cuando Hermione adelantó las manos hacia el humano inconsciente, los miembros de insecto hicieron lo mismo por encima de sus hombros. Las pinzas de los extremos sujetaron la cabeza del hombre a la altura de las sienes, con firmeza, preparándolo para lo que estaba por llegar.

Hermione respiraba entrecortadamente mientras acercaba su cabeza a la del hombre y le introducía los pulgares en la boca para abrírsela todo lo posible. De súbito brotó un tubo de la boca de Hermione, un tubo de medio metro de longitud que encontró inmediatamente la boca abierta del hombre.

—Es un espectáculo maravilloso —gimió Rebecca Uno, embriagada por la escena que se desarrollaba ante sus ojos—. Somos muy afortunadas de poder verlo.

El tubo carnoso de las styx era parecido al ovipositor que se encuentra al final del abdomen de muchos insectos y que sirve para poner los huevos, pero era mucho más ancho. Y el de Hermione latía como si empujara alguna cosa con el movimiento peristáltico de los músculos.

Era una vaina del tamaño de una caja de cerillas. Una bolsa de huevos.

El tubo entró más profundamente en la boca del hombre y se abrió paso hasta la garganta; una acción refleja hizo toser a la víctima, que trató de mover la cabeza. Pero, con un sonido de succión, la bolsa de huevos fue depositada dentro de él y volvió a quedarse quieto.

Los miembros insectiformes de Hermione soltaron las sienes del hombre. Hermione levantó los brazos, los estiró con elegancia y desmontó al hombre. Inmediatamente se dirigió a la cama contigua, en la que había una mujer tendida.

—Uno menos. Quedan quinientos noventa y nueve —dijo Rebecca Dos.

# 7

—Y de cada uno de estos sacos o vainas de huevos —continuó Eddie— nacen más de treinta styx. Pasan por un estado larvario, durante el que consumen la carne del humano vivo. Y cuando han acabado con el cuerpo del anfitrión, salen al exterior y...

—¿Salen al exterior? —preguntó Will, a punto de marearse.

—Sí, lo revientan y se arrastran fuera en busca de más alimento. Durante los días siguientes, necesitan una gran provisión de carne fresca para desarrollarse por completo. Una vez que han digerido proteína suficiente, forman capullos, para pasar al estado de crisálida. Y al cabo de un par de semanas de incubación, surge un ejército completamente nuevo, listo para invadir el mundo.

Drake arrugó el entrecejo.

—Dices que así nacen «styx». ¿A qué te refieres exactamente? —preguntó.

—Styx como yo, como los Limitadores —respondió Eddie.

Drake frunció el entrecejo aún más.

—¿Al cabo de sólo dos semanas? ¿Cómo es que en unas semanas se genera un adulto completamente formado? ¿Cómo puede ser?

—Poseen la inteligencia de un styx macho completamente desarrollado, pero no tienen facultades emotivas.

No las necesitan. Los han traído a este mundo con un único fin: matar. Y son increíblemente buenos matando, porque no tienen escrúpulos para ocasionar la muerte. Los llamamos Clase Guerrera. Se introducen entre la población de la Superficie, utilizando cualquier arma disponible y asesinando a su paso, hasta que se les ordena parar. O hasta que no queda nadie por matar.

Se hizo un silencio de horror en el Humvee hasta que habló Will.

—Es como los icneumónidos —susurró horrorizado. Aunque tenía una piel muy blanca, su rostro parecía más blanco que de costumbre—. Vi esos bichos en un reportaje de televisión. Ponen los huevos en un animal vivo, que los incuba y...

—Es más que eso —interrumpió Drake, volviéndose a Will—. ¿Recuerdas la última vez que estuvimos en Highfield con tu padre? ¿Cuando quiso echar un vistazo a Celia desde el tejado?

—Claro que lo recuerdo —dijo Will—. En Martineau Square.

—Bien, en aquel entonces yo hice una comparación a lo tonto entre los styx y los virus. No tenía ni idea de lo cerca que estaba de la verdad—. Drake se volvió hacia Eddie—. Es una suposición, pero cuando los huevos crecen en el cuerpo anfitrión, no sólo asimilan sus proteínas, sino que además incorporan a su genoma parte del ADN de la víctima, ¿no es cierto? ¿Y no es ésa la razón de que la fisiología actual de los styx se parezca a la nuestra?

Eddie asintió con la cabeza.

—Nuestros investigadores creen que hubo una Fase en tiempos prehistóricos, que acabó con los dinosaurios. Y desde luego en aquella época no éramos humanoides. Los investigadores dicen que el parecido con los humanos llegó más tarde, tras una segunda Fase, en la época de los neandertales.

Will dejó escapar un «vaya» apenas audible.

—Espera, espera..., esto está tomando un cariz demasiado fantasioso —protestó Drake, levantando las manos—. ¿Dónde están las pruebas, Eddie? ¿Cómo sé que lo que me estás contando es cierto? —preguntó en tono desafiante, aunque no agresivo, mientras intentaba asimilar lo que acababa de oír—. Sólo tenemos tu palabra...

Eddie introdujo la mano dentro de su chaqueta. Drake sacó inmediatamente la pistola y le apuntó.

—Sabes que no voy armado —replicó Eddie, sin mover un músculo—. Quiero enseñarte algo.

—Adelante —dijo Drake, sin dejar de apuntar al styx.

Eddie sacó lentamente un libro de un bolsillo interior, con la cubierta arrugada y desgastada.

—*¿El libro de las catástrofes?* —preguntó Will mientras miraba el gastado volumen, encuadernado en una especie de pergamino de color marfil.

—No, éste es muy anterior —respondió Eddie—. Es del siglo quince y sólo han llegado hasta nosotros unos cuantos ejemplares. Ningún colono ha puesto sus ojos en él, nunca, y no es probable que haya otro en la superficie terrestre. Yo hice que sacaran de contrabando este ejemplar, que estaba en la Ciudadela.

Drake dejó de apuntarle y se encogió de hombros.

—¿Y de qué va?

—Bueno. —Eddie se quedó pensativo un momento—. El título styx significa «de uno surgen muchos». No hay una traducción exacta en las lenguas europeas, pero imagino que la palabra más adecuada sería «Propagación», o mejor aún, «Proliferación». —Recorrió con el dedo los lados del triángulo invertido que aparecía grabado en la cubierta—. Sí, *Libro de la Proliferación* —decidió, volviéndo-

lo para enseñárselo a Will y a Drake—. Y esto no es cuero.
Está encuadernado en piel. Piel humana.

—Vaaaale —se resignó Drake—. Supongo que hace juego con el contenido.

Eddie abrió el libro y empezó a pasar con cuidado las páginas, que crujían como hojas secas.

—Ah, aquí está —dijo, volviendo otra vez el libro para que Will y Drake vieran la ilustración, una rudimentaria impresión xilográfica.

Era de un hombre tendido en el suelo, con el cuerpo hinchado y deformado, con el delgado rostro de una mujer sobre él. El resto del cuerpo femenino estaba parcialmente oculto entre las sombras y era difícil distinguirlo.

Will miraba la ilustración con los ojos entornados.

—Parece como si tuviera alas en la espalda... pero deben de ser los miembros insectiformes de que hablaste —aventuró.

—Exacto. —Eddie volvió el libro hacia sí y miró el texto de la página, que aparecía escrito con caracteres compactos y diminutos—. Es la historia de nuestra última Fase. Documenta lo que tuvo lugar a mediados del siglo quince en Rumanía —informó a Will y a Drake—. Fue durante el reinado de aquel príncipe de Valaquia que consiguió notoriedad por haber hecho una completa carnicería con...

Will no pudo contener un respingo.

—Vlad... Papá me habló de él. Estás hablando de Vlad el Empalador, ¿verdad?

—Sí —confirmó Eddie—. Y las leyendas que lo rodean han dado lugar a las improbables historias y películas de vampiros que tan de moda están en la actualidad. Pero la realidad es muy diferente... La realidad es que fue nuestra Fase la que originó el mito. Verás, el príncipe nos ofreció protección a cambio de que acabáramos con los boyardos, sus archienemigos. Su parte del trato consistía en darnos un lugar seguro para desarrollar la Fase... y un amplio surtido de cuerpos humanos.

—Apuesto a que os los dio, sí. Mi padre me contó que mató a miles, después de achicharrarlos, desollarlos y cortarles los brazos y las piernas —recordó Will—. Y le gustaba poner sus cabezas en una estaca.

—Eso sólo era fachada, para desviar la atención de lo que estábamos haciendo —dijo Eddie—. El príncipe era en realidad un hombre muy culto y amable.

Drake frunció el entrecejo.

—A ver si lo entiendo. Si hubo una Fase en el siglo quince... ¿qué pasó? No estamos todos muertos ni esclavizados, ¿qué falló?

—El príncipe renegó de nosotros —respondió Eddie—. Sus obispos lo convencieron de que éramos infieles y de que había que pararnos los pies. Así que ordenó a sus caballeros que asaltaran la cripta de palacio, donde se estaba desarrollando la Fase. Nuestra recién creada Clase Guerrera estaba aún en estado larvario o de crisálida, así que los caballeros no encontraron oposición e hicieron trizas todo lo que hallaron a su paso, quemando después los restos. De hecho, la única resistencia la opusieron nuestras mujeres, pero los caballeros las acorralaron en un extremo de la cripta, y allí las mataron. —Eddie casi sonrió al añadir—: Así que más que describirlo como un cruel déspota, la historia debería reconocer a Vlad el Empalador como a uno de sus mayores salvadores. Lo más irónico es que salvó a toda la humanidad.

Drake juntó los dedos mientras asimilaba todo aquello.

—¿Estás diciendo que un ejército convencional, pertrechado sólo con armas rudimentarias, detuvieron la Fase? Pues con el equipamiento moderno, eso no debería representar ningún problema.

—Únicamente en el caso de que descubráis dónde se

está desarrollando la Fase, para destruir a la Clase Guerrera antes de que se disperse —respondió Eddie—. Antes o durante la metamorfosis.

—¿Por qué? —preguntó Drake.

—Porque la Clase Guerrera también se puede reproducir. Cuando salgan, su número aumentará...

—Exponencialmente —completó Drake—. Así que son machos y también pueden reproducirse. —De repente concibió una duda—. ¿Y por qué esta Fase está teniendo lugar ahora?

—Como te dije, tienen que darse una serie de factores para poner en marcha una Fase, aunque ni siquiera nuestros sabios saben exactamente cuáles son. Quizás uno de los factores sea simplemente nuestro reloj biológico. El momento era... —Eddie se detuvo para rectificar—. Es el correcto. Y lo sé porque puedo sentirlo, igual que lo sienten todos esos Limitadores que han venido conmigo.

# 8

Con el capitán Franz a sus espaldas, como el maniquí de una tienda, las gemelas Rebecca habían visto en un monitor del sistema de seguridad el proceso por el que Hermione y las otras mujeres styx se introducían en el organismo de los humanos y depositaban las bolsas de huevos.

Rebecca Dos percibió actividad en las puertas de la fábrica, en otra pantalla.

—Llegan los víveres —observó.

—Ya era hora. Apuesto a que las hermanas están muertas de hambre. A ver si sé cómo funciona este chisme —dijo Rebecca Uno, pulsando teclas hasta que encontró la imagen que buscaba—. Ahí está. —El camión articulado entraba en marcha atrás en la zona de descarga. Tan pronto como se detuvo, se abrió el remolque y un pelotón de neogermanos empezó a poner la carga en varias carretillas—. Comida sobre ruedas —bromeó la gemela—. «Tú eres mi sol...» —tarareó para sí. Apretó un botón y volvió a la cámara que había dentro de la fábrica llena de vapor. Utilizando el mando giratorio de los controles, acercó la imagen de las puertas que daban a la zona de descarga. En menos de un minuto, se abrieron las puertas y entraron dos neogermanos con una carretilla cargada. Detrás de ellos, un Limitador en posición de firme vigilaba la entrada.

Al oler la comida, una horda de mujeres styx se había congregado ya al lado de la puerta.

Rebecca Uno rió con malicia.

—Esto va a estar bien.

Vane se abalanzó sobre un neogermano, tirándolo al suelo con sorprendente rapidez. El resto de las mujeres se echó rápidamente sobre él y sobre el otro soldado, dándoles zarpazos. Los soldados tenían el cerebro tan lavado por la Luz Oscura que ni siquiera intentaron defenderse.

—Prometimos a nuestras hermanas carne fresca —dijo Rebecca Dos mientras observaba la carnicería—. Más fresca no puede ser.

Ni siquiera el Limitador escapó a la atención de las mujeres.

—¡Salvaje! —exclamó Rebecca Dos.

Como una araña lanzada al ataque, Vane se había movido con tal rapidez que el rastro que dejó en el monitor fue apenas un borrón.

De un solo salto, cayó sobre el Limitador y, antes de que supiera lo que estaba pasando, las extremidades insectiformes le golpearon los ojos. Trastabillando ciegamente, el hombre trató de utilizar su fusil para librarse de ella, pero Hermione ya estaba a su espalda, clavándole los dientes en el cuello.

—La hembra de la especie es siempre la más mortífera —murmuró Rebecca Uno entre dientes.

—¡Ja! ¡Vaya par! —exclamó Rebecca Dos con satisfacción, sin dejar de mirar. Vane y Hermione estaban despedazando al soldado styx, miembro a miembro, mientras otro Limitador aterrorizado sellaba rápidamente las puertas de la fábrica a sus espaldas—. Siempre tan quisquillosas con lo que comen.

Mientras el Bedford avanzaba dando bandazos por el lecho del río, el nivel del agua fue bajando hasta que sus pies dejaron de estar sumergidos. Luego el camión derrapó al subir a la orilla y enfilar una especie de camino. Al poco rato, Chester sintió que le apretaban el antebrazo. Stephanie se había quedado dormida, apoyada en su hombro. Procurando no molestarla, sacó la linterna, haciendo pantalla con la mano para que la luz diera sólo en su reloj. Antes de apagarla, el haz luminoso incidió sobre Elliott, que estaba sentada enfrente de él. Estaba medio despierta y los miraba fijamente, a Stephanie y a él. Puede que fueran las sombras, puede que fuera el ángulo del haz de luz, pero su expresión era adusta y seria.

A pesar de estar protegido por la oscuridad, Chester notó que se ruborizaba, como si hubiera sido pillado haciendo algo que no debía.

Lo cierto es que no sabía cómo responder al interés que había despertado en Stephanie, sobre todo porque estaba seguro de que se debía al falso retrato que Will había inventado sobre sus proezas como campeón de esquí.

Y a Chester le mareaba la rapidez a la que todo se estaba moviendo, como si lo arrastrara la corriente de un río. Había llegado a la conclusión de que no sabía lo que Elliott sentía realmente por él, ni lo que él sentía por ella. Durante un tiempo parecieron estar muy unidos, pero últimamente, durante la estancia en casa de Parry, la joven se había distanciado de él, y de todos los demás.

Chester estaba confuso.

Y se sintió muy aliviado cuando el Bedford se detuvo y Stephanie despertó.

—¿Dónde estamos? —Bostezó y se estiró.

—No lo sé —gruñó Chester, consciente de que aún estaría bajo el escrutinio de Elliott.

Parry abrió la puerta trasera con un chasquido.

—Todo el mundo abajo —ordenó.

Chester saltó del camión detrás del coronel Bismarck y vio que estaban bajo un techo construido con láminas de metal corrugado y cubierto de herrumbre. Dio unos pasos para salir a cielo abierto y vio que la luz del amanecer empezaba a abrirse paso entre las nubes.

—Qué sorpresa..., está lloviendo —se quejó, parpadeando al sentir unas gotas en los ojos.

—¡Es un Morris Minor! —anunció la señora Rawls, y Chester se volvió a mirar el viejo coche, escondido detrás del camión. Parecía una uva que hubiera crecido demasiado, no sólo por su forma globular, sino por la pintura mate que lo cubría.

—Es de Danforth —informó Parry—. Al menos ha llegado sin contratiempos.

Cuando todos hubieron recogido su equipo, siguieron a Parry por un camino flanqueado por espesos matorrales. Chester notó que Elliott se había detenido y que estaba haciendo muecas y frotándose el hombro, por debajo de la correa de la Bergen. Preocupado por ella, retrocedió hasta quedar a su altura.

—¿Te encuentras bien? —preguntó, poniéndole la mano en el brazo.

La joven dio un brinco, apartándose de él, y luego lo miró a los ojos.

—Stephanie es muy atractiva. No mencionaste que habías conocido a alguien en la finca —dijo.

—Yo... bueno... no creí que tuviera importancia —balbuceó Chester—. Y apenas la conozco, de veras.

—Pues yo sí —replicó Elliott—. Ella es todo lo que yo quería ser. Y todo lo que odio de mí misma.

Chester no tenía ni idea de qué responder, pero Parry había visto que se estaban quedando atrás.

—Vamos, más aprisa, vosotros dos —les instó, y conti-

150

nuó la marcha por el sendero. A los pocos minutos, Chester vio un campo abierto ante ellos.

—Por aquí hay que pasar volando —indicó Parry.

Salieron a un barranco, al pie de una montaña, cubierto en su mayor parte de hierba y vegetación comida por las ovejas. Sin embargo, hacia la parte de arriba, el terreno había sido erosionado por los elementos, y unos enormes bloques de piedra se levantaban orgullosos, como si fueran las ruinas de una antigua fortaleza. Chester vio que el barranco conducía a una larga hilera de torres de alta tensión.

Parry los reunió a todos a su alrededor, a un lado del barranco.

—Cuando lleguemos arriba, vamos a quedar al descubierto. No es muy probable que haya nadie en el valle del

otro lado, pero, por si acaso, Wilkie os enviará de uno en uno. ¿Entendido?

Todos asintieron y Parry subió hasta que se perdió de vista. Cuando le llegó el turno a Chester, Wilkie le dio un golpecito en el hombro y el muchacho trepó por la pendiente. Con el viento y la lluvia en la cara, recorrió corriendo los quince metros que lo separaban de Parry, que estaba agachado al lado de un par de estructuras, en la base de la torre eléctrica más cercana. Al acercarse, Chester vio que las estructuras eran dos transformadores planos, pintados de gris, de unos seis metros por seis y cubiertos por unos saledizos de refrigeración. Encima había unos postes de los que salían unos cables que se elevaban hasta la torre de alta tensión.

Ambos transformadores estaban rodeados por una valla metálica, coronada por alambre de espino. Parry condujo a Chester por una puerta de la valla para que pudiera reunirse con su padre y una Stephanie harta de todo aquello.

—Esto ya no mola —dijo, con el agua goteándole de la punta de la nariz.

Finalmente, cuando el Viejo Wilkie se les unió al otro lado de la valla, Parry se dirigió al transformador más cercano, del que salía un vapor constante. En el transformador había un rótulo que rezaba: PELIGRO DE MUERTE. NO TOCAR. ALTO VOLTAJE. Debajo, el dibujo de un rayo a cada lado de una calavera roja con las tibias cruzadas.

—Desde luego que hay peligro —dijo Parry, poniendo una mano sobre la estructura. Saltó un chispazo debido a la descarga de electricidad. A Parry, que llevaba el pelo mojado, se le puso de punta. Su aspecto habría resultado cómico si no fuera porque todos pensaron que se había electrocutado.

Pero estaba completamente ileso.

—No hay que preocuparse —dijo riendo—. Es una carga electrostática para alejar a los curiosos. —Eligió uno de los saledizos laterales del transformador, desplazó un pestillo y abrió una pequeña trampilla.

Todos se agacharon para pasar por la abertura, que daba a una cámara de una estrechez claustrofóbica. Parry utilizó la linterna para pulsar una serie de dígitos en un pequeño panel. Cuando terminó, parpadeó una luz roja que había sobre una rejilla, al lado del panel. De allí surgió una voz masculina.

—La serie principal —exigió.

—Sabes perfectamente quién soy. ¿Es que tenemos que representar siempre esta farsa? —replicó Parry con voz irritada.

—Por supuesto que sí —exclamó la rejilla—, señor —añadió como si se le hubiera olvidado durante unos segundos.

Parry resopló y luego empezó a recitar:

—La bestia de lo más profundo del bosque duerme hasta que el reino la llama. Entonces despertará para cumplir la voluntad del rey.

—Confirmado —dijo el panel—. Ahora la serie catorce, si no tiene inconveniente, señor.

Parry quedó pensativo un momento.

—Hay placer en los bosques sin caminos, éxtasis en la playa solitaria, compañía donde ningún intruso...

—Y la serie diez, por favor —dijo la rejilla.

—Estamos helados hasta el tuétano, hambrientos y reventados. Si no abre, Finch, entraré en el Complejo aunque tenga que echar la puerta abajo —amenazó Parry.

Hubo una pausa, se oyó un chasquido al otro lado del panel y apareció una ranura de luz.

—¡Por fin! —exclamó Parry, empujando la puerta para acceder a una rampa con barandillas oxidadas a ambos lados. Bajaron hasta una habitación con un techo muy bajo.

—Ésta es la única entrada y la única salida del Complejo —dijo Parry, señalando con la cabeza una puerta de aspecto sólido que enfocó con la linterna—. Está blindada —dijo—. Una tonelada de explosivos no le haría más que una simple abolladura. —Luego señaló las troneras abiertas en los paneles de metal gris incrustados en las paredes de hormigón que flanqueaban la puerta—. Detrás de cada tronera hay dos salas idénticas con centinelas apostados constantemente.

—¿Qué es exactamente este lugar? —preguntó el señor Rawls.

—El Complejo era la base de la Operación Guardián —respondió Parry—. Es tan secreto que *los de arriba* probablemente hayan olvidado que tenían que olvidar que existió alguna vez.

—¿Así que es como ese refugio antinuclear que encontró Will? —preguntó Chester.

—No, es más que eso —dijo Parry—. En los años anteriores a la Gran Guerra, los aristócratas que gobernaban el país llegaron a la conclusión de que necesitaban un refugio seguro. Un lugar donde dejar a sus familias y sus efectos más valiosos en caso de invasión. Así que construyeron el Complejo con su propio dinero... Supongo que podría entenderse como un castillo subterráneo para ricachones. Más tarde, cuando las cosas se pusieron feas para nosotros en la Segunda Guerra Mundial, se lo quedó el Gabinete de Guerra, ampliándolo para incluir un centro de mando para la Resistencia.

—¿Operación Guardián? —inquirió el señor Rawls.

—Exacto. Todas las ciudades del sudeste y todas las grandes regiones de las Islas Británicas tenían su propio equipo previo de Resistencia esperando entre bastidores. Los historiadores os dirán que en el momento en que los alemanes cruzaran el Canal, cada equipo tenía que abrir sus órdenes selladas y obedecerlas al pie de la letra.

Parry miró al coronel Bismarck, que se limitó a asentir con la cabeza.

—Pero lo que los historiadores no saben es que esos equipos no eran totalmente autónomos. Las iniciativas fundamentales tenían que ser orquestadas en la sala de operaciones tácticas, que está aquí mismo, en el Complejo, y se la conocía con el nombre de «el Centro». Todavía sigue aquí y seguimos llamándola de ese modo.

—¿Y para qué se utiliza ahora el Complejo? —preguntó el señor Rawls.

—Se mantiene en funcionamiento por si pudiera necesitarse en el futuro —respondió Parry—. Y reconozco que ha llegado ese momento.

Dejó de hablar al oír un ruido metálico. Parecía llegar de detrás de la puerta blindada, aunque era difícil asegurarlo, pues sonaba muy lejano. Volvieron a oírlo, esta vez más fuerte, y a continuación se repitió varias veces.

El portón que había ante ellos se abrió lentamente. Chester y el coronel Bismarck enfocaron con las linternas el estrecho pasadizo, cuyas paredes estaban pintadas de un color crema claro y el suelo de un verde suave. Pero las linternas iluminaban un trecho limitado y más allá había una oscuridad amenazadora e impenetrable.

Entonces detectaron una luz que titilaba al fondo.

—¿Qué longitud tiene? —preguntó Chester, entornando los ojos para ver mejor.

Parry no respondió y vieron más luces, un racimo de luces parpadeantes que se acercaban.

Oyeron un zumbido en alguna parte de la zona sin iluminar del pasadizo.

—¿Qué ha sido eso? —preguntó el señor Rawls, retrocediendo asustado.

—El último Caballero Protector que queda —comentó Parry riendo.

Las luces llegaron a la estancia en la que se encontraban todos.

Ante ellos apareció un anciano sentado en un cochecito motorizado para inválidos que se detuvo con un chirrido de frenos.

Stephanie rió como una tonta. Detrás del viejo había una docena larga de gatos, todos de diferente color y edad, todos corriendo para ponerse a su altura.

—Sargento Finch —dijo Parry, adelantándose para estrechar cordialmente la mano del anciano. La boina beis que llevaba este último parecía hecha para un hombre con la cabeza el doble de grande y le caía sobre las espesas cejas blancas. Iba vestido con un jersey caqui y en la parte trasera del cochecito vieron un par de muletas.

—Comandante, me alegro de verlo de nuevo, señor —repuso el sargento Finch con una sonrisa—. Disculpas por no levantarme, pero estas piernas mías ya no son lo que eran.

—Ni las mías tampoco —replicó Parry, enseñándole el bastón.

El sargento Finch miró a uno de los gatos que se había acomodado entre sus pies.

—Y mis disculpas por los formalismos de la entrada principal. Ya sabe que tengo que cumplir con el protocolo.

—Por supuesto que sí —concedió Parry.

El sargento Finch miró a todos los demás. Sus ojos se detuvieron en *Colly*, que se había separado varios pasos de la señora Burrows para olisquear a uno de los gatos más atrevidos.

—Eso no es un perro, ¿verdad, comandante? Por aquí no pueden andar perros sueltos. No con mis gat...

—No se preocupe. Es una gata. Sólo que más grande —puntualizó la señora Burrows.

Resultaba extraño ver a *Colly* sobresaliendo por encima de los otros felinos, que, al oler a uno de su especie, estaban perdiendo rápidamente el miedo. Comenzaron a arremolinarse a su alrededor, frotándose contra ella y maullando.

—¿Qué se les ocurrirá después? —exclamó el sargento Finch—. ¡No tenía ni idea de que se criaran gatos así en el mundo! —Sacudió la cabeza y se inclinó para sacar unos cuadernillos y un puñado de bolígrafos de una cartera adosada al manillar—. Lo primero es lo primero. Tienen que firmar todos este formulario por triplicado antes de que les permita ir más lejos.

Parry hizo una mueca.

—Ah, sí. Ya me había olvidado del papeleo.

—¿Qué es? —preguntó el señor Rawls, cogiendo un cuadernillo y leyendo el formulario.

El sargento Finch lo señaló con el dedo.

—No, no, señor... no puede usted leerlo. No le está permitido. Es la AESO: Acta Especial de Secretos Oficiales —explicó.

—¿Qué? —protestó el señor Rawls—. Si no puedo leerla, ¿cómo voy a saber lo que estoy firmando?

—No lo sabes —dijo Parry, sonriendo—. Es tan secreto que sólo puedes leerla después de haberla firmado.

—Vaya majadería —murmuró el señor Rawls, garabateando su firma y pasando páginas para firmar la siguiente copia del formulario.

Cuando todos hubieron cumplimentado los requisitos a satisfacción del sargento Finch, sin excluir a la señora Burrows, a la que tuvieron que indicar dónde se estampaba la firma, lo siguieron por el pasadizo. No tenía menos de cien metros de longitud y a los lados había estanterías con cascos de metal abollados, máscaras antigás, bicicletas que parecían de los años cuarenta del siglo XX y radios igual de anticuadas metidas en morrales de lona.

Mientras avanzaban, el sargento Finch utilizó un control del manillar de su cochecito para cerrar puertas a sus espaldas. Tras pulsar unos botones numerados en rojo, otra pesada puerta metálica se deslizó con los mismos ruidos que habían oído antes, dejando el camino cerrado e inaccesible.

—¿Danforth ya está aquí? —preguntó Parry.

—Sí, el profesor está en el Centro, señor —respondió el sargento Finch—. Ha estado conectando sus nuevos chismes.

—Será mejor que vayamos a ver qué hace —indicó Parry, asintiendo con la cabeza.

—Sí, señor —confirmó el guardián, haciendo chirriar las ruedas del cochecito sobre el suelo de linóleo al ganar velocidad pendiente abajo. *Colly* trotaba con rapidez delante del grupo, con todos los gatos detrás como si fueran un rebaño. La Cazadora parecía estar más animada que en los últimos tiempos, aunque probablemente se debiese a un gatito juguetón que no dejaba de saltar sobre ella con las uñas fuera.

Danforth, concentrado en la pantalla de su ordenador portátil, apenas levantó los ojos cuando entraron en el Centro.

—Tenéis que ver esto —anunció—. Es la noticia principal en todos los canales de Estados Unidos.

El Centro era un gran espacio circular, con cinco filas de grandes pupitres en la parte central, sobre los que había viejos teléfonos y planchas de roble con diales de aspecto anticuado. En un sector de la pared había grandes pizarras de metacrilato que iban desde el suelo hasta el techo y en las que se veían varios mapas de las Islas Británicas, dibujados con gruesos trazos negros. Chester se fijó en uno que mostraba toda la zona del canal de la Mancha, incluyendo la costa meridional británica y la costa francesa.

Danforth estaba en la parte delantera de la sala. De un panel que había en la pared más cercana salían multitud de cables conectados a algo que había detrás de su ordenador portátil.

—Si pudiera poner en marcha este maldito cacharro —murmuró, agitando la mano en dirección a una gran pantalla que estaba en la pared, encima de él—, podríamos verlo en glorioso tecnicolor.

De repente, la pantalla se llenó de rayas que se movían.

—Casi lo tengo —dijo Danforth cuando apareció un rostro en la pantalla y volvió a desaparecer. Apretó unas teclas del ordenador y anunció—: Y si lo atenuamos un poquito... Ahí está, ¡funciona!

—¿La CNN? —preguntó Parry, frunciendo el entrecejo ante la imagen de la pantalla: un presentador ante un escritorio, aunque aún no tenía sonido—. ¿Esto es lo que querías que viéramos?

—Sí —respondió Danforth—. La noticia está en todos los canales de Estados Unidos: CNN, Fox, ABC..., elegid.

El sargento Finch miraba la pantalla con la boca abierta.

—¿Esto es un televisor? Nunca había visto uno en este lugar.

—La torre de alta tensión de la entrada fue diseñada para que operase como una potente antena de radio, pero también hay un par de antenas parabólicas escondidas en ella. Me las arreglé para hacer un puente con una de ellas —explicó Danforth—. Y con un poco de ingenio... finalmente... tendremos sonido. —Por los altavoces de la pared brotó un chirrido que casi les rompió los tímpanos cuando Danforth tecleó otra serie de instrucciones en el portátil.

Todo el mundo se había arremolinado alrededor de la gran pantalla, salvo la señora Burrows, que se había arrodillado junto a *Colly* para mantener alejado de ella al gatito entusiasmado.

El presentador estaba muy serio.

—«Hasta estos momentos no teníamos detalles del Ministerio de Seguridad Nacional sobre la explosión que acabó con la vida de tres miembros del Senado y cuatro personas más delante de un edificio gubernamental del barrio de Capitol Hill, a última hora de ayer. Las noticias que informaban que la explosión la había producido un coche bomba han resultado falsas.»

La pantalla mostró imágenes de militares norteamericanos que controlaban una barricada que cruzaba una calle.

Luego la cámara enfocó en primer plano varios coches ardiendo, alrededor de los cuales se había agrupado personal con indumentaria blanca de la policía científica.

—«Pero ahora se sabe que ése no ha sido el caso. Una videocámara de seguridad ha revelado que el artefacto explosivo fue transportado por un hombre de mediana edad, que al parecer actuó sin cómplices.» —En la pantalla apareció de nuevo el presentador—. «Hace unas horas, en una rueda de prensa, la portavoz del Ministerio de Seguridad Nacional ha hecho estas declaraciones.»

Se vio a una mujer en una tribuna y un mar de reporteros en la gran sala que se abría ante ella.

—«El presunto terrorista ha sido identificado como ciudadano americano.»

Una exclamación de sorpresa recorrió la masa de reporteros mientras se alzaban varias manos.

—«Por favor, contestaré a sus preguntas en unos momentos —dijo la portavoz, esperando a que los periodistas guardaran silencio—. Gracias —prosiguió la mujer cuando se acallaron las voces—. Identificado como un ciudadano estadounidense que había residido en Gran Bretaña durante los últimos cinco años, donde trabajaba en documentales de televisión.»

La señora Burrows se puso en pie.

—«Se ha puesto en circulación una fotografía reciente del supuesto terrorista» —añadió la portavoz, mientras una fotografía aparecía en la pantalla.

—¿Pueden verlo? ¿Podrían describirlo? ¡Por favor! —pidió ansiosamente la señora Burrows.

Todos los miembros del grupo la miraban, excepto Parry.

—Treintañero cercano a los cuarenta, ochenta kilos, cabello largo y rizado, barba... —describió Parry.

—Ben —murmuró la señora Burrows, cayendo en la cuenta de que tenía que ser el productor norteamericano de televisión con el que había hecho amistad en Highfield.

Parry no tuvo que completar la descripción, ya que la portavoz siguió hablando:

—«Según las listas de pasajeros del aeropuerto JFK, Benjamin Wilbrahams llegó en un vuelo procedente de Londres a primera hora de ayer y alquiló un coche en la terminal aérea para dirigirse a Washington D.C. Aunque todos los vuelos comerciales procedentes o con destino a Gran Bretaña se han suspendido durante la última quincena, Wilbrahams iba en un avión especial de la Fuerza Aérea para repatriados. Fue sometido a un chequeo de seguridad completo antes de embarcar. Aunque no se detectó ningún artefacto en su equipaje ni en su persona, se cree que podría haberlo llevado escondido en el interior de su cuerpo, como en el caso de las bombas humanas enviadas desde Inglaterra a otros países europeos, que tan numerosas han sido en las últimas semanas.»

Los reporteros de la rueda de prensa estaban en completo silencio.

El presentador del estudio reapareció en la pantalla.

—«Después del desastre del vertido de petróleo en la costa Este, la hostilidad hacia Gran Bretaña nunca había sido tan intensa como en el último año. Y este incidente, en el que uno de nuestros ciudadanos ha sido coaccionado de alguna manera para perpetrar esta horrible acción terrorista en suelo norteamericano, ha aumentado el sentimiento antibritánico hasta extremos mucho más elevados. Ha habido manifestaciones ante la embajada británica y ante varios consulados británicos de todo el país.»

La imagen mostró a una multitud que enarbolaba una gran cantidad de pancartas.

—«Nuestros hijos estadounidenses dieron su vida para ayudar a Inglaterra a vencer a Alemania en la última guerra. ¡Y así es como nos lo pagan!» —bufó un hombre amenazando con el puño ante la cámara.

—«Sólo hay que ver la cantidad de facciones terroristas que tienen en su país. Esto tenía que pasar... Sólo era cuestión de tiempo» —declaró otro hombre.

Entonces una mujer empezó a canturrear con sonsonete de consigna:

—«¡Freíd a los britanos! ¡Freíd a los britanos!»

—Muy astuto —dijo Danforth—. Los styx se han asegurado de que no nos llegara ayuda de nuestros primos del otro lado del Atlántico.

—Ya basta —ordenó Parry—. Apágalo.

Cuando la pantalla se oscureció, todos se volvieron hacia la señora Burrows.

—Han utilizado a Ben. Debió de ser sometido a la Luz Oscura hasta perder el conocimiento —musitó con la cabeza inclinada—. No merecía morir así.

Parry tosió con incomodidad. Intercambió una mirada con el Viejo Wilkie y luego se inclinó hacia Stephanie.

—Creo que ha llegado el momento de que tú y yo tengamos una conversación en serio.

Stephanie no respondió con sus habituales grititos, sino que asintió dócilmente con la cabeza. Chester sintió un brote de simpatía por la chica... Era obvio que aún no le habían contado lo grave que era la situación.

—Y los demás, id con el sargento Finch a que os enseñe vuestras habitaciones —instruyó Parry—. Al menos estaréis cómodos aquí, aunque los dormitorios del nivel inferior están muy lejos de ser como los de un hotel de cinco estrellas.

# 9

Will no había visto nunca a Drake tan preocupado como cuando miró a Eddie para decirle:

—Dime una cosa. ¿Cómo estás tan seguro de que ya está en marcha eso que tú llamas Fase? ¿Alguno de tus hombres lo ha visto con sus propios ojos? ¿Y dónde tiene lugar?

—Bueno, sabemos que está en marcha, pero no sabemos dónde —respondió Eddie—. Si fueras un styx, comprenderías que es la fuerza más poderosa que se pueda encontrar... Puedes sentirla en cada célula de tu piel. Todos mis hombres lo notan. Lo sentimos desde hace algún tiempo. Y las mujeres styx, dondequiera que estén, lo sienten desde mucho antes que nosotros. El impulso es mucho más fuerte en ellas. Es la irresistible y acuciante llamada a reproducir. Es... —Eddie se detuvo para buscar la forma exacta de expresarse—, es como si tocaran a rebato y se transmitiera por el aire... Un percutor químico.

—Feromonas —sugirió Drake, respirando hondo.

Eddie estaba tan absorto en sus pensamientos que no lo oyó.

—El percutor instiga... coordina... la Fase, tanto si uno quiere como si no. Nuestras mujeres se transforman en algo diferente, terrorífico. Y lo que desatan, la Clase Guerrera, deja el terreno limpio de toda especie que no sea considerada alimento. *Fuera lo antiguo.*

—¿Nosotros también? —preguntó Drake.

—Sí, cualquier forma de vida que suponga una amenaza para el dominio styx, por remota que sea, será erradicada. Eso significa que se abre la veda para cazar humanos. —Eddie captó un movimiento fuera del Humvee y vio una ardilla roja que trepaba por el tronco de un árbol. La señaló—. De la misma manera que esa especie fue en un tiempo la dominante, antes de que la variedad gris la arrinconara.

—Pero esa Clase Guerrera de la que hablas... tendrá un cuerpo físico. Aunque sea una especie de Superlimitadores, unos Seres de la Superficie bien armados podrían detenerlos, ¿no? —planteó Drake—. Sobre todo si conseguimos organizarnos.

—*Si* conseguís organizaros. Ellos medran en el caos. Son el caos —expuso Eddie—. Y si entablas combate con ellos, y de alguna manera consigues ganar la primera batalla, cabe la posibilidad de que haya otra etapa.

—Creo que no quiero oír eso —gruñó Drake mientras Eddie buscaba una página en el *Libro de la Proliferación*.

—¿Quién rábanos son ésos? —preguntó Will.

La ilustración abarcaba una página entera, pero estaba dividida en tres viñetas, que mostraban el cielo, la tierra y, en la parte inferior, una zona de agua cubierta de espuma y olas que probablemente quería sugerir el mar. Y en cada una de las viñetas había una criatura indescriptible. Aparte de los dientes y garras de aspecto mortal, lo único que aquellas criaturas tenían en común era que el artista había intentado decir que eran transparentes o semitransparentes. Aparte de eso, cada criatura parecía haberse adaptado a su medio ambiente; la de la viñeta superior lucía dos juegos de alas como las de los murciélagos, la del centro tenía tres pares de patas y la acuática tenía aletas.

—Si todo lo demás falla, el éxito de la Fase está garantizado por esto —dijo Eddie—. Es el tope de protección... es el Armagi.

—¿El Armagi? —repitió Drake.

—Es la raíz de la palabra Armagedón, que no tiene nada que ver con el lugar donde ha de librarse una mítica batalla final, como muchas religiones hacen creer. Pero digamos que es una especie de final..., el final de los humanos en la Tierra —dijo Eddie.

—¿Una especie de final? —repitió Will, con ganas de echarse a reír para no tener necesidad de entender lo que estaba oyendo.

—Según nuestras leyendas, el Armagi está mimetizando organismos continuamente, es capaz de crear un cuerpo entero a partir de un diminuto trozo de tejido. Con uno de ellos, puedes construir una legión. En términos científicos podrías describirlo como un grupo de neoblastos capaz de adoptar cualquier forma de máquina genocida que se necesite en ese momento. —Eddie cerró el libro de golpe—. Así que aunque consiguierais acabar con la primera etapa, la Clase Guerrera lo echará todo a rodar en la segunda. Sin saberlo, los caballeros de Vlad el Empalador impidieron el desarrollo del Armagi porque quemaron todas las células vivas cuando incendiaron la cripta.

—Así que hemos de detener a la Clase Guerrera antes de que se disperse. En consecuencia utilizaremos fuego —razonó Drake—. Los quemaremos a todos... Guerreros y mujeres styx.

—Sé que no os parecerá muy importante, dadas las circunstancias, pero ¿puedo hacer una pregunta? —intervino Will.

Eddie asintió con la cabeza.

—¿Es ése el motivo de que las Rebeccas tengan tanto poder sobre los styx? —preguntó.

—Todas nuestras mujeres tienen gran ascendencia sobre los machos styx, pero las gemelas Rebecca pertenecen a la familia dirigente.

—Vale... Y... bueno, no sé cómo decirlo... —titubeó Will, turbado de antemano por lo que quería decir.

—Adelante —lo animó Drake.

—Bueno... ¿cómo encaja Elliott en todo este asunto? —preguntó el muchacho.

Eddie lo miró sin entender.

—¿Cómo encaja ella? Sinceramente, no lo sé. Desde luego es lo que los colonos llaman de forma poco caritativa una «semilla desperdiciada», ya que es un híbrido de humano y styx. Pero no sabría decir cuál es el genotipo dominante. Lo único que os digo es que debería estar aislada, por si la Fase la afecta de alguna manera. Podría ser un peligro para todo el que se acerque a ella.

Will tragó saliva.

—Vale —dijo, deseando no haber formulado la pregunta.


Sweeney seguía vigilando a los Limitadores cuando Will volvió al vado. Los soldados estaban exactamente en el mismo sitio y sólo la señora Rawls se había movido. Estaba sentada en la orilla, con las piernas colgando.

—Así que ha terminado ya la asamblea. ¿Qué quería el flacucho? —preguntó Sweeney.

—No se lo creería si se lo contase —respondió Will.

Sweeney tocó la rejilla que tenía pegada a la oreja.

—La verdad es que lo he oído casi todo. Y a mí me han sonado a sandeces.

—Ah, ¿sí? —dijo Will, mirando por encima de su hombro para ver a qué distancia estaban del Humvee—. Pero debe de haber..., unos treinta metros.

—Eso no es nada —estimó Sweeney sonriendo.

Cuando Will se volvió, se dio cuenta de que lo miraban los ocho Limitadores, ocho pares de ojos. Ahora que sabía lo que sabía, tosió inquieto.

—Así que ha oído que Drake quiere ponerse en marcha de inmediato... y que nos llevamos a Eddie con nosotros en uno de los Humvees —dijo a Sweeney.

Sweeney señaló con un gesto de la barbilla la hilera de Limitadores.

—Claro, pero ¿qué hacemos con ese triste grupo?

—Los dejaremos ir —replicó Will.

—¿Así que ahora son nuestros amiguetes? —se burló el hombretón.

—Eso creo —respondió Will, volviéndose para hablar con los Limitadores—. Eddie quiere que vayáis a Londres y esperéis sus órdenes allí. Ha dicho que utilicéis el jeep y uno de los Hum...

Al mirar el segundo vehículo, distinguió el cuerpo del Cazador en el capó. De súbito, la mente se le quedó vacía.

—Continúa —dijo Sweeney con amabilidad.

—*Bartleby*.

Fue todo lo que el muchacho consiguió pronunciar mientras dirigía a Sweeney una mirada de desamparo.

Sweeney asintió con la cabeza y se volvió hacia los Limitadores.

—Escuchadme todos, hijos de la gran styx. Vais a hacer lo que se hace en estos casos y vais a dar al gato del muchacho un entierro como Dios manda. Quiero que cavéis un buen hoyo... bien profundo. Se lo debéis. —Sweeney miró a Will a los ojos—. ¿Te parece?

Will asintió con gratitud.

Sweeney señaló a la señora Rawls con el pulgar.

—¿Y qué pasa con esta yegua?

La señora Rawls abrió la boca para protestar por el calificativo. Pero se lo pensó mejor y se limitó a dirigir a Sweeney una mirada asesina.

—La señora Rawls viene con nosotros —dijo Will, yendo al jeep en busca de su mochila Bergen y de un par de bolsas que Drake había dejado.

Cuando volvió, Sweeney estiró un brazo hacia él.

—Permite que te aligere la carga —dijo, enganchando la Bergen y las bolsas con los dedos y quitándoselas como si sólo contuviesen plumas—. Puedes quedarte con tu cerbatana —añadió, entregándole el arma. Aunque Sweeney ya no apuntaba a la señora Rawls con la pistola, Will se dio cuenta de que no se apartaba de ella mientras caminaban.

—Will —intervino la señora Rawls—, ahora que hemos acabado con la exhibición de músculos masculinos, me gustaría saber algo de mi familia. Nadie me ha dicho nada de Jeff ni de Chester, pero supongo que ambos estarán sanos y salvos. ¿Es así?

—Desde luego que sí —contestó Will—. Y pronto nos reuniremos con ellos.

—Gracias —repuso la señora Rawls, aliviada.

Pero en el momento en que llegaron al Humvee, Drake cogió una de las bolsas que llevaba Sweeney y se acercó a la señora Rawls.

—Emily, puedo seguir tratándola como a una enemiga en potencia y tenerla encerrada o puedo darle el visto bueno, siempre que me cerciore de que no ha sido sometida a la Luz Oscura. Usted elige.

La señora Rawls inclinó la cabeza hacia Will y le sonrió.

—Estaba equivocada en lo de la exhibición de músculos. Aquí está de nuevo. —Se volvió hacia Drake—. No quiero ir con las manos esposadas cuando vea a mi familia —dijo—. Haz lo que tengas que hacer.

Drake rebuscó en la bolsa y sacó un pequeño artefacto

semejante a unas gafas, conectado por un cable a un pequeño cilindro.

—¿Ha construido eso Danforth? —preguntó Will.

—Sí, el nuevo Purgador de Bolsillo, modelo mejorado —respondió Drake—. Sé que lo he dicho un millón de veces, pero ese hombre es un genio.

—Sí que lo es —terció Sweeney—. Se ofreció a hacerme una revisión de coco, como si fuera su maldito Morris Minor.

—Bueno, no puede negarse que ha reducido el tamaño del purgador original —comentó Will.

Drake asintió con la cabeza.

—Will, te necesito —dijo, poniendo el cilindro frente al rostro del muchacho.

—¿A mí? ¿Para qué? —preguntó Will con recelo.

—Mantén los ojos abiertos y mira el pajarito —repuso Drake. Apretó un botón del cilindro y un intenso rayo de luz púrpura fue a dar directamente en las pupilas de Will.

Éste reconoció el color inmediatamente; era idéntico al de la Luz Oscura, aunque esta vez no surtía ningún efecto. Cerró los ojos con fuerza, pero sólo a causa de la persistencia retiniana del rayo de luz.

—¿Y ahora qué? —inquirió.

—¿Nada? —preguntó Drake—. ¿No sientes náuseas ni mareo?

—No —respondió Will.

—Estupendo —dijo Drake, soltando el botón para cortar el rayo de luz—. Tú eres el control, como ves. No esperaba ninguna reacción, lo que demuestra que estás limpio. Le toca a usted, Emily. —Drake puso el cilindro frente a ella y apretó el botón otra vez.

Dejando escapar una exclamación, como si le hubieran dado un puñetazo, Emily se puso rígida como una tabla.

Sweeney utilizó sus reflejos para sujetarla antes de que cayera al suelo.

Eddie observaba fijamente el proceso.

—Fascinante tecnología. Supongo que lo habéis desarrollado trabajando con mi Luz Oscura. Pero te lo juro, Drake... yo no he sometido a Emily a ninguna sesión.

—Puede que tú no —replicó Drake—. Pero hay algo dando vueltas en su cabeza. No sé lo que es, y no puedo correr ningún riesgo. Ponla en el asiento trasero, Chispas —dijo a Sweeney—. Sujétala bien..., no quiero que se caiga y se haga daño.

La señora Rawls estaba desorientada del todo cuando Sweeney la subió al Humvee. Sentándose a su lado, le rodeó los hombros con su gigantesco brazo.

Drake se inclinó por la puerta abierta del Humvee, con las gafas del artilugio de Danforth en la mano.

—Esto es la comprobación final —manifestó, calando las gafas ante los ojos de la señora Rawls—. Casi lo olvido; no quiero que se muerda la lengua. ¿Alguien tiene un pañuelo?

—Toma —dijo Sweeney, sacando un trapo más bien sucio de su guerrera de combate. Drake lo dobló varias veces.

—Abra la boca —ordenó a la señora Rawls que, medio mareada, hizo obedientemente lo que se le pedía, dejando que Drake le pusiera el trapo en la boca—. Ahora trate de relajarse. No durará mucho.

Apretó otro botón del cilindro y vieron salir la luz morada por los laterales de las gafas.

Will hizo una mueca cuando el grito gutural de la señora Rawls resonó por todo el bosque.

El Segundo Agente se estaba abrochando la hebilla del cinturón Sam Browne mientras entraba en el pasillo arrastrando los pies. En lugar de ir a casa, había pasado la noche por segunda vez en una de las celdas del ala de interrogatorios de la comisaría de policía, durmiendo sobre un montón de mantas amontonadas sobre las frías losas de piedra. Aún no había perdonado a su madre y a su hermana. No después de haber matado a su perrito y habérselo servido estofado. Cuando llegó al final del blanco corredor y entró en la zona de recepción, movía los brazos para desentumecerse los músculos.

—Hola —saludó, pero la zona estaba desierta—. ¿Señor? ¿Hola? ¿Hay alguien?

No hubo respuesta, así que el Segundo Agente levantó la trampilla del mostrador y se dirigió al despacho del Primer Agente.

—Ah, está usted aquí —dijo a su superior, que se encontraba inclinado sobre el escritorio, sujetándose la cabeza con las manos—. ¿Sigue descompuesto, señor? —preguntó amablemente.

—No —replicó el Primer Agente al cabo de un momento, enderezándose a continuación.

El Segundo Agente retrocedió al ver el rostro magullado del hombre, con un ojo tan hinchado que no lo podía ni abrir.

—¿Qué ha ocurrido? ¿Quién le ha hecho eso? ¿Cuántos eran?

—Ha sido en el Calabozo —respondió el Primer Agente con un suspiro—. Estaba pasando lista a los prisioneros por la noche y Mulligan la emprendió conmigo.

—¿Mulligan? —se sorprendió el Segundo Agente—. ¿Bill Mulligan..., el carpintero?

El Primer Agente bajó la mirada, avergonzado.

—No, su madre.

—¿*Gappy* Mulligan? —inquirió el Segundo Agente—. ¡Pero si tiene por lo menos noventa años! ¿Cómo ha hecho para...?

—Ya lo sé —gruñó el Primer Agente, sacudiendo la cabeza como si fuera incapaz de superar aquella experiencia—. Ella estaba quejándose de los styx y, sin previo aviso, arremetió contra mí. También se llevó un buen puñetazo, no crea.

—Gappy Mulligan —repitió el Segundo Agente. Estaba tan anonadado que se sentó en la silla que había ante el escritorio del Primer Agente. No había sido invitado a sentarse y cuando se dio cuenta de lo que había hecho, vio que su superior lo miraba fijamente con el ojo sano—. Oh, lo siento, señor, no quería...

—Quédese donde está —exclamó el Primer Agente—. ¿Sabe, Patrick? Creo que hemos llegado a un punto en que podemos dejar a un lado el protocolo.

El Segundo Agente volvió a quedarse anonadado. Su jefe nunca jamás se había dirigido a él por el nombre de pila. Hasta su familia lo llamaba más «Segundo Agente» que por su nombre, porque las leyes de la Colonia así lo exigían.

—Yo... yo... —balbuceó el Segundo Agente.

—No es momento de andarse con remilgos, Patrick —dijo el Primer Agente, sacando su pipa de un cajón y abriendo una bolsa de tabaco. También estaba terminantemente prohibido fumar en la comisaría—. Date cuenta. La mitad de la Colonia se está muriendo de hambre, lenta pero constantemente, en sus casas, mientras la otra mitad se ha perdido y nadie sabe dónde está —prosiguió, mientras llenaba de tabaco la cazoleta de la pipa—. Y los que se mueren de hambre terminarán por matarse entre ellos cuando compitan por cualquier migaja que puedan robar en las tiendas de alimentación, y...

El Primer Agente encendió la pipa con el anticuado mechero de ferrocerio antes de continuar:

—Y tú y yo estaremos atrapados en medio de todo eso. Hasta que alguna bruja desdentada, como Mulligan, nos aporree con el bolso hasta matarnos, y todo por un bocado de rana en salmuera. —Dio unas cuantas chupadas largas—. Lo más gracioso, Patrick, es que somos todo lo que queda. Una delgada línea azul para detener una marea de total y absoluta anarquía. Estamos atrapados entre el demonio y un mar frío y oscuro. —Sacudió estoicamente la cabeza—. No, la perspectiva no es buena para nosotros, querido amigo. Nada buena.

El Segundo Agente lo escuchaba a medias mientras se estrujaba el cerebro intentando recordar el nombre de su superior, pero no había manera. Entonces reparó en algo que había dicho.

—Señor, ¿qué es eso de que se ha perdido gente? ¿Ha ocurrido algo anormal?

Como todo el mundo, el Segundo Agente había oído el rumor, pero se inclinaba a creer que eran habladurías y que la gente estaba en algún lugar de la creciente ciudad de chabolas de la Caverna Septentrional.

El Primer Agente parpadeó cuando le entró humo en el ojo sano, cogió un mensaje en papel enrollado que tenía al lado del codo y lo empujó por encima del escritorio.

—El Quinto Oficial envió un mensaje mientras estabas descansando. Tú y yo ya hemos toreado un par de quejas insustanciales sobre ciudadanos desaparecidos, pero esto es diferente. Hay uno de los nuestros que no aparece por ninguna parte. Nadie le ha visto el pelo al Tercer Agente desde hace veinticuatro horas.

—Pero si está haciendo la ronda en el norte —dijo el Segundo Agente, refiriéndose a la caverna rural—. Lo he visto hace poco. ¿No está por allí, en el...?

—No se ha presentado esta mañana —arguyó el Primer Agente—. Y tampoco ha estado en su casa. Dicen que anoche pasó algo en la Septentrional y, fuera lo que fuese, yo sospecho que resultó atrapado en ello. Mira este edicto de los styx —añadió, señalando con la pipa el mensaje enrollado—. Se nos deniega el acceso.

—¿A la Septentrional? ¿Nos prohíben entrar? —preguntó el Segundo Agente—. ¿Por qué? Somos policías.

El Primer Agente asintió con la cabeza.

—Muy irregular, ¿no crees?

El Segundo Agente leyó el mensaje.

—¿Por qué narices iban a emitir los styx una orden de restricción? —Se puso en pie con un arranque de indignación—. Voy ahora mismo a echar un vistazo.

—Ah, ¿sí? —dijo el Primer Agente, arqueando las cejas con espíritu divertido mientras el tabaco empezaba a hacer efecto en sus tensos nervios—. Entonces eres un hombre más valiente que yo, Patrick.


Nadie acudió a comprobar las credenciales del Segundo Agente cuando se acercó a la Puerta de la Calavera, lo que no significaba necesariamente que los styx no lo estuvieran observando. La cruzó y a los veinte minutos llegó al final de la pendiente, a la Caverna Meridional, desde donde podía ver las calles y las casas. El zumbido de la Estación de Ventilación resonaba en sus oídos, más alto de lo habitual, como si fuera el único sonido de toda la ciudad.

Incluso cuando entró en la zona urbanizada, tenía la sensación de ser la última persona que quedaba en la Colonia. Normalmente siempre había alguien por allí a aquellas horas de la mañana, dirigiéndose a su puesto de trabajo o gente abriendo las tiendas, pero las calles estaban totalmente vacías en aquellos momentos.

Aunque últimamente no se hablaba con su madre ni con su hermana, el Segundo Agente estaba tan preocupado que lo primero que hizo fue ir a su casa. La puerta estaba cerrada con llave y, al sacar la suya para abrir, se le cayó al escalón produciendo un tintineo. Cuando se agachó a recogerla y se irguió, volvió a ser consciente de la extraña calma que lo rodeaba.

Con las cortinas echadas, las ventanas de la calle de enfrente tenían un aspecto hostil, como si multitud de ojos negros lo mirasen a la vez. Durante un tiempo, la calle había estado abarrotada de neogermanos, pero los styx los habían llevado a la Superficie. Las semanas siguientes había oído que las compañías de neogermanos habían sido movilizadas a altas horas de la noche, sus pasos resonaban contra el pavimento con ritmo uniforme. Pero aunque ya se habían ido, muy pocas familias de colonos habían sido autorizadas a volver a sus casas. Empezaba a preguntarse si volverían alguna vez y si su calle sería la misma algún día. Sobre todo si había ocurrido alguna desgracia en la Caverna Septentrional.

Finalmente, abrió la puerta y entró en casa. Se dirigió en primer lugar a la cocina y, al no encontrar allí a su madre ni a su hermana, fue al salón y luego a los dormitorios. Las camas estaban deshechas y las colchas apartadas.

Claro que Eliza podía haber llevado a su madre a algún sitio, pero al Segundo Agente no se le ocurría dónde podían haber ido tan temprano. Mientras bajaba la escalera, trató de no pensar lo peor: que los styx habían estado de visita. Se detuvo en el vestíbulo y oyó un ruido que parecía proceder de la cocina vacía. De inmediato se dirigió al salón y cogió la pala de Will que estaba en el aparador. Si había ladrones en la casa, les iba a propinar una buena paliza.

Avanzó sigilosamente hasta la cocina y escuchó. Otro ruido. Se dirigió al fondo y abrió lentamente la puerta que daba al pequeño vestíbulo. Lo atravesó de puntillas hasta una segunda puerta, que daba a la carbonera. Pegó la oreja a la puerta y oyó un ruido como de arañazos. «Será una rata», pensó.

Pero entonces oyó unos susurros inequívocos.

«Ratas de dos patas», se dijo.

Contando hasta tres, abrió la puerta de golpe y entró dando un grito.

Alguien se movió en las sombras. Vio destellar el blanco de sus ojos.

Levantó la pala, listo para descargarla.

—¡AAAAAH, DIOS MÍO! —exclamó su madre, levantando las manos para protegerse la cara.

Eliza profirió un grito.

—¿Qué...? —exclamó el Segundo Agente, sin creer lo que veían sus ojos.

Su madre y su hermana, en camisón y cubiertas de carbonilla, estaban escondidas al fondo.

—Por los clavos de Cristo, ¿qué estáis haciendo aquí? —preguntó el Segundo Agente, con la adrenalina corriéndole por las venas.

Su madre se echó a llorar.

—Creíamos que eran los styx... que venían a buscarnos —consiguió responder Eliza.

La anciana y ella seguían temblando cuando el Segundo Agente las condujo a la cocina y las obligó a sentarse. Las miró. Estaban aterrorizadas, con el rostro y la ropa manchados de carbón; luego miró el suelo de la cocina y el rastro que sus pies desnudos habían dejado en las baldosas. Las baldosas que la anciana fregaba un día sí y otro también para tenerlas tan limpias que se podía comer en ellas.

Y ya no podía seguir enfadado con ellas por lo del perrito. Pero estaba enfadado; quería que alguien pagara por lo que estaba ocurriendo en la Colonia. Todo se estaba haciendo añicos. Y este antiguo colono, este bastión del orden, sabía con exactitud quiénes eran los responsables.

—Esto tiene que acabar —susurró entre dientes—. Hay que detener a los styx.

Cuidó de que su madre y su hermana estuvieran bien arropadas en la cama y se encaminó a la Caverna Septentrional. Atravesó calles desiertas sin ver un alma. Ni siquiera un neogermano programado con Luz Oscura. En algunas calles las alcantarillas desprendían un olor nauseabundo. Ahora que el trabajo cotidiano había quedado suspendido, nadie se ocupaba de que los sumideros fluyeran con regularidad. Debía de haber atascos en los principales conductos y como resultado todo el sistema estaba colapsado.

—Adónde hemos llegado —murmuró, deteniéndose de súbito. Acababa de ver algo en la boca del pasadizo que conducía a la Caverna Septentrional, un cordón que la atravesaba con un rótulo oficial indicando que estaba prohibido el paso. El cordón se mecía suavemente a merced de la brisa. Se quedó mirando el rótulo, cuyos bordes estaban pintados de negro, y entró pasando por encima del cordón.

Cuando llegó a la caverna, vio que ya no había esferas luminiscentes en los postes..., las habían quitado todas, así que utilizó la linterna policial para iluminarse. A ambos lados del camino principal sólo había campos vacíos. Ni barrios de chabolas ni pruebas de que alguien hubiera estado allí.

Le pareció ver algo. Un movimiento. Tensó los músculos temiendo lo peor, que había tropezado con un Limitador. Pero al cabo de unos momentos sin ver a nadie, siguió andando.

Un poco más allá se detuvo de nuevo y volvió la linterna para iluminar el camino recorrido.

—¡La madre que...! —exclamó.

Una forma negra y deforme se levantó del suelo. El Segundo Agente estaba convencido de que la suerte lo había abandonado y de que esta vez tenía que tratarse de un Limitador.

Unas alas agitándose le dijeron que estaba equivocado. Había molestado a una pequeña bandada de «pájaros mineros» que estaban picoteando en los campos. Eran unas aves carroñeras de aspecto muy desagradable, con negras plumas desordenadas y cuerpo alargado; parecían gorriones desnutridos. Sin otro ruido que su aleteo, alzaron el vuelo y volvieron a sus nidos, situados en la bóveda.

Con la mano en el pecho y respirando pesadamente, el Segundo Agente se permitió descansar unos segundos para recuperar el aliento, y procedió a realizar una inspección exhaustiva de la zona donde había estado la ciudad. Le resultaba extraño pensar que la última vez que había pisado aquel lugar, había estado examinando tres cadáveres mientras el Tercer Agente lo observaba. Pero ahora era un caso diferente; no pudo encontrar ni una sola pista que lo ayudara.

—Es inútil —se quejó, dando una patada en el suelo, de pura frustración. Entonces se quedó helado. Como si hubieran rastrillado el terreno, inmediatamente debajo de la superficie había unos bultos inusuales. Un material oscuro, casi negro, parecía mezclado con la tierra. Y no tenía nada que ver con los pájaros mineros ni con los cultivos de champiñones. Se arrodilló para coger un pellizco de aquel material con los dedos y se lo llevó a la nariz.

—Ceniza —dijo, olfateándolo—. Madera quemada.

Los que habían arrasado la zona, no habían dejado piedra sobre piedra. Habían hecho un trabajo impecable. Como sólo podían hacerlo los styx.

Se incorporó, iluminando a su alrededor con la linterna.

—¿Y qué ha pasado con la gente?

Medio esperaba aún oír el chasquido de un fusil y sentir un dolor agudo en el cuello cuando un Limitador lo ejecutara por infringir la orden de los styx. Pero tampoco parecía haber en la caverna ninguno de aquellos macabros soldados.

Siguió rastreando la zona, palmo a palmo. Encontró fragmentos de loza y de cristal, y también un casquillo de cartucho de fusil. Olía a cordita, o sea, que había sido disparado recientemente. Pero era imposible que los habitantes del poblado se hubieran quemado junto con sus chozas. No podía creer una cosa así. Y si los styx se los habían llevado, ¿dónde los tenían?

Vio que algo reflejaba la luz de la linterna. Casi sabía qué objeto era antes de agacharse a recogerlo. Era un botón de latón, con la pala y el pico cruzados grabados en la superficie. El emblema tricentenario de los Padres Fundadores de la Colonia. Y aquel botón sólo podía proceder de una prenda de vestir.

De un uniforme de policía.

Del uniforme del Tercer Agente, para ser exactos.

Apretando con fuerza el botón, volvió al camino principal. Echó a andar cada vez más aprisa. Ahora ya sabía lo que tenía que hacer. Cruzó la Caverna Meridional, camino de la pendiente por la que había bajado un par de horas antes. Pasó junto a la Estación de Ventilación y entonces se detuvo en seco.

Asegurándose antes de que no lo habían seguido y de que no había nadie en el túnel, se agachó para pasar por el oscuro pasadizo lateral. A los diez metros, el pasadizo se abría a una pequeña cámara. En el centro había un corral con paja desperdigada sobre el suelo de piedra. Aunque el

Segundo Agente aún pudo percibir el olor a cerdo, hacía tiempo que sus ocupantes ya no estaban; los habían sacrificado para alimentar al ejército de neogermanos.

Pero el Segundo Agente no había ido allí en busca de cerdos. En el extremo opuesto de la cámara encontró el lugar donde estaba la puerta que Drake y Chester habían volado. Posteriormente habían apuntalado el vano con grandes piedras, y era muy posible que hubieran hundido el túnel del Laberinto del otro lado para que nadie pudiera volver a utilizarlo para entrar en la Colonia.

El Segundo Agente contó sus pasos mientras avanzaba en sentido paralelo a la pared izquierda de la cámara, y se detuvo a examinar el terreno con la linterna. Encontró el hoyo lleno de piedras y comenzó a despejarlo, tratando de hacer el menor ruido posible.

Entonces vio lo que había estado buscando. Era una caja negra del tamaño de una baraja, de la que sobresalía una antena.

«Considérelo un último recurso —le había dicho Drake—. Si alguna vez necesita ayuda, por la razón que sea, haré todo lo posible por acudir.»

El Segundo Agente no había pensado mucho en ello a la sazón. Cuando la mitad de los Laboratorios quedó destruida por la explosión, resultó de vital importancia que Drake y Chester escaparan de la Colonia con la señora Burrows. Y el Segundo Agente en persona había estado muy preocupado ideando la forma de convencer de su inocencia a los styx.

Sabía que tendría que haber dado parte de la existencia de aquel chisme para que se lo llevaran, pero no resultaba fácil explicar cómo se había enterado de que estaba allí. Así que al final decidió olvidarse de su existencia.

Hasta ahora.

Inspeccionó la brillante caja negra del artefacto. Su apariencia era similar a los radiofaros que Drake había dado a Will para que le señalaran el camino hacia el mundo interior, aunque era diferente. También emitía una señal de radio que era detectable a través de la corteza, pero en una longitud de onda distinta.

Con sus torpes dedos, el Segundo Agente localizó un pequeño interruptor en un lateral de la caja y lo deslizó a la posición de encendido. Luego volvió a introducir el radiofaro en el agujero, con mucho cuidado, y se aseguró de que quedaba bien enterrado.

No sabía cuándo captaría Drake la señal, ni siquiera si la llegaría a captar, pero tampoco sabía a quién más acudir en busca de ayuda. Miró el radiofaro como si fuera un mensaje en una botella que acabara de arrojar al océano con la convicción de que lo encontrarían y de que sería rescatado.

De que toda la Colonia sería rescatada.

# 10

Cuando la señora Burrows entró en su habitación, el intercomunicador de al lado de la puerta estaba zumbando, así que descolgó el auricular.

—Sí, está hecho —dijo—. No fue fácil..., reduje la respiración al mínimo y me moví más lentamente que un caracol para que ella no pudiera oírme. No me oyó, por fortuna; si no, tendría que haber explicado qué estaba haciendo allí.

Escuchó la voz del otro lado durante unos segundos.

—Lo haré —confirmó, adelantando la mano hacia la horquilla del intercomunicador como si creyera que la conversación había finalizado.

—¿*Bartleby*? —preguntó sorprendida, volviéndose hacia el escritorio de roble que había al fondo del pequeño estudio. Entre las dos cajoneras que formaban la base, *Colly* estaba sentada como una esfinge, con los grandes ojos color ámbar fijos en la señora Burrows—. Sí, es una pena, pero supongo que sólo hacía lo que cualquier animal salvaje hace..., seguir su instinto.

La mujer movió el dedo para enroscarse el cable del aparato mientras escuchaba la voz del otro extremo.

—No te preocupes, estaremos ahí cuando llegues —dijo y colgó.

Con un suspiro muy humano, la Cazadora apoyó el hocico en las zarpas.

—Lo sé —dijo la señora Burrows—. Pero tienes mucho de lo que ocuparte.

—Elliott —susurró la señora Burrows en la oscuridad. La chica despertó al momento y bajó rodando de la cama con el fusil en la mano.

—¿Qué ocurre? —inquirió alarmada—. ¿Qué es?

—No, nada de lo que preocuparse —le aseguró la mujer—. Es sólo que han llegado Will y Drake y pensé que querrías verlos. Están arriba, en el Centro. —La señora Burrows no le dio a Elliott la oportunidad de decidir si quería o no acompañarla y encendió la luz de la habitación.

Parry no los había engañado al decirles que los dormitorios eran confortables. Las habitaciones de Elliott y la señora Burrows estaban juntas, con membretes en las puertas que decían *Gob 1* y *Gob 2*. Estaba claro que las habitaciones se habían construido pensando en los ministros del gobierno, y por dentro se parecían a los camarotes de un trasatlántico de lujo, con muebles de caoba y apliques de bronce, pero sin ojos de buey.

La principal habitación de cada suite medía unos diez metros por diez, tenía su propio baño y un pequeño estudio adjunto lo bastante grande para contener un escritorio y un par de sillas. Todos los objetos: armarios, alfombras, ropa de cama, eran de lo mejor que podía ofrecer la Gran Bretaña de principios del siglo xx. El único objeto moderno era el horrible cable de plástico que corría por encima del zócalo y bordeaba los marcos de las puertas hasta donde se habían instalado los intercomunicadores, unos aparatos con incongruentes cubiertas de aluminio, para que todas las habitaciones pudieran estar en contacto con el Centro.

—¿Tengo que vestirme? —preguntó Elliott. Llevaba

una holgada camiseta que había encontrado en el armario, con un pantalón corto azul que le quedaba demasiado grande.

—Con una bata será suficiente —sugirió la señora Burrows, cruzando los brazos por dentro de la suya, que estaba hecha con un grueso material parecido al de las mantas. Lejos de estar mal ventiladas, las habitaciones eran más bien frías, debido al aire fresco que entraba a través de unos conductos situados en el techo.

Cuando Elliott estuvo lista, la señora Burrows dijo:

—¿Ya estás? —Y salieron juntas del cuarto.

—¡Chester! —exclamó Elliott, sorprendida al verlo desplomado contra la pared del corredor. El grito de Elliott lo despertó y, entre gruñidos, consiguió ponerse en pie. Bostezó, abriendo tanto la boca que pareció que se le iba a dislocar la mandíbula.

—Ah, hola, lo siento... Estaba durmiendo tan a gusto cuando me despertó la señora Burrows... —murmuró Chester, frotándose los ojos—. Sólo he dormido un par de horas.

Recorrieron el pasillo hasta llegar al vestíbulo en el que estaban los ascensores.

—Nivel Dos —leyó Chester, bostezando otra vez. Miraba entornando un ojo el plano de la planta que había en la pared. Cuando el sargento Finch, con su séquito de gatos detrás, los bajó allí en el ascensor para enseñarles sus cuartos, les había dicho que el Complejo tenía seis niveles en total. También les había contado que la energía procedía de la línea eléctrica que había en el exterior, algo muy bien pensado, ya que al proceder directamente de la red, nadie podía saber que se desviaba corriente eléctrica al recinto secreto.

—¿Qué ascensor dijo que no podíamos usar? —preguntó la señora Burrows. El sargento Finch les había advertido que uno de los ascensores estaba a punto de estropearse, pero ella no se había enterado de cuál.

—Éste —respondió Elliott, cogiendo a la mujer de la mano y acercándola a las puertas cerradas—. Recuerde que no ha de tomar el primero de este lado.

—Gracias —dijo ésta.

Chester apretó un botón y enseguida llegó un ascensor.

—Arriba —murmuró, haciéndose a un lado para que entraran Elliott y la señora Burrows y siguiéndolas después con desgana.

El ascensor adquirió velocidad hasta que se detuvo repentinamente. La luz del techo se apagó y se encendió otra más débil, bañándolos en un resplandor amarillento. Una voz grabada anunció con calma:

—Luz de emergencia.

—Vaya, maldita sea —se quejó Chester pulsando repetidamente el botón que ostentaba una H para ver si volvía a moverse—. Teníamos que haber ido por la escalera... No me fío de los ascensores desde que falló aquel trasto de la casa de Will.

Pero nada más terminar de decirlo, el ascensor volvió a la vida y siguió subiendo.

—¿Así que Drake y Will están bien, los dos? ¿No les ha pasado nada por el camino? —preguntó Elliott a la señora Burrows. La chica se frotaba el hombro como si le doliera.

No hubo tiempo para responder. Sonó una campanilla y las puertas se abrieron. Salieron los tres y recorrieron varios pasillos hasta que llegaron al Centro. La iluminación era parecida a las luces de emergencia del ascensor.

—Me pregunto por qué estará tan oscuro —dijo Chester cuando entraban en el Centro.

La primera persona que vieron fue Danforth, iluminado por el resplandor de su ordenador portátil y además por el de otros cinco colocados a su alrededor en mesas de caballete. Era obvio que seguía trabajando en lo de antes, fuera lo que fuese, ya que se habían abierto más paneles de las paredes y de ellos surgía una increíble cantidad de cables que también se enredaban entre las patas de las mesas. Al ver que Chester, Elliott y la señora Burrows entraban en el Centro, levantó los ojos.

—La electricidad se va a cortar durante unos momentos —anunció, sin más explicaciones.

—¡Will! ¡Drake! —gritó Elliott, echando a correr al verlos al otro lado de la sala.

—¡No me lo puedo creer! —exclamó Chester al ver quién estaba en brazos de su padre. El señor y la señora Rawls estaban en la puerta del túnel de entrada.

—¡Chester! —gritó la señora Rawls, abriendo los brazos para recibirlo cuando se dirigió hacia ellos. Chester la abrazó y advirtió que tenía las mejillas arrasadas de lágrimas de felicidad y alivio.

—¡La has encontrado! ¡Gracias! —dijo Chester a Drake—. ¡Muchas gracias!

Drake asintió con la cabeza y se volvió hacia Elliott.

—Tenemos que hablar —dijo con seriedad.

Elliott se dio cuenta de que Will se le había acercado, y también de que le miraba la espalda con nerviosismo... Supuso que a causa del largo fusil que le colgaba del hombro.

—¿Qué ocurre? —preguntó en al acto, comprendiendo que algo iba mal. Se apartó un par de pasos de Will y Drake—. ¿Por qué no queréis decírmelo?

Entonces miró por casualidad la entrada del túnel. Dos figuras se acercaban al Centro por allí. La más voluminosa era inconfundible incluso de lejos.

—Sweeney —anunció Elliott, pero no reconoció a la otra figura, más pequeña—. ¿Quién va con él?

—Elliott... —dijo Will, acercándose—. Hemos conseguido...

—Jiggs... ¿Es Jiggs? —preguntó Elliott, mirando fijamente al túnel. Aunque lo habían mencionado alguna vez, nadie le había puesto los ojos encima; pero suponían que pronto lo harían.

Elliott negó lentamente con la cabeza.

—No —dijo, mirando a Drake. —¡No! ¡Él no!

Will vio cómo se le desencajaba la mandíbula y que en su cara se aposentaba una expresión de determinación mortal.

—Elliott, dame el fusil —pidió Drake, tratando de detenerla; pero la joven fue más rápida.

Elliott corría ya hacia la figura.

Hacia su padre.

# SEGUNDA PARTE

## Maelstrom

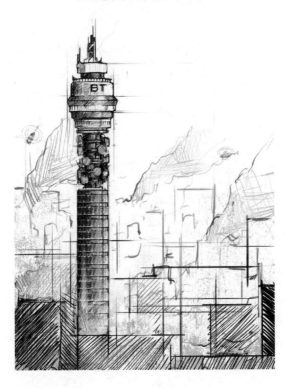

# 11

Vane se apartó del colono al que acababa de fecundar. Con lenta precisión de reptil, estiró la pierna hasta tocar el suelo, al lado de la cama, y apoyó el pie. El tubo ovipositor se retrajo dentro de su boca mientras pasaba la otra pierna por encima del cuerpo postrado y se ponía en pie.

El colono de la cama era una mujer de mediana edad a la que habían llevado desde la ciudad subterránea hacía muy poco tiempo. Había sido una de las desafortunadas habitantes del poblado chabolista de la Caverna Septentrional, del que la habían arrancado los Limitadores a golpe de pistola, para después someterla a sesiones de Luz Oscura; hasta que no quedó nada de los centros conscientes de su mente.

Y aunque su cerebro estaba muerto, el pecho de la colona comenzó a moverse mientras tosía en silencio, a causa de la bolsa de huevos, que producía espasmos involuntarios en su sistema respiratorio. En algunos casos, el anfitrión humano, si era de los problemáticos, conseguía expulsar la bolsa y eso significaba que había que comenzar el proceso desde el principio. Vane observó a la mujer hasta que comprobó que el implante había sido un éxito, y luego miró el almacén de punta a punta. Las mujeres styx habían realizado sistemáticamente el proceso en los humanos y ya habían sido fecundados alrededor de cien.

Los miembros insectiformes de Vane se agitaron y se juntaron sobre la cabeza. Se frotaron con rapidez creciente hasta que produjeron un chirrido constante parecido al de los grillos. Vane acalló el chirrido e inclinó la cabeza para oír mejor. Un segundo después percibió un repiqueteo apagado en otra parte de la sala. Era Hermione, que le respondía.

Vane y Hermione siguieron comunicándose, orientándose la una a la otra mientras avanzaban hacia las camas que había a la entrada del almacén.

Se vieron finalmente, por entre el vapor y la luz amortiguada, y se reunieron al lado de la cama de un joven, el primer humano auténtico que iba a ser fecundado.

Aunque tanto Vane como Hermione se habían alimentado con carne cruda y habían bebido regularmente de unas cubas llenas de una viscosa solución azucarada y que estaban repartidas en varios puntos del almacén, la Fase había cambiado drásticamente el aspecto de ambas. La incesante producción de huevos había disparado su ritmo metabólico, tanto que habían quemado absolutamente toda la grasa de su organismo.

Apenas se parecían ya a las mujeres extraordinariamente bellas que habían sido antes del comienzo de la Fase. Bajo sus ropas ensangrentadas y hechas jirones, su cuerpo era poco más que músculo y hueso. Sus rostros eran antinaturalmente angulares, como si un artista las hubiera retratado a base de polígonos.

—Hora de ocuparse del joven —anunció Hermione en el áspero idioma styx. Si Will y Chester hubieran estado allí para ver el aspecto que adquirían cuando hablaban, habrían entendido por qué la lengua styx sonaba tan inhumana a sus oídos. Era inhumana y ellas eran inhumanas.

—Sí, ha llegado el momento —respondió Vane, frotándose las huesudas manos con energía. Al hacerlo, los músculos y ligamentos de sus brazos se deslizaban unos sobre otros bajo la piel tirante como si fuera un maniquí mecánico.

Hermione se acercó al joven y se inclinó sobre él. Se detuvo a enjugarse la barbilla. Las glándulas de su garganta no habían dejado de producir los fluidos lubricantes necesarios para las fecundaciones, que salían de su boca, chorreando de sus labios resecos como pegajosas ristras.

Tras desabrochar el botón superior de la camisa del joven, deslizó la mano por debajo.

—Sí —murmuró suspirando.

Con suavidad, sacó una palpitante larva de color marfil, de unos quince centímetros de longitud. Era como una lombriz de tierra, pero más gruesa. Sosteniendo con ambas manos la larva de Guerrero styx, la levantó para examinar uno de los extremos.

—¿Quién es esta monada? ¿Quién es la perfección suma? —murmuró a modo de arrullo.

Todavía no le habían aparecido los ojos, pero ya tenía una pequeña boca que se abría y se cerraba. Algo en aquella boquita reflejó la luz de una de las lámparas del techo. Los colmillos de la larva de Guerrero brillaban como perlas, como los dientes de leche de un niño. Se cerraban chocando entre sí y mordiendo el aire mientras la styx lo acunaba en su pecho y la miraba con cariño.

Vane también había introducido la mano bajo la camisa del joven y en su cavidad pleural, que había quedado abierta cuando las larvas empezaron a salir de su cuerpo. Cogió no una, sino dos larvas, y las acunó en los brazos mientras se frotaban contra ella, como alegres cachorrillos.

—Sí, son perfectas —dijo Vane, llorando de felicidad al sentirse realizada. Una de sus larvas empezó a emitir un sonido agudo. Casi inmediatamente, la otra larva y la de Hermione la imitaron.

El cuerpo del hombre de la cama empezó a moverse como si hubiera resucitado milagrosamente. Pero estaba muerto y bien muerto. El movimiento procedía de las larvas que le corrían por dentro de los pantalones y de las mangas de la camisa y se abrían paso a mordiscos.

—Las pequeñas están hambrientas —dijo Hermione—. Son nuestras primeras recién nacidas. Son especiales. Creo que deberíamos mimarlas.

Vane asintió.

—Se merecen un trato especial.

Dejó sus larvas en la cama y se dirigió a zancadas al fondo del almacén. Allí vio entre las sombras a un grupo de colonos y neogermanos. Casi todos estaban tendidos en el suelo, pero unos pocos estaban sentados. Y aunque les habían programado la mente con Luz Oscura, los Limitadores habían tomado la precaución de levantar una cerca a su alrededor, por si alguno tenía aún capacidad para moverse, como si fuera una res desorientada.

Vane abrió la cancilla de la cerca y escogió a un hombre rollizo.

—Te ha tocado —dijo.

Era el Tercer Agente, que todavía llevaba el uniforme puesto.

—Bien. Un buen bocado de carne —comentó Vane, tirando de él. El hombre apenas podía andar y sus pies tropezaban torpemente entre sí. Vane medio lo arrastró, medio cargó con él, hasta donde estaba la cama. Hermione había rasgado las ropas del muerto para que las demás larvas, unas treinta, tuvieran despejado el camino de salida.

Vane tiró al Tercer Agente encima del colchón. Las larvas dieron dentelladas en el aire que produjeron un repique parecido al de las castañuelas mientras se arrastraban hacia el tejido vivo. Las dos mujeres styx miraban, con el corazón henchido de orgullo, mientras sus hijitos empezaban a atracarse.

Eddie y Sweeney se habían detenido en el largo pasadizo de entrada, pero Elliott no se quedó quieta. Corrió al encuentro de su padre.

Todos los que estaban en el poco iluminado Centro tenían la mirada puesta en ella: Parry, Danforth y, aunque también ellos tenían su propio reencuentro sentimental, Chester y sus padres.

Will no veía la expresión de Elliott, pero por la forma en que le había hablado de Eddie en el pasado, pensó que aquel no iba a ser precisamente un reencuentro feliz de padre e hija. Más bien todo lo contrario. Elliott se había puesto de parte de su madre colona e incluso había matado Limitadores en las Profundidades. Will no quería ni pensar en cómo iba a reaccionar ahora que por fin estaba cara a cara con su progenitor.

—Va armada —señaló Will dirigiéndose a Drake con gesto de alarma.

Chester se había adelantado rápidamente y Will lo miró para ver si estaba preocupado por lo mismo.

—Sabes que podría utilizar ese fusil para dispararle —le dijo Will. Pero su amigo no respondió: parecía centrado únicamente en el avance de Elliott por el pasadizo.

—Bueno, ¿es que nadie va a hacer nada? —preguntó Will con ansiedad, mirando a Drake—. ¿Por si las moscas?

—Quédate quieto —susurró Drake—. Deja que lleve el fusil.

Cuando Will vio que el hombretón que iba al lado de Eddie se volvía levemente, se dio cuenta de que Drake se dirigía a él. Sweeney estaba a unos doce metros, pero había oído el consejo gracias a su increíble agudeza auditiva. Will vio que Sweeney se encogía ligeramente de hombros.

—Te lo repito: estate quieto —susurró Drake—. Pero muévete si ves brillar la hoja de un cuchillo.

A Will le pareció que Sweeney respondía guiñando un ojo, pero no podía estar seguro. En cualquier caso, también estaba atento a lo que hacía Elliott; si algo iba a ocurrir, sería en ese momento.

Cuando estaba a unos tres metros de su padre, Elliott aprestó el fusil y lo apuntó con él.

Eddie se quedó quieto, sin moverse ni un milímetro.

—Drake... —dijo Will con miedo en la voz.

Quizás Elliott esperaba que Sweeney interviniera a la velocidad del rayo, porque pareció vacilar ligeramente y mirarlo de reojo. Sin embargo, Sweeney no dio señales de disponerse a hacer nada.

Conforme se acercaba a Eddie, Elliott dejó de apuntarle con el fusil; ahora sostenía el arma como si se dispusiera a propinarle un culatazo con ella.

Sin embargo, llegado el momento se limitó a lanzar el arma a Sweeney, que la atrapó hábilmente con sus manazas.

Elliott se detuvo delante de Eddie. Sacudió la cabeza, y acto seguido le asestó un bofetón con tal fuerza que el golpe resonó por todo el Centro.

—¡Jope, apuesto a que le ha dolido! —exclamó Chester, encogiéndose levemente.

Elliott volvió a abofetear a su padre, esta vez en la otra mejilla, con la misma fuerza.

—Eddie los está coleccionando últimamente —dijo Will. El comentario hizo que Drake lo mirara de soslayo antes de susurrar otra indicación, ésta destinada a Sweeney.

—Creo que ya hemos abandonado la selva. Ya puede darles más espacio.

Sweeney echó a andar por el pasadizo en dirección al Centro. Para sorpresa de Will, Elliott y su padre estaban hablando, aunque Elliott lo hacía a gritos.

Will estaba desconcertado por todo lo que sucedía.

—¿Cómo estabas tan seguro de que no le iba a disparar? —preguntó a Drake.

La señora Burrows abrió la mano, revelando el contenido a su hijo.

—Habría sido difícil... sin esto.

—¿Cartuchos? —preguntó Will, cayendo en la cuenta de por qué los tenía su madre en ese momento. Miró el arma de cañón largo que empuñaba Sweeney mientras éste entraba en el Centro—. Así que el fusil de Elliott ni siquiera estaba cargado.

Drake asintió.

—Eddie es vital para nosotros ahora; no podía permitir que le pasara nada. Así que me adelanté, llamé a tu madre por teléfono y le pedí que descargara el fusil. Es la única persona que conozco capaz de hacerlo sin despertar a Elliott. —Drake miró directamente a Will—. No creerías que iba a dejar algo así al azar, ¿verdad?

—Gracias por contármelo —gruñó Will, enfadado porque no lo hubieran informado de nada—. Y será mejor que procures cargar el fusil otra vez, antes de que lo descubra. Si no, no volverá a confiar en ti nunca más.

Parry se acercó.

—Así que ahora permitimos al enemigo entrar en la base —dijo a su hijo con tono de reproche—. ¿Estás repartiendo entradas? Esto se parece cada vez más a Piccadilly Circus, maldita sea.

—Eddie no es nuestro enemigo, y lo que Will y yo hemos sabido por él esta mañana explica con exactitud en qué punto del plan de invasión están ahora los styx —replicó Drake con firmeza—. Y es peor de lo que cualquiera de nosotros pueda imaginar. —Sacó de un bolsillo interior el *Libro de la Proliferación* y se lo entregó a Will—. Quiero que reúnas a todos en una de las salas de juntas, enseguida. Y eso incluye al Viejo Wilkie y a su nieta, al coronel y al sargento Finch..., tienen que saberlo todos.

—¿Yo? ¿Quieres que lo haga yo? —dijo Will, aterrorizado. Ni siquiera estaba convencido de lo que Eddie les había contado, y además sentía en lo más hondo que le faltaba la autoridad de Drake para hablar sobre una revelación tan trascendente a escala planetaria.

Drake asintió con la cabeza.

—Entonces, ¿les cuento todo? —preguntó Will.

—Todo —confirmó Drake.

Will se sintió muy incómodo con la repuesta de Drake, porque si debía hablar de la Fase a todo el mundo, eso significaba que también Elliott iba a estar presente. Desde que Eddie les había revelado la situación en el Humvee, no había dejado de pensar en que la Fase podía convertirla en un ser hostil. Ella era amiga de Will, y él había hecho todo lo que estaba en su mano para no verla de forma diferente. Explicarles ahora todo lo que sabía sobre Elliott le hacía sentirse muy desleal.

—¿De verdad quieres decir *todo*? —preguntó de nuevo Will.

—Sí, punto por punto —respondió Drake, algo irritado.

—¿Por qué le encargas eso al muchacho? ¿Tan importante es que no podéis explicárnoslo ni tú ni ese tal Eddie? —preguntó Parry a su hijo.

—Es que yo tengo que ocuparme de un asunto inmediatamente —respondió Drake, señalando con la cabeza la entrada del túnel, donde Elliott y Eddie estaban enfrascados en su discusión.

Elliott ya no hablaba a gritos y, por la forma en que su padre y ella se comportaban, parecía que no iba a haber más problemas entre ellos. A pesar de todo, Drake no estaba tranquilo, lo cual se hizo evidente cuando sacó la Beretta de la funda para comprobar que estaba cargada, antes de volverla a guardar.

Parry pareció entender que su hijo tuviera otras prioridades y no insistió. Drake se dirigió a la entrada del túnel, pero se detuvo y se volvió hacia su padre.

—Dime... ¿dispone el dispensario de una máquina de rayos X? —preguntó.

—Pregúntaselo a Finch, pero casi seguro que sí. El dispensario fue equipado en la década de 1970, con todo lo necesario —respondió Parry—. Y si la máquina necesita algún reajuste para funcionar, Danforth es tu hombre. Él podrá arreglarla.

Parry se quedó atrás para llamar a Stephanie y los demás por el intercomunicador, mientras Will y Chester se dirigían hacia una de las salas contiguas al Centro. Will llevaba el *Libro de la Proliferación*, sujetándolo cautelosamente con dos dedos. No le hacía gracia la idea de tocar la piel humana de la cubierta.

—¿De qué va todo esto, Will? —preguntó Chester, inclinando la cabeza hacia su amigo con aire conspirador—. ¿Y qué pasa con Drake y la pistola? ¿No se fía de Eddie?

—La pistola no es por Eddie. Es por Elliott —respondió Will.

Chester se detuvo en seco mientras Will seguía andando hacia la sala de juntas.

La tenue luz de la sala parecía la más indicada para que Will contara lo que Eddie les había dicho a Drake y a él. Cuando terminó, Will miró los rostros sombríos que rodeaban la mesa. Nadie habló: sólo se oía el zumbido constante del aire que entraba por los conductos de ventilación. Parry era el único que no lo miraba. Con ayuda de una pequeña linterna, estaba inspeccionando el *Libro de la Proliferación*, mirando fijamente las páginas con sus gafas de lectura. Levantó los ojos hacia Will.

—No conozco de nada a ese tal Eddie, pero si se trata de un cuento, es de lo más retorcido. Y explica por qué los styx están tan activos; no tienen otra elección.

Uno de los gatos del sargento Finch saltó sobre la mesa, moviendo la cola mientras se acercaba majestuosamente hacia el viejo sentado en la silla motorizada. El animal hizo que Will recordara que tenía algo más que añadir:

—No sé cómo he podido olvidarlo —dijo tristemente—. Además tengo que contar algo más. *Bartleby* ha muerto.

Después de todo lo revelado sobre la Fase, ninguno de los asistentes reaccionó de inmediato, hasta que habló la señora Burrows.

—*Bartleby* nunca habría abandonado a *Colly*, no voluntariamente.

—Eddie nos dijo que fue un accidente —apuntó Will—. *Bart* sorprendió a uno de los Limitadores, que reaccionó por instinto. El hombre ha recibido su castigo.

Chester se adelantó, apoyando los codos sobre la mesa.

—Me alegro de que lo recibiera —murmuró con irritación.

Will asintió con la cabeza.

—El Limitador se inmoló solo. Delante de nosotros. Reventó con una granada de Sweeney.

—Fue horrible —susurró la señora Rawls.

Stephanie carraspeó y levantó la mano como si estuviera en la escuela. El Viejo Wilkie estaba a punto de decirle que contuviese la lengua cuando intervino Parry.

—Deja que la chica hable, si quiere —opinó—. Estamos todos juntos en esto.

Stephanie respiró hondo.

—Will, lo que nos has contado como que parece una película de terror. Acepto sin dudarlo que los styx son reales y todo eso, sobre todo porque has traído a uno contigo. Pero todo ese rollo sobre huevos y reproducción y monstruos que exterminan a seres humanos... ¿cómo sabes que es verdad? Parece muy... como muy... *así* —dijo, levantando las manos y agitando los dedos para representar un escalofrío—. Aparte de lo que os ha contado Eddie Styx y ese horripilante librito de Monstruos que tiene —señaló a Parry—, no podéis estar seguros de que sea cierto. No tenéis más pruebas, ¿verdad?

Will iba a decir algo, pero se contuvo.

—¿Y? —añadió Stephanie.

Will supo entonces que debía contar la verdad sobre Elliott. Mientras hablaba, intentó no mirar de frente a Chester, con la esperanza de que su amigo no cavilara sobre lo que iba a suponer para ella hasta haber hablado con él en privado.

Will tragó saliva.

—Elliott —susurró—. Elliott podría ser la prueba.

Chester murmuró algo, pero Stephanie fue más rápida.

—¿Por qué Elliott? —preguntó.

—Ella es medio styx, ¿verdad? Y podría tener edad suficiente para que la Fase le cause alteraciones.

Will se animó a mirar a Chester. El rostro de su amigo se descompuso al darse cuenta de lo que significaba para Elliott tener padres de distinta especie.

Stephanie había vuelto a levantar la mano.

—Pero ella parece normal, puede tener hijos como... como la gente normal, ¿no?

—Sí —respondió Will.

Stephanie sacudió la cabeza.

—Así que dices que Elliott aún puede cambiar... ¿y ella no sabe que podría pasarle algo así? Quiero decir, que ella tiene que saber algo sobre todo este rollo de la Fase.

—Elliott no fue criada por los styx, así que no, no tiene por qué saberlo. Es un secreto que mantienen únicamente entre ellos. Y los colonos tampoco saben nada —respondió Will—. Eddie nos contó que las mujeres styx pueden procrear como personas normales, pero la Fase es algo más. Es una fuerza muy poderosa... un instinto que afecta a toda la especie styx. Y la Fase sólo se hace patente cuando se apodera de las muj...

—Entonces, ¿eso la convierte en peligrosa para los que la rodean? —interrumpió Stephanie.

—Yo... Todavía no lo sabemos —replicó Will—. Pero supongo que eso es lo que Drake está tratando de descubrir, haciéndole una radiografía.

—O sea, que está averiguando si Elliott se va a convertir en escarabajo o no. ¿Es eso? —preguntó Stephanie con un escalofrío, esta vez muy en serio.

Will asintió con la cabeza. No podía enfadarse con Stephanie por no tener pelos en la lengua. Ella sólo decía lo que todos los demás estaban pensando, aunque no abrieran la boca.

—Pobre chiquilla —sentenció Stephanie con un deje de simpatía en la voz—. Espero que no le pase nada.


Guiándose por el plano del edificio que había en la pared del vestíbulo del Nivel 4, Will y Chester encontraron el dispensario. A ninguno de los dos se le habría ocurrido entrar mientras estaban examinando a Elliott, así que se sentaron en un banco del pasillo.

Por fin salió Danforth, pero no tuvieron ocasión de preguntarle nada porque se dirigió inmediatamente al ascensor. Al poco rato volvió con una maleta que Will reconoció: estaba llena de instrumentos y equipo electrónico de pruebas. Y cuando el hombre entró de nuevo en el dispensario, Will, por la puerta abierta, pudo ver a Elliott conducida por su padre. Aunque el resto del Complejo estaba iluminado por las luces de emergencia, la iluminación del dispensario era rutilante. Así que antes de que se cerrara la puerta, Will vio que Elliott andaba descalza por el linóleo, vestida con una bata tipo hospital, que la hacía parecer muy pequeña y vulnerable. Y también parecía muy agitada. Will no supo si Chester la había visto también, pero no hizo ningún comentario.

Mientras el examen de Elliott continuaba, los chicos oyeron el murmullo de sus voces, sin distinguir ni una palabra, pero imaginando lo peor.

El murmullo de voces masculinas continuó; y entonces oyeron un grito. Era Elliott. El grito no fue especialmente agudo, pero Will y Chester saltaron al unísono.

—*Bartleby*—comentó abruptamente Chester, fingiendo rascarse una dureza de la mano—. Es raro que se haya ido para siempre, ¿no crees? Echo de menos no tenerlo rondando por aquí.

La desgraciada muerte del Cazador no era precisamente lo que les preocupaba en aquel momento, pero era menos doloroso hablar de él que de lo que estaría pasando Elliott.

—*Bartleby*, sí —respondió Will por decir algo—. Yo también lo echo de menos. Supongo que ya formaba parte del equipo.

Oyeron otro grito, más bajo.

Will no quería ni imaginar lo que le estarían haciendo. Le encolerizaba que la muchacha tuviera que soportar todo aquello y al mismo tiempo se sentía impotente por no poder evitarlo.

—*Colly* ha estado muy tranquila últimamente —añadió Chester, mirando de reojo la puerta del dispensario.

—Adora a mamá —replicó Will, enderezándose en el banco—. ¿Sabes? Últimamente se ha estado quejando mucho de la espalda.

—¿Eh? —murmuró Chester, volviéndose a su amigo.

—Elliott —dijo Will, con la mirada fija en un cartel descolorido que había en un tablón de anuncios, en la entrada del dispensario. En él había una enfermera guapa y sonriente, y un hombre con bombín, también sonriendo, y la leyenda: DONAR SANGRE SALVA VIDAS, en letras rojas—. Espero que sus problemas de espalda no tengan nada que ver con la Fase. —Will no podía quitarse de la cabeza la imagen del *Libro de la Proliferación* en la que se veía a una mujer con un par de miembros insectiformes.

—Yo también lo espero —replicó Chester con tristeza.

Se abrió la puerta de golpe y salió Sweeney. Todavía con el fusil de Elliott, se sentó entre los muchachos en el banco, que crujió bajo su peso. Tanto Willl como Chester se le quedaron mirando, ansiosos de noticias.

—Vuestra amiguita ha pasado la primera parte del examen —anunció Sweeney, con una sonrisa que le arrugó el extraño rostro—. La ha pasado con gran éxito. No hay nada fuera de lo normal.

—Gracias a Dios —exclamó Chester.

—¿Y ahora qué toca...? ¿Rayos X? —preguntó Will.

Sweeney asintió con la cabeza.

—He tenido que salir. Los rayos X me hacen polvo los circuitos del tarro.

Los tres se quedaron escuchando el fuerte zumbido de la máquina activada, seguido por el chasquido de la radiografía. Se repitieron los ruidos. Danforth salió del dispensario.

—Voy a revelarlas. Tienes que volver a entrar —le dijo a Sweeney.

—Señor, sí señor —murmuró Sweeney con sarcasmo mientras veía al profesor recorrer el pasillo hasta otro despacho. Aunque era casi imposible descifrar la expresión de Sweeney, saltaba a la vista que entre aquellos dos no había precisamente un amor eterno.

—Os dejaré esto —dijo, dándole el fusil a Will y entrando en el dispensario.

Parecieron transcurrir siglos enteros hasta que Damforth reapareció, agitando dos radiografías en el aire para secarlas. No prestó atención a los muchachos y entró en el dispensario.

—No lo soporto más —comentó Chester. Se puso en pie y comenzó a pasearse—. Aquí abajo huele igual que en un hospital.

Will recordó que la hermana pequeña de Chester había muerto en un hospital tras un accidente de coche y lo mucho que Chester los aborrecía desde entonces.

—Si no quieres quedarte aquí, puedo ir a buscarte cuando hayan terminado —se ofreció Will.

—Sí, creo que iré a buscar agua al otro nivel —dijo Chester, apoyándose en la pared—. Me muero de sed.

Will se dio cuenta de que su amigo estaba sudando a mares y bastante pálido.

—La verdad, Will, es que creo que me estoy mareando.

Tras decir esto, Chester echó a correr hacia el vestíbulo, dejando a Will mirando el corredor vacío cuando desapareció.

Diez minutos más tarde se abrió la puerta del dispensario y allí estaba Elliott, con Drake a su lado. Seguía llevando la bata de hospital y su ropa, hecha un ovillo, bajo el brazo.

—¡Oh, Will! —exclamó, tirando la ropa y echando a correr hacia él para abrazarlo con todas sus fuerzas.

—Creo que estamos fuera de peligro —anunció Drake.

Mientras Elliott seguía abrazada a Will, ocultando el rostro en su pecho, el joven notó que tenía algo en la espalda. Era una gasa grande, sujeta con esparadrapo y empapada de sangre. Will miró a Drake sorprendido.

—Sí, intentamos hacer una exploración quirúrgica —dijo Danforth, saliendo con Eddie al corredor, con las radiografías enrolladas como si fueran un bastón. El tono de Danforth era tan neutro que podría haber estado hablando de uno de sus inventos—. Encontramos pruebas de la existencia de rasgos relacionados con la Fase, pero apenas son vestigios. Dado que ella es un cruce entre humano y styx, podría ser que llevara el gen o los genes recesivos de la Fase, pero los rasgos nunca se mostrarán salvo como una manifestación parcial.

Danforth levantó las radiografías enrolladas.

—Sin embargo, teniendo en cuenta su edad y el hecho de que sea aún una adolescente, habría que vigilar de cerca el futuro desarrollo.

—Pero ¿ella está bien? ¿No hay problema? —preguntó Will a Drake, sin hacer caso a Danforth.

—Sí, está bien —contestó Drake.

Quizá se debió a la intensa preocupación que había soportado, pero Will comenzó a parlotear.

—Así que después de todo, mi mejor amiga no es un insecto.

Drake no dijo nada y Elliott levantó la cabeza, mirando a Will con los ojos arrasados de lágrimas.

—¡So cabrón! —exclamó entre risas, dándole un beso en la mejilla.

—¡SO CABRÓN!

El grito resonó en el silencio de la comisaría de policía.

—¿Gappy Mulligan? —preguntó el Segundo Agente.

—Gappy Mulligan —confirmó el Primer Agente—. Lo dice por mí. Me estaba explicando que debería ponerla en libertad... y de paso también a los demás detenidos. —Rascándose vigorosamente el pecho por encima de la camisa a medio abotonar, miró hacia el Calabozo—. Creo que me he dejado abierta la puerta del pasillo. Debería ir a cerrarla.

—No se moleste. Así les entrará un poco de aire —dijo el Segundo Agente, estudiando las cartas que tenía mientras jugaban al póker en un escritorio del despacho principal.

El Primer Agente había dejado de rascarse el pecho, pero estaba mirando fijamente algo que tenía entre el dedo pulgar y el índice. Las pulgas eran un problema constante en la Colonia. Hizo una mueca, porque no sabía si la había atrapado o no, apretó los dedos y luego se limpió las yemas en la pierna.

—¿Sabes que no nos queda mucha comida en el almacén? No sé tú, pero yo estoy cansado de ser la criada de los detenidos, ahora que ya nadie quiere trabajar aquí.

El Segundo Agente había estado concentrado en sus cartas, pero en aquel instante levantó la cabeza de golpe.

—¡Humo! ¡Huele a humo! —gritó.

Ambos se pusieron en pie de un salto y comenzaron a olfatear. De todas las cosas que más temía un colono, el fuego era lo primero de la lista. Durante los trescientos años de historia de la sociedad subterránea, había habido varios incendios que habían sido controlados, y las muertes resultantes no se habían debido al fuego en sí, sino a la inhalación de humo en las cavernas y los túneles.

—¡Tienes razón! —admitió el Primer Agente.

Los dos cruzaron a toda prisa el despacho. En la entrada de la comisaría, único conducto para acceder al interior y para salir, las llamas lamían ya las puertas de vaivén.

—¡DIOS MÍO! —gritó el Primer Agente, corriendo hacia un armario lleno de cubos de agua pintados de rojo, guardados ex profeso para aquella eventualidad—. ¡Patrick, libera a los detenidos! ¡Vamos a necesitar ayuda para apagarlo!

Un humo denso empezaba a invadir el Calabozo cuando el Segundo Agente recorrió la fila de celdas, abriendo las puertas. Los ocupantes, incluida Gappy Mulligan, no necesitaron órdenes para saber qué hacer. Formaron una cadena entre la entrada y el cuarto donde estaba el grifo y empezaron a pasarse los cubos hacia el Primer Agente, que los vaciaba sobre las llamas. El agente se había despojado de la guerrera y se había tapado la nariz y la boca con una tela para seguir batallando con el fuego. Todos los detenidos tosían y lloraban mientras trabajaban sin descanso, pasando los cubos llenos de agua.

Al cabo de un rato habían conseguido apagar las llamas lo suficiente para abrir las puertas, pero ni siquiera entonces se detuvieron. El agua hacía un ruido susurrante al caer sobre la madera apilada que había en el exterior, en lo alto de las escaleras.

Finalmente, consiguieron apagar el incendio. El Primer Agente, con la camisa y los pantalones empapados, estaba apoyado en el mostrador, cuando sufrió un fuerte ataque de tos. También los detenidos estaban tosiendo y tratando de recuperar el aliento cuando el Segundo Agente comenzó a inspeccionar los daños. Dando gracias por la fresca brisa de fuera, examinó la madera chamuscada del exterior. Por el olor no le cabía duda de que habían utilizado un acelerante para iniciar el fuego. Entonces el Segundo Agente vio una lata vieja, abandonada a un lado de las escaleras. La cogió y la introdujo en la comisaría.

—Gasolina —aclaró, poniendo la lata sobre el mostrador, al lado de su jefe—. Tenían intención de quemarnos vivos, pero no hay nada que revele quiénes han sido.

—No me digas —comentó el Primer Agente, riendo y tosiendo—. Y yo que esperaba que escribiesen su nombre en la lata, como mínimo —añadió con sarcasmo. Luego se volvió a la fila de detenidos—. Vosotros, escuchad, os podéis ir todos —anunció—. Sois libres.

El Segundo Agente se plantó ante él.

—Señor, ¿no le parece un poco precipitado? Es decir...

—Déjalo ya, Patrick. ¿Temes que los styx se nos echen encima por liberar a un puñado de perdedores, cuyo delito consiste en robar alguna que otra gallina para alimentar a sus familias? —preguntó el Primer Agente—. No se ofendan —añadió rápidamente en dirección a los detenidos—. Les estoy muy agradecido por haber arrimado el hombro con lo del incendio.

Gappy Mulligan sonreía, pero un hombre musculoso y con ojos de loco no parecía tan contento. Respondía al nombre de Cuchilla, por la herramienta para cavar que se utilizaba en toda la Colonia.

—¿Perdedore? —exclamó indignado—. Debería usté saber que yo no he robao una puta gayina en mi vía. Toy en el truyo por condusta antisociá y por haber atacao a un tío con un hasha sin motivo arguno.

El Primer Agente se echó a reír.

—¿Admites entonces tu culpabilidad, Cuchilla?

Al principio, Cuchilla se sintió confundido, pero se rehízo rápidamente.

—No señó, yo no hice na de lo que icen que hice. No señó. Soy inocente como un pe en el agua.

Un ladrón de tres al cuarto con rasgos de rata, que estaba sentado sobre un cubo boca abajo en un extremo de la recepción, encontró divertido aquello. Se echó a reír hasta que Cuchilla lo fulminó con la mirada.

El Segundo Agente seguía sin estar muy de acuerdo con la orden de su jefe.

—¿De veras quiere que los soltemos? —preguntó en voz baja para que los presos no pudieran oírlo—. Todos tienen delitos de los que responder.

El Primer Agente no tenía reparos en que los presos supieran lo que pensaba.

—Patrick, no hemos oído ni un crujido de los styx desde hace tres días —declaró en voz alta, señalando con el brazo los broncíneos tubos de los mensajes que había en un extremo de la habitación—. Y hace tres días que nadie ha visto un solo styx por las calles. Por lo que sabemos, se han ido... se han largado de la Colonia.

Los detenidos ahogaron una exclamación.

—Y parece que te olvidas del fuego... un atentado contra nuestras vidas... perpetrado por nuestra propia gente. Fíjate a qué extremos hemos llegado. —Miró fijamente al Segundo Agente a los ojos—. ¿Dónde está tu documentación, Patrick? —preguntó—. Búscala.

El Segundo Agente hizo lo que se le ordenaba y cogió la guerrera que había dejado en el respaldo de una silla. Sacó el carné de un bolsillo. Cuando se lo dio al Primer Agente, este cogió una pluma de ave del bote del mostrador. El Segundo Agente y los detenidos oyeron el rasguear de la pluma. Cuando terminó de escribir, el Primer Agente le devolvió el carné.

—Enhorabuena —dijo.

El Segundo Agente leyó lo que le había escrito en la documentación.

—¡No! —exclamó.

—Sí, ha llegado mi hora. Ya no aguanto más. Dimito y me voy a casa, a cuidar de mi familia —dijo el Primer Agente—. Así que ahora el jefe eres tú.

El Segundo Agente se tambaleó.

—Coge esto, Chillidos —dijo el Primer Agente, desenganchando el manojo de llaves de su cinturón y dándoselo al hombre con cara de rata—. En la sala de pruebas, en la estantería del fondo, encontrarás una caja de whisky Somers Town. Tráela, ¿quieres? Vamos a celebrar el ascenso del nuevo Primer Agente por todo lo alto.

# 12

Parry tenía todo el aspecto de un mando militar mientras se paseaba delante del mapa desplegado en la gran pizarra del Centro.

Se volvió hacia los demás.

—Bien... la Fase se está desarrollando en estos precisos momentos, así que el tiempo apremia. Necesitamos una acción positiva para descubrirla y ponerle fin. ¡Hay que actuar con rapidez!

—Desde luego —dijo Drake.

—Así que vamos a analizar lo que sabemos —prosiguió Parry—. La Fase tiene que estar desarrollándose en la superficie, porque ésa es una de las condiciones previas. Y tiene que ser... —se volvió hacia el mapa del Reino Unido— en algún lugar de este país, y probablemente en un único lugar.

—Sí, correcto —confirmó Eddie.

Parry se tiró de la barba, pensativo, mientras se acercaba a la pizarra y señalaba con su bastón.

—Pero ¿tenemos razones para creer que sea en la zona de Londres? Por lo que sabemos, podría producirse en los condados más próximos, o en cualquier otra parte del país. ¿Se atreverían los styx a alejarse más de ciento cincuenta kilómetros de Londres?

—Tiene sentido que sea en Londres o en sus alrededores —puntualizó Eddie—. A menos que hayan elegido un lugar alejado para estar más seguros.

—Eso no nos ayuda en absoluto. Es como buscar una aguja envenenada en un pajar —gruñó Parry, tirándose de la barba otra vez, ésta con más fuerza—. Pero sabemos que los styx necesitan una gran reserva de cuerpos humanos para la cría. A menos que estén abduciendo a Seres de la Superficie al tuntún, les quedan los colonos y quizá neogermanos para utilizarlos como anfitriones vivos. Lo que implicaría que están cerca de Londres, porque no querrán que su cadena de abastecimiento sea demasiado larga.

—Y menos teniendo en cuenta la interrupción de la red de transportes, de la que han sido responsables, en el sureste —observó Drake—. Viajar no es tan fácil ahora como antes.

Parry respiró hondo.

—Que todo el mundo ponga el cerebro a trabajar. ¿Cómo podemos encontrar el emplazamiento de la Fase? —preguntó. Se volvió hacia Eddie—. ¿No podríamos atrapar a un styx en las calles de Londres para interrogarlo?

—Aunque encontráramos a alguno, no serviría de nada —respondió Eddie.

Parry no pensaba rendirse tan fácilmente.

—Bien, de acuerdo. ¿Y si uno de sus hombres volviera a la Colonia? Quizás allí abajo se entere de lo que necesitamos saber.

—No. Ya le dije que mis hombres habían cortado toda relación con nuestro pueblo y borrado su rastro —afirmó Eddie categóricamente—. Ahora no puede aparecer ninguno como si nada hubiera pasado. Lo ejecutarían en cuanto le pusieran la vista encima. No nos serviría de nada y encima se enterarían de que hay un grupo disidente de Limitadores.

Parry siguió tirándose de la barba hasta que se arrancó un mechón de pelos.

—Pero ¿es posible que los styx, en el emplazamiento

de la Fase, estén haciendo algo que pueda darnos una pequeña pista susceptible de seguirse? —Miró fijamente a su hijo, luego a Danforth, que estaba escaneando el *Libro de la Proliferación*, página por página, para traducirlo luego con la ayuda de Eddie—. Vamos, vosotros dos, sois los especialistas técnicos. ¿Alguna idea brillante?

Danforth levantó los ojos del escáner, pero no respondió, y Drake negaba lentamente con la cabeza.

—Las Luces Oscuras —sugirió Eddie—. Gracias a Drake podemos localizarlas. Y mis congéneres, estén donde estén, es muy probable que las estén usando en abundancia.

Drake respondió con rapidez.

—Eso ya lo hemos pensado. Sí, podemos detectar la Luz Oscura utilizando un despliegue de antenas, pero sólo funciona en zonas muy reducidas. Para aumentar el radio de acción necesitaría antenas de microondas colocadas a gran altura, para poder recibir sin interrupciones cualquier emisión que se produzca en el país.

—Quieres decir un ejército de parábolicas de gran potencia y que además sean direccionales —dijo Danforth con tono condescendiente.

Drake asintió con la cabeza; aunque el profesor era una de las mentes más brillantes del planeta, a veces el convencimiento de su propia importancia era difícil de aguantar.

—Entonces, al menos en teoría, podríamos localizar cualquier lugar con grandes emisiones de Luz Oscura que estuviese situado a trescientos o cuatrocientos kilómetros del centro de Londres, incluso más —dijo Drake.

—Bueno, eso sería un comienzo —aseguró Parry con optimismo.

—También necesitaríamos enviar equipos itinerantes con detectores móviles de batería para ayudarnos a señalizar las coordenadas exactas de cualquier punto caliente. —Drake se detuvo y frunció los labios, pensativo—. Sí, podríamos dar con una mina de oro, pero es un campo infernalmente grande.

—Un campo infernalmente grande —repitió Danforth, volviendo una página del *Libro de la Proliferación* y colocándolo boca abajo en el escáner.

—Series de antenas parabólicas de gran potencia —resumió Parry—. Ahora estamos llegando a algún sitio. Pero ¿cómo vamos a reunir todo ese equipo en poco tiempo? ¿En la City? ¿En Canary Wharf?

El sargento Finch murmuró algo.

—¿Qué? —preguntó Parry, volviéndose hacia él—. ¿Qué ha dicho usted?

El sargento Finch se quedó mudo ante la reacción de Parry.

—Bueno, eso que ha estado usted diciendo... me ha recordado la Cadena Vertebral —prosiguió con timidez.

—¿Qué es la Cadena Vertebral? —preguntó Drake rápidamente.

—Fue una red de torres de hormigón que la OTAN construyó por todo el país para conservar las comunicaciones en caso de que sufriéramos un ataque nuclear —informó Parry—. La torre más cercana a este sitio está en Kirk O'Shotts, y hay otra en el Parque Sutton, y otra en...

Parry y el sargento Finch se miraron y hablaron al mismo tiempo.

—La Torre de Correos —dijeron.

Parry se acercó al sargento Finch y le puso una mano en el hombro.

—¡Maldita sea! Es usted un genio.

—¿Se refieren a la Torre de British Telecom, de Londres? —preguntó Drake.

Parry agitó con impaciencia su bastón.

—¡Tonterías y paparruchas! ¡No dejan de cambiar los nombres de todo! Sí, la Torre de British Telecom, y podemos entrar utilizando los viejos protocolos de emergencia, ¿no es cierto, Finch?

El sargento Finch estaba sonriendo.

—Desde luego que podemos, señor... y tengo un primo que trabajó allí en los viejos tiempos, cuando...

—Llámelo inmediatamente por uno de los teléfonos de Danforth. Sáquelo de la cama si es necesario —ordenó Parry—. Y vosotros dos —dijo mirando a Drake y a Danforth—, ¿cuántos localizadores móviles podéis prepararme para ya mismo?

Danforth gruñó; no parecía especialmente enamorado de la idea de trabajar.

—¿Cuántos quieres? —preguntó de mala gana.

—¿Cuántos puedes conseguirme? —insistió Parry.

—Pero ¿cuántos podemos preparar aquí? —inquirió Drake.

—Será pan comido, sólo hay que buscar todos los contadores Geiger que haya en este lugar —respondió Danforth—. Puedo adaptarlos con componentes de los almacenes del Nivel Cuatro. Será aburridísimo en el mejor de los casos, pero puedes ayudarme, Drake.

Drake enarcó las cejas.

—¿Puede hacer eso? ¿Con componentes que hay aquí, en el Complejo?

—Incluso durmiendo —replicó Danforth con aire de resignación.

—Y cuando estén listos los localizadores móviles, los mandaremos al sur y enviaremos patrullas al exterior. Tus hombres podrían echar una mano —comentó Parry a Eddie—, pero no hay suficientes. Parece que tendré que recurrir a la vieja guardia. Necesitamos un buen puñado de hombres para cubrir el país.

—Y nosotros también tendremos que ir a Londres —dijo Drake—, a la Torre de British Telecom.

Se oyeron gritos fuera de la comisaría de policía y alguien subió los escalones de tres en tres. El hombre buscó el mostrador nada más entrar y se apoyó en él para recuperar el aliento.

—Tienen que venir... un accidente —susurró. Era uno de los colonos del Barrio, un tendero llamado Maynard. Miró incrédulo la escena que tenía ante sí: el ex Primer Agente, con la camisa manchada de sudor y los tirantes colgándole de la cintura, estaba de francachela con todos los detenidos, bebiendo whisky Somers Town en jarra. Maynard y Cuchilla cruzaron una mirada, pero cuando el hombre canoso le devolvió la sonrisa, dejando al descubierto los ennegrecidos restos de su dentadura, apartó los ojos rápidamente.

—¿A qué viene tanto alboroto? —preguntó el ex Primer Agente, esforzándose por mantenerse erguido en la silla.

Maynard frunció el entrecejo.

—Se trata de mi hijo..., la magia se ha apoderado de él. Necesito ayuda.

—Yo ya no trabajo aquí —afirmó el ex Primer Agente, señalando con la jarra al nuevo Primer Agente y derramándose el licor encima, lo que despertó la hilaridad de Chillidos—. Pregunta a Patrick.

—¿Patrick? —inquirió Maynard—. ¿Quién carajo es Patrick? ¿Y qué está pasando aquí?

—No pasa nada, Maynard —contestó el nuevo Primer Agente, saliendo del que ahora era su despacho. Trató de recordar otra vez el nombre del ex Primer Agente, pero no lo consiguió, así que lo señaló—. Se ha tomado un descanso, así que el mando lo tendré yo un tiempo.

—¡Mollejas de topo! —exclamó el ex Primer Agente con expresión apenada. Cuchilla y Chillidos lanzaron sendas carcajadas al oírle proferir el juramento. Incluso Gappy Mulligan, de quien todo el mundo suponía que estaba borracha perdida debajo de la mesa, comenzó a reírse—. No, no voy a volver nunca —insistió—. Nunca, nunca, nunca.

—Nunca —añadió Chillidos con su tono nasal, riéndose.

—Ha dicho usted no sé qué de magia —observó el nuevo Primer Agente—. ¿A qué se refería?

—Ezaz cozaz no ezizten —intervino otro detenido, que fue acallado inmediatamente por Cuchilla.

—Cucha a ehte hombre —apremió Cuchilla con su retumbante voz de barítono.

—Mi hijo, yo y algunos otros planeábamos cruzar un portal para ir a la Superficie a coger algo de comida para los demás. Teníamos algunas monedas de la Superficie y pensábamos comprar alimentos básicos: pan, leche y cosas así. Mi despensa está vacía, ¿sabe?

El nuevo Primer Agente asintió con actitud comprensiva.

—Ya lo sé. Tenemos que hacer algo, aunque primero deberíamos organizarnos. Pero ¿a qué se refería cuando dijo «magia»? ¿Qué pasó?

—Se lo estoy diciendo: magia styx —insistió Maynard.

—Será mejor que me lo enseñe —repuso el Primer Agente, cogiendo la porra de un gancho de la pared y pasando por la abertura del mostrador.

—Tengo que ver esa magia con mis propios ojos —balbuceó el ex Primer Agente. Había conseguido ponerse en pie, y con él todos los demás detenidos, incluida Gappy Mulligan, que se balanceaba canturreando suavemente para sí.

Danforth había restablecido la corriente de los principales circuitos, así que el Complejo ya no estaba iluminado sólo por las luces de emergencia. Tras la revisión a que la habían sometido, Elliott se había ido a su cuarto y se había negado a salir, a pesar de todos los esfuerzos de Will y Chester. Así que ambos se turnaron para llevarle comida y bebida.

En una ocasión en que Will le había llevado una taza de té, la encontró delante del armario, mirándose en el espejo de cuerpo entero de la puerta y balanceándose sobre ambos pies.

—¿Estás bien? —preguntó Will.

—No estoy segura de saber quién soy —respondió ella sin dejar de mirarse—. Creía saberlo, pero ya no lo sé.

Antes de que Will tuviera tiempo de preguntar a qué se refería, la muchacha lo miró con sus penetrantes ojos oscuros.

—¿Me ves ahora de otro modo? —preguntó, levantando un brazo por encima de la cabeza, como en un movimiento de ballet. Luego lo dobló por el codo para tocarse el vendaje de la espalda.

—Pues claro que no —respondió Will sin dudarlo.

—Pero Danforth encontró en mí signos primarios de la Fase, y eso hace que me sienta como un monstruo. Me convierte en algo repelente.

—Qué estupidez —replicó Will.

—Pero ya no me miras de la misma forma —dijo ella—.
Cuando me abrazaste hace un rato, lo noté.

—Todo eso son tonterías —bufó el chico con indignación—. Y sabes que lo son. Lo que pasa es que estás algo
confusa. —Recordó entonces por qué había ido a verla y
le ofreció la taza—. Deberías tomarte el té. Drake me dijo
que le pusiera más azúcar de lo normal. Dijo que te ayudaría a superar el susto. —Elliott cogió la taza, pero cuando
Will intentó tocarle el brazo con actitud solidaria, se apartó, derramando la infusión.

Will se quedó mirando la creciente mancha que se formó en la alfombra.

—Eres mi amiga —afirmó—. Eso no cambiará nunca.
Eres Elliott. Y eso es lo único que me importa.

Sin saber qué más decir, abandonó la habitación.

El extraño grupo había seguido a Maynard por la red de túneles hasta llegar al portal. Cuando el nuevo Primer Agente se abrió paso entre el grupo congregado allí, vio que
el hijo de Maynard estaba en el suelo, a unos tres metros
de la puerta con remaches de acero de la cámara estanca.
Era un caso lamentable, porque el muchacho estaba muy
gordo, había caído boca abajo y su gordo culo sobresalía
como un balón de playa.

—No se acerque —dijo Maynard, cogiendo del brazo al
nuevo Primer Agente—. Esto está embrujado.

El nuevo Primer Agente obedeció el consejo.

—¿Qué ha pasado? Cuéntamelo con precisión —exigió. Entonces vio un pico en tierra, al lado del muchacho
gordo.

—Pensamos que los styx podían haber soldado el portal,
así que nos dispusimos a forzarlo —informó Maynard—.

Gregory, mi hijo, fue el primero en llegar a la puerta. Últimamente ha pasado mucha hambre y en casa hemos tenido dificultades. Bueno, el caso es que iba corriendo hacia la puerta y se cayó, así de sencillo... como si la magia lo hubiera derribado.

—Magia styx. Han echado una maldición al portal —dijo un hombre entre la multitud.

—Estamos condenados —gimió una mujer, despertando una oleada de inquietud en todos los que la rodeaban.

—¡Sandeces! Los styx no son magos —dijo el ex Primer Agente—. El muchacho se ha desmayado de hambre. —Miró a su alrededor hasta que identificó al detenido que tenía más cerca—. Cuchilla, demuéstraselo —invitó.

—¡Cuchilla, demuéstraselo! ¡Cuchilla, demuéstraselo! —corearon Chillidos y los demás presos.

Encantado de ser el centro de la atención, Cuchilla se dirigió hacia el portal con pasos firmes y confiados. Cuando miró por encima del hombro a los otros detenidos, estos canturrearon aún con más fuerza, vitoreándolo.

—¡Cuchilla, demuéstraselo!

—¡Demuestrilla, acuchíllaselo! —graznó Gappy Mulligan.

La amplia sonrisa que se le extendía de oreja a oreja revelaba que Cuchilla estaba disfrutando del momento. Tomó carrerilla, las gruesas piernas se le hincharon mientras avanzaba. Pero cuando llegó donde el muchacho caído, él también cayó al suelo, como si le hubieran dado un estacazo.

Como si hubiera tropezado con una barrera invisible.

Todos los detenidos lanzaron un «ooooh» de decepción y los canturreos cesaron de golpe.

—Es magia, ya se lo dije. Traté de advertírselo. Los styx no quieren que escape nadie —dijo Maynard—. ¿Y ahora qué? Tenemos que sacar a mi hijo de ahí para ver si está bien.

—De ahora en adelante, nadie se acercará a ningún portal —ordenó el nuevo Primer Agente a los reunidos—. ¿Estamos?

La multitud lo aceptó entre murmullos.

Volviéndose hacia el portal, el nuevo Primer Agente se quitó el casco y se rascó la cabeza para reflexionar.

—Bien... necesitaré un bichero para arrastrar a esos dos hasta aquí. Y que alguien busque a un médico, si es que queda alguno en la Colonia. —Miró el corpachón de Cuchilla. A su lado, incluso el chico gordo parecía un enano—. Y que sea un bichero muy largo.

Elliott había desmontado el fusil para limpiarlo a conciencia. Estaba montándolo de nuevo cuando Stephanie apareció dando brincos en la puerta de la habitación.

—Ah, hola —saludó—. No sabía que éste fuera tu cuarto. —Llevaba una camiseta blanca, idéntica a la de Elliott, pero Stephanie se había hecho un nudo con el faldón, para darle un aire mucho más moderno.

—Me alegro mucho de que estés bien —dijo Stephanie vagamente, mirando el vendaje de la espalda de Elliott, que era bastante evidente. Había empezado a decir «Y que no seas...», pero pensó que en boca cerrada no entraban moscas. Para variar.

Elliott no puso el menor empeño en responder. Deslizó el cerrojo por la guía del fusil y lo probó varias veces.

Incómoda con aquel silencio, Stephanie anunció:

—Yo también sé disparar.

—¿De veras? —dijo Elliott con tranquilidad—. No con uno como éste.

—Aaaah, ¿puedo verlo? —preguntó Stephanie, entrando en la habitación a pasos cortos, alargando los brazos.

Elliott suspiró.

—Supongo que sí. Pero ten cuidado... pesa mucho.

Stephanie empuñó el arma y, sin vacilar, apoyó la culata en el hombro.

—Sí que pesa —admitió—. En la escuela suelo utilizar un calibre veintidós para prácticar. ¿De qué calibre es éste? —preguntó, deslizando el cerrojo. Elliott se había puesto en pie para impedírselo, pero no fue necesario: Stephanie sabía lo que estaba haciendo—. Supongo que será un trescientos tres —continuó la chica, mirando el interior de la cámara.

Elliott asintió con la cabeza.

—Has estado cerca. Es un calibre treinta y cinco y utiliza cartuchos especiales de vaina larga, así que puede admitir más carga.

—Exacto —dijo Stephanie, fijándose en la mira telescópica que destacaba en la parte superior del arma.

—Es una mira de polarización; el único lugar donde puedes encontrar algo así es en la Colonia, donde la fabrican a mano para los styx. Es un fusil de Limitador y con él he disparado y matado al menos a diez de ellos. Quizá más, pero no estaba lo bastante cerca para saber si había dado en el blanco —explicó Elliott. Al ver que Stephanie ni se inmutaba, Elliott frunció el entrecejo—. Siento cierta curiosidad... ¿puedo preguntarte una cosa?

—Lo que quieras —respondió Stephanie alegremente, bajando el arma hasta la cadera y girando sobre sus talones como si estuviera disparando a un enemigo invisible con una metralleta. Para empeorar las cosas, imitaba con la boca las ráfagas de disparos.

—Ja. —Elliott tragó saliva y contuvo las ganas de darle un golpe.

—¿Qué querías preguntarme? —dijo Stephanie, ajena a la expresión desdeñosa de Elliott.

—Will os informó sobre la situación, así que ya conoces la Fase y lo mal que están las cosas. Y como estás con nosotros, los styx te tienen en la lista negra. Es totalmente imposible que puedas regresar a casa —expuso Elliott con una franqueza brutal.

Stephanie la miró con aire inquisitivo.

—¿Te sientes bien con todo esto? —continuó Elliott—. ¿Encerrada en este agujero hasta que todo termine? Y si no acabamos con la Fase y vencemos a los styx, pasarás el resto de tu vida, aunque sea muy breve, viviendo con un miedo incesante. Huyendo constantemente.

Stephanie respiró hondo y le devolvió el fusil.

—No podrías expresar más claramente que no te gusto —dijo, apartándose el hermoso cabello de la cara—. Pero yo no soy una tontita que chilla y se desmaya a la primera señal de problemas. Soy como muy dura, por si no lo sabías.

Elliott rió con dureza.

—¿En serio? Pues a mí no me lo parece.

Stephanie sostuvo la fría mirada de la otra.

—Vamos, si crees que soy pusilánime, ¿por qué no pruebas a darme un puñetazo? —Retrocediendo unos pasos para hacer sitio, se quitó los zapatos con sendas patadas en el aire—. Vamos, inténtalo.

Elliott volvió a reír y luego calló.

—¿Hablas en serio?

—Totalmente en serio —respondió Stephanie.

Elliott dejó el fusil a un lado.

—Bueno, si insistes, pero a Drake no le gustará que te haga daño.

—Yo tampoco quiero hacerte daño —dijo Stephanie—. ¿Está mejor tu espalda? No quiero perjudicarte.

—No te preocupes por mí. Tengo sangre styx. Me curo con rapidez —replicó Elliott. Se cuadró frente a Stephanie, que parecía completamente relajada. Entonces Elliott se lanzó contra ella y le asió el cuello con ambas manos.

Stephanie reaccionó con precisión, levantando los brazos para desbaratar la presa de Elliott; poniéndole la zancadilla con la pierna hizo que Elliott diera una voltereta completa y cayera boca abajo sobre la alfombra.

Stephanie retrocedió para dejar que la otra chica se recuperase.

—¿Dónde aprendiste a hacer eso? —preguntó Elliott, entornando los ojos.

—Bueno, Parry tuvo como una gran influencia en mi padre cuando éste crecía en la finca, y lo metió en inteligencia militar —explicó Stephanie.

—¿No será otro espía? —preguntó Elliott.

—Algo parecido. Papá ha estado destinado en montones de lugares conflictivos de todo el mundo, y mamá, mis hermanos y yo hemos ido con él a casi todos. No he llevado lo que se dice una vida regalada. —Sonrió brevemente—. Prueba otra vez, pero ahora con todas tus fuerzas. Chester no es el único campeón olímpico que hay por aquí.

—Ah, ¿no? —respondió Elliott, obviamente confusa.

—No, y si hubiera pruebas de judo o de aikido en ese programa de *A la caza de talentos británicos*, ganaría con los ojos cerrados. Vamos, gruñona, intenta golpearme —la instigó Stephanie, haciéndole señas con los dedos para indicarle que se acercara—. Y esta vez hazlo mejor.

Elliott atacó a conciencia. Lanzó un puñetazo con todas sus fuerzas a la barbilla de Stephanie. Pero ésta esquivó el golpe, asió la muñeca de Elliott y la tiró boca arriba con un único y elástico movimiento. No terminó ahí la cosa; Stephanie se tiró al suelo también, inmovilizando el brazo de Elliott con una llave. Elliott estaba clavada al suelo y completamente a merced de su contrincante.

—¡Te tengo! —exclamó Stephanie.

—¡No! —gritó Chester desde la puerta. La repentina aparición del muchacho distrajo a Stephanie lo suficiente para que Elliott pudiera liberarse. Levantó las piernas y enlazó con ellas el cuello de Stephanie con una llave de tijera. Luego la tiró al suelo; Stephanie se esforzó por liberarse, pero ahora Elliott la tenía atrapada con una tenaza de hierro.

Chester corrió a separarlas.

—¡Parad! ¡Parad de inmediato!

Elliott aflojó la presión y las dos se sentaron.

—Buen movimiento... no me lo esperaba —la felicitó Stephanie.

—¿Se puede saber qué estáis haciendo? —preguntó Chester, resoplando mientras las dos muchachas lo miraban.

—Pareces mi padre —comentó Stephanie riéndose.

—No era una pelea de verdad —intervino Elliott.

—Pues a mí sí me lo pareció —respondió Chester—. Además, deberías cuidarte la espalda —dijo a Elliott.

—Mi espalda está totalmente... —respondió, pero se detuvo al oír la risa de Stephanie.

—¿Qué te parece tan divertido? —preguntó Chester, empezando a enfadarse.

—No creerías que estábamos peleando por ti, ¿verdad? —replicó Stephanie.

Ruborizándose, Chester dio media vuelta y salió de la habitación. Murmurando para sí, encorvó los hombros y se fue a toda prisa por el pasillo.

Cuando llegó a la zona de los ascensores, Will apareció por la esquina con un papel en la mano.

—Te estaba buscando —dijo Will—. He ido al Centro y están todos ocupados con lo suyo, pero he hablado con el sargento Finch y... —Claramente emocionado por lo que hubiera en el papel, Will estaba a punto de enseñárselo a su amigo cuando percibió que algo no iba bien—. No pareces muy contento. ¿Te encuentras mal? —le preguntó.

—De perlas... todo va de perlas —repuso Chester con el rostro congestionado por la ira.

Will oyó las animadas voces de Elliott y Stephanie y luego la risa chillona de la segunda.

—¡Vaya! ¿De veras estoy oyendo eso? —inquirió—. Nunca creí que esas dos fueran a llevarse bien. ¿De qué se ríen?

Chester hizo una mueca.

—No tengo la menor idea... son chicas, ¿no? ¿Y para qué me buscabas? —preguntó con aspereza.

—Por esto —dijo Will, agitando el papel frente a su amigo—. El sargento Finch me ha dicho que hay unas habitaciones interesantes en el Nivel Tres. Tenemos que ir a echar un vistazo.

Ante la insistencia de Chester, subieron por la escalera en lugar de tomar el ascensor. Nada más entrar en el Nivel Tres, vieron que era diferente. El suelo también estaba cubierto de linóleo, pero era de un brillante color azul, y las paredes del pasillo estaban cubiertas por un papel que ostentaba un delicado dibujo en oro y verde.

—¿Qué es todo esto? —preguntó Chester, mirando a su alrededor—. Se diría que estamos en la planta de lujo.

—Espera y verás —respondió Will, consultando su papel mientras avanzaba delante de Chester, comprobando las puertas—. Ah, ya hemos llegado —anunció, abriendo una puerta y encendiendo la luz.

Dentro había una suite de cuatro habitaciones interconectadas, dos con camas techadas con un dosel de terciopelo rojo, y tapices en las paredes con escenas de caza. El mobiliario antiguo estaba increíblemente ornamentado y parecía muy caro... Todo era muy diferente de las habitaciones que ocupaban ellos.

—¿Sería todo esto para alguien importante? —preguntó Chester, paseando la mirada por las sillas doradas y el ancho diván.

—Caliente, caliente. Era para alguien importantísimo.

Vamos, adivina —lo desafió Will mientras entraban en un cuarto lateral, muy básico y funcional en comparación con los dormitorios. Había un pequeño fregadero en un rincón y varios cubículos pegados a la pared más larga.

—¿Alguna idea? —preguntó Will.

—Nada —contestó Chester, perdiendo la paciencia—. Vamos, Will, deja de enredar. ¿Para quién eran estas dependencias? ¿Y por qué nos hemos detenido en la cocina?

—No es una cocina. Si te dijera que esos cubículos fueron especialmente construidos para perros de raza corgi, ¿te daría una pista? —dijo Will, entrando en uno de ellos.

—¿Corgi? —repitió Chester, y entonces cayó en la cuenta—. ¡Estás de broma! ¡Esto era para la reina!

—¡Premio! ¡Y eso no es todo! —exclamó Will, volviendo a las habitaciones y saliendo de nuevo al pasillo. Buscó una llave en el bolsillo y la introdujo en la cerradura de la maciza puerta de la habitación contigua. Cuando ésta giró sobre sus gruesos goznes, los chicos entraron. Will encendió la luz y Chester y él vieron una estancia llena de vitrinas de cristal colocadas en pedestales. Las vitrinas estaban vacías, pero a juzgar por los pedestales cubiertos de raso sobre las que se encontraban, saltaba a la vista que habían sido construidas para exponer algo muy concreto.

—Aquí es donde habrían guardado las joyas de la Corona si nos hubieran invadido —informó Will a su amigo.

Chester sonreía y movía la cabeza.

—Qué pasada. ¿Y qué más hay en este nivel?

—El sargento Finch dijo que estas habitaciones eran para el personal de alto copete —añadió Will—. Y tienes que ver la que viene ahora.

Más allá, en el mismo pasillo, había una puerta con las letras PM, es decir, Primer Ministro. Chester no se inmutó, ya que la habitación no era muy grande y no tenía nada de especial. En el escritorio había un secante en el que alguien se había puesto a dibujar una pared, ladrillo a ladrillo; debajo habían garabateado una frase: «¿DÓNDE ESTÁS, SEÑORA EVEREST, CUANDO MÁS TE NECESITO?» Echaron un vistazo en los cajones, pero Chester no encontró nada, así que repasó la habitación y acabó en el cuarto de baño. Salió agitando un periódico... un viejo ejemplar amarillento de *The Times*.

—Es muy antiguo, del quince de agosto de 1952 —dijo, poniéndolo sobre la cama, en la que se había sentado Will—. Me rindo. ¿De quién era este cuarto? —preguntó.

La polvorienta colcha de plástico que cubría la cama crujió cuando Will se inclinó para abrir la mesilla de noche. Sacó una botella con una etiqueta que decía *Hine*, y una caja con la marca *Aroma de Cuba* estampada en la tapa.

—Brandy y puros —dijo, levantando los dos objetos.

Chester vio que la botella no estaba llena y que el sello de la caja de cigarros estaba roto.

—No caigo. Tendrás que decírmelo.

—La última persona que durmió en esta cama fue Winston Churchill —anunció Will.

Chester se echó a reír.

—Bueno, espero que cambiaran las sábanas.

Will miraba con interés la caja de puros y el brandy.

—El sargento Finch me ha contado que todo esto ha estado aquí desde que fue Primer Ministro. Quiso pasar una noche en el Complejo para ver en persona cómo era. Y lo primero que hacía cada mañana era echarse al coleto un trago de brandy y fumarse un puro —dijo Will, saltando sobre el colchón. Se detuvo y cogió la botella de brandy para mirar la etiqueta—. ¿Y si nos la bebemos?

—¿Por qué? —preguntó Chester, desconcertado.

—Porque nunca he bebido de verdad. Aparte de aquella cerveza que me dio Tam en la Colonia y que sabía a rayos. —Will miraba el espeso líquido marrón de la botella mientras la inclinaba de un lado a otro—. Quizá deberíamos hacerlo. Sólo por si...

—¿Por si qué? —inquirió Chester, tirándose en la cama al lado de su amigo—. ¿Por si no salimos de ésta?

Will movió la cabeza en sentido afirmativo y con aire sombrío.

—Es una buena idea —susurró Chester. Cogió la caja de puros y levantó la tapa, olfateando el interior—. Estos puros deben de llevar aquí años. ¿No se estropean? —preguntó, cogiendo uno de los gruesos cigarros y rodándolo entre los dedos.

Will se encogió de hombros.

—A quién le importa... siguen siendo puros y yo nunca he fumado uno. De hecho, nunca he fumado nada. —Rebuscó en el cajón de la mesilla hasta que encontró una caja de cerillas—. Whitehall —dijo, leyendo lo que llevaba escrito—. Tiene sentido.

—Una vez me bebí un par de claras estando de vacaciones con mamá y papá, pero eso es todo —admitió Chester—. Y tampoco he fumado nunca.

—¿Recuerdas a los Grey? —preguntó Will, mirando al vacío mientras pensaba en la banda que había aterrorizado a los más pequeños del instituto Highfield—. Speed y Blogsy bebían sidra y fumaban cigarrillos continuamente. Ellos ya han hecho de todo, ¿no?, ¡y de eso hace más de un año!

—También tenían novia —dijo Chester con nostalgia.

Will seguía con la mirada perdida.

—Si lo piensas, Churchill gobernó el país durante la Segunda Guerra Mundial, y en estos momentos tú y yo estamos atrapados en medio de una guerra con los styx. También somos muy importantes. Quién sabe... sin nosotros, el país podría no tener ninguna oportunidad de sobrevivir. Así que, ¿no crees que tenemos derecho a hacer lo que nos plazca? ¿No nos merecemos acabar con el brandy que queda en la botella?

Chester devolvió el puro a la caja y cerró la tapa.

—¿Sabes qué te digo, Will? Cuando venzamos, vendremos aquí directamente y fumaremos hasta marearnos y beberemos hasta que nos reviente la vejiga. —Le tendió la mano—. ¿Trato hecho?

—Trato hecho —accedió Will, estrechando la mano de su amigo y guardando el brandy y los puros.

Los interrumpió el intercomunicador, que emitió un zumbido en la habitación y en el pasillo a la vez.

—Que todo el mundo acuda inmediatamente al Centro. Repito: que todo el mundo acuda inmediatamente al Centro.

—Ése es Danforth ¿no? —preguntó Chester, inclinando la cabeza para oír mejor.

Will asintió.

—Espero que Elliott lo haya perdonado. La chica está de un humor extraño, y creo que a él se le fue la mano con el escalpelo cuando la estaba examinando. —Mientras se dirigían a la escalera, Will añadió—: De hecho, no me gusta pensar lo que podría haber pasado si no hubiera habido nadie allí para detenerlo.

—Sí —admitió Chester—. Es muy extraño, porque aunque tiene un aspecto inofensivo, cuando lo conoces mejor es un hombrecillo que da miedo.


Drake estaba colocando una serie de objetos en los escritorios cuando empezaron a llegar todos al Centro.

Will y Chester entraron los primeros y se quedaron mirando la llegada de la señora Burrows, el señor y la señora Rawls, el coronel Bismarck y, finalmente, Elliott y Stephanie. Las dos muchachas iban hablando con entusiasmo, como si fueran amigas desde hacía mucho.

—Ya están aquí —murmuró Chester a Will, alejándose de ellas—. Parece que han hecho muy buenas migas.

—Y Danforth a su aire, como siempre —observó Will, viendo al profesor con los ojos pegados a la pantalla de uno de sus ordenadores—. Te digo que no me sorprendería nada que Elliott le diera un puñetazo a la primera ocasión que tenga.

Will pasó a concentrarse en Parry y en el sargento Finch, que estaban hablando por los móviles vía satélite.

—Poneos en fila, por favor —les instó Drake—. Cuanto más rápido lo hagamos, antes podremos irnos.

—¿Adónde vamos? —preguntó Chester, poniéndose junto a Will, al principio de la columna.

—A Londres —respondió Drake, mientras insertaba un pequeño cilindro de cristal en un artilugio de acero inoxidable. Luego se subió las mangas—. Por si alguien tuviera dudas sobre la inyección que le vamos a poner, me la pondré yo primero. —Levantó el inyector de aire comprimido, se lo aplicó al antebrazo y apretó el gatillo, produciendo un pequeño chasquido—. No he notado nada —dijo sonriendo.

—Pero a todos nos han vacunado ya contra el Dominion —señaló Chester—. ¿Para qué sirve ésta?

Drake limpió la punta del inyector con alcohol y volvió a cargarlo.

—Todavía no hemos visto ninguna incidencia del virus del Dominion, pero los styx tienen otras cosas desagradables que podrían utilizar contra la población —respondió.

—¿Cómo lo sabes? —preguntó Will.

—Porque me hice con un montón de muestras antes de que Chester y yo destrozáramos los laboratorios de la Colonia. Algunas estaban guardadas en una cámara especial, así que tuve que quedármelas. Y le pedí a un contacto que analizara los diferentes patógenos que me llevé. Aprovechando sus hallazgos, elaboró una vacuna contra todos.

Will se desabrochó el puño de la camisa y se arremangó.

—Pues adelante. Más vale prevenir que curar —dijo.

Drake no había mentido; el pinchazo no fue doloroso y después de administrárselo, condujo a Will al escritorio contiguo.

—La radio de las Fuerzas Especiales con un pinganillo —dijo al muchacho, dándole una unidad—. Chester ya ha utilizado antes un modelo similar, así que puede explicarte cómo funciona. —Drake introdujo la mano en un contenedor de plástico, sacó lo que parecía un juego de auriculares y se lo pasó a Will.

Will lo examinó y miró a Drake con aire inquisitivo.

—Por precaución —dijo Drake—. Celia y yo fuimos noqueados por una bomba sorda de los styx en el Parque de Highfield. Perdí a Leatherman y a muchos hombres aquel día. No permitiré que vuelva a ocurrir. —Drake bajó los ojos un momento—. Nos han llegado un par de informes diciendo que los styx están utilizando algo parecido en Londres.

Cogió del contenedor otro juego de auriculares de tapón y se lo puso.

—Y esto es algo que improvisé cuando estuve en el piso de Eddie. No interfieren con las frecuencias normales, pero en el momento en que detectan una bomba sorda, entran en funcionamiento. Replica su longitud de onda, pero fuera de fase. Neutralizarán cualquier ataque con ondas audiosónicas.

—¿Nos protegerán? —preguntó Will.

—Bueno, notarás que han tratado de eliminarte, quizás estés mareado y tu visión se vuelva algo borrosa, pero no perderás la conciencia. Estos tapones te protegerán hasta que puedas escapar o neutralizar la fuente, o sea, la propia bomba.

—Qué guay —dijo Will, guardándoselos en el bolsillo.

—No, será mejor que te acostumbres a llevarlos puestos. Póntelos —aconsejó Drake—. Y ya he terminado contigo, así que puedes echarle una mano a Danforth y embalar los localizadores móviles. Tienen que estar preparados para que los recoja nuestro transporte.

Will estaba a punto de preguntar de qué transporte hablaba cuando Drake se volvió hacia la cola. Con un encogimiento de hombros, Will se dirigió hacia Danforth. Aminoró sus pasos al pasar al lado de Parry, que estaba hablando por un teléfono vía satélite. Por lo visto, empleaba una clave serial parecida a la que el sargento Finch había utilizado cuando llegaron a la entrada principal del Complejo. Parry citaba versos de poemas sobre dragones dormidos que despiertan, y a continuación esperaba respuestas de su interlocutor.

—Drake me ha dicho que le eche una mano —dijo a Danforth. El profesor estaba tan concentrado en los símbolos que pasaban por la pantalla que tardó unos momentos en levantar los ojos.

—Es un programa cifrado del gobierno al que estoy traduciendo el *Libro de la Proliferación*. Y por lo que he leído hasta ahora, es muy revelador —afirmó, señalando la pantalla con la cabeza—. El documento da una idea muy aproximada de lo que parece que es la especie más antigua, adaptable y, por lo tanto, más desarrollada que ha conocido el mundo.

—¿De veras? —dijo Will con indiferencia. Quería pasar el menor tiempo posible en compañía de Danforth.

Chester tenía razón: había algo muy inquietante en aquel hombre.

Will se sorprendió cuando el profesor se apartó de la mesa y se acercó a él, por supuesto guardándose de acercarse demasiado, dada su fobia al contacto humano.

—¿Así que os vais de marcha a Londres, a la caza de la Luz Oscura? —preguntó Danforth en voz baja—. ¿Qué piensas de eso?

—Todavía no sé nada al respecto... Drake no me ha informado —confesó Will.

—No es cosa nuestra preguntarnos por qué, lo nuestro es sólo hacerlo o morir —dijo Danforth, citando equivocadamente el poema de Tennyson—. Es admirable que estés dispuesto a arriesgar tu vida por la causa.

—Bueno... no... Tenemos que hacer todo lo posible para detener la Fase, ¿no es así? —Will vio las pupilas del profesor a través de sus gafas, pero éste no respondió.

El muchacho y el profesor se sostuvieron la mirada durante unos momentos, como si trataran de profundizar el uno en el otro, de entenderse. Will percibió de nuevo en Danforth algo afín a la dedicación obsesiva del doctor Burrows a la búsqueda del conocimiento. Un escalofrío le recorrió la columna vertebral; casi podía imaginar que estaba con su padre muerto. Pero había una diferencia fundamental. Los ojos del profesor carecían de toda chispa de compasión, nadie le importaba. Nadie en absoluto. Y eso asustaba a Will.

Danforth esbozó una sonrisa, pero no era una sonrisa agradable.

—En fin... ¿qué tiene de malo el plan? —preguntó Will, con la esperanza de enterarse de algo más.

—Bueno, promete ser interesante —dijo Danforth, transformando la sonrisa en un gesto de burla—. Mira lo que hemos conseguido aquí. —Señaló a todos los que estaban en el Centro con un movimiento de la mano—. Un residuo del Tercer Reich, un styx renegado, un hombre con un horno de microondas en la cabeza y un puñado de adolescentes de gatillo fácil como tú. Y, para colmo, tenemos un ex boina verde, con edad suficiente para solicitar el pase gratuito de autobús, a quien le gusta tener la última palabra. Estamos condenados al éxito.

De repente, la voz ansiosa de la señora Rawls atrajo la mirada de todos. Drake había terminado con Chester y estaba a punto de poner la inyección a sus padres.

—¡No! ¡No permitiré que mi marido y mi hijo tomen parte en esto! —estalló la mujer. Chester y el señor Rawls estaban a su lado mientras ella discutía con Drake—. ¿Es que mi familia no ha hecho ya bastante por ti?

—Discrepancias en la soldadesca —no dudó en contestar Danforth—. Tampoco es buena señal.

Como Danforth le había indicado, Will se puso a cortar tiras de un rollo de tela caqui, con las que luego envolvió los contadores Geiger antes de guardarlos en una caja. Los contadores Geiger se parecían a los que Will había visto en varios puntos del Complejo; algo rotos, con la cubierta gris ya descascarillada. La única diferencia que vio en los que estaba empaquetando, era que éstos tenían una especie de antena pequeña y gruesa que les habían colocado, y que los diales analógicos habían sido reemplazados por modernas pantallas de plasma. Pero Will no tenía ganas de preguntarle al profesor para qué servirían.

La acalorada discusión con Drake llegó a su fin, y el señor y la señora Rawls salieron del Centro. Will vio que Chester se acercaba.

—Qué vergüenza —dijo su amigo.

—¿Qué ha pasado? —preguntó Will.

—Mamá no quería que papá y yo volviéramos a ponernos en peligro. Ahora mismo está tensa por todo —respondió Chester—. Así que papá y yo vamos a ir, pero Drake ha prometido que nuestro papel será de apoyo, nada más. No estaremos en primera línea. Y mamá se queda aquí con...

No llegó a pronunciar el nombre de Danforth, aunque de todos modos el profesor estaba demasiado enfrascado en su ordenador para oírlo.

—Ah —dijo Will. Había contado con que su amigo estaría a su lado cuando se enfrentaran en Londres a lo que tuvieran que enfrentarse.

Chester se inclinó hacia Will y le susurró algo al oído.

—No te preocupes, Will. No pienso rajarme después de todo lo que hemos pasado juntos.

# 13

Todos habían recibido orden de reunirse con las armas y el equipo junto a las garitas gemelas, al final del túnel de entrada.

Por fin había llegado. El momento en que todos debían partir.

Drake les había dado sendas parkas blancas con capucha ribeteada en piel y gruesos pantalones del mismo color. Aunque la vestimenta era pesada y los obligaba a moverse con torpeza, dijo que agradecerían el aislamiento que les proporcionaría cuando estuviesen en el exterior.

Will miró al grupo vestido con los uniformes blancos de combate y se fijó en sus expresiones vacías y en lo inquietos que estaban. Sabía exactamente cómo se sentían. Trataban de ocultar su miedo.

En la relativa seguridad del Complejo subterráneo, la amenaza que suponía la Fase styx parecía algo remoto. Como una pesadilla que se desvanece de la memoria cuando uno deja de pensar en ella.

«¿Por qué nosotros? ¿Por qué no pueden dar la cara otros?», se preguntó Will. Tenía que haber alguien fuera que supiese lo que estaba pasando, alguien mejor situado, en mejores condiciones para luchar contra aquello.

Will sabía que podía dar media vuelta y recorrer el túnel al revés. Puede que el Complejo estuviera muy alejado del mundo real, aunque era lo más parecido a un hogar que había conocido en mucho tiempo.

Pero entonces volvió a mirar al grupo y se dio cuenta de lo que palpitaba tras las facciones de Drake y de Eddie. Sus ojos hablaban del deber, de la determinación de hacer lo que había que hacer. Will se dijo que tenía que emular a aquellos hombres y sacar fuerzas de ellos. Había estado tan inmerso en sus pensamientos que no se había dado cuenta de que Drake le estaba hablando.

—¿Llevas los auriculares de tapón? —le preguntó Drake por segunda vez.

Will asintió con la cabeza.

Sentado en la silla motorizada, el sargento Finch ayudaba a Drake a comprobar artículo por artículo el equipo de todos antes de subir la pendiente que conducía a la oscuridad de la cámara de entrada. Will había vaciado la mochila Bergen y colocado el contenido ordenadamente en el suelo, al lado del cinturón de campaña y del subfusil ametrallador Sten. Drake elogió su forma de hacer las cosas.

—Presentación perfecta —dijo—. Aún haremos un soldado de ti.

—Una última cosa: hay que comprobar el equipo de comunicaciones —recordó el sargento Finch a Drake, mirando la lista de su amada carpeta mientras un gato se le subía a las rodillas.

Drake se llevó la mano al auricular.

—Probando, uno, dos, tres —susurró.

—Te recibo alto y claro —confirmó Will.

—Buen chico, pero ahora apágalo para que no se gaste. Y hemos terminado contigo.

Drake se volvió a Chester y comenzó de nuevo el proceso. Will volvió a llenar la mochila Bergen y se quedó esperando a su amigo, que estaba claramente avergonzado porque su madre era reacia a dejarlo marchar.

Se enterneció, sin embargo, al verla abrazar a su hijo y hablarle suavemente al oído. Contra todo pronóstico, la familia Rawls se había vuelto a reunir y era una pena que Chester y su padre estuvieran a punto de separarse de nuevo de la señora Rawls.

Will lanzó una mirada a su propia madre, que estaba allí sin mirar a nadie, en una especie de aislamiento etéreo. Will y la señora Burrows habían dejado de ser una familia. Ahora eran compañeros de batalla.

Chester se acercó a él.

—Pobre mamá. En el fondo no quiere que nos vayamos —dijo en voz baja a su amigo. Los chicos fueron juntos a la cámara, donde encontraron a Parry preparado junto al panel de salida.

—Sweeney viene con nosotros, ¿no? —preguntó Will a Parry al caer en la cuenta de que no lo había visto al lado de las garitas.

—Está fuera, vigilando los cajones —respondió Parry—. Y antes de que preguntes, Wilkie tampoco forma parte del destacamento. Él es... —Parry dejó de hablar mientras se fijaba en la esfera de su reloj luminoso.

Al poco rato, todos estaban reunidos en la cámara, hombro con hombro en aquel espacio cerrado y cargados con las armas y las pesadas mochilas; y cada vez más acalorados por culpa de aquellos uniformes polares.

De repente la radio de Parry se activó.

—Cinco clics en la línea de vuelo nornoroeste —anunció—. ¿Recibido? Cambio.

«Línea de vuelo», se dijo Will, deseando cambiar una mirada con Chester, cosa imposible en aquella oscuridad. Nadie había dicho cómo iban a llegar a Londres. Drake sólo les había dicho lo estrictamente necesario.

—Recibido —respondió Parry por la radio—. El aeródromo estará pintado. Cambio y corto. —Mientras se colgaba la radio del cinturón, tuvo que darse cuenta de que los muchachos estaban deseosos de conocer el significado de la conversación—. Estos días no utilizamos luces visibles para marcar zonas de aterrizaje, sino balizas infrarrojas —explicó—. El piloto podrá verlas desde kilómetro y medio con el menú desplegable.

—Perfecto —dijo Will, como si hubiera entendido lo que Parry había dicho. Pero al menos ahora sabía que iban a volar hacia el sur.

—Es la hora —les indicó Parry—. Sé que lleváis un equipo muy pesado, pero tenéis que manteneros a la altura del coronel mientras os conduce hasta el aeródromo. Tenemos poco tiempo y no nos podemos permitir ninguna demora.

Parry corrió el cerrojo y los chicos se hicieron a un lado para que el coronel saliera. Luego todos lo siguieron al exterior. Nevaba copiosamente.

—¡Jolines, qué frío! —exclamó Chester al respirar el aire exterior.

Se movieron con rapidez, unos detrás de otros; cruzaron la verja de la valla metálica y bajaron la colina, pisando con fuerza la tierra helada al correr.

Delante de Will iban Chester y el coronel. Detrás iba Parry, y tras éste distinguió vagamente al resto del grupo: el señor Rawls, Eddie y Elliott, Stephanie, el señor Burrows y, finalmente, Drake.

Un vendaval azotaba la ladera de la montaña y sacudía los cables de la luz mientras pasaban por debajo de ellos. Apenas se veía el resplandor de la luna, debido a las negras nubes, por lo que Will casi no podía distinguir lo que tenía delante. Vio que el señor Rawls se esforzaba por mantenerse a su altura, y comenzó a preguntarse cuánto camino les quedaría por recorrer. ¿Se dirigirían al fondo del valle? Pero unos veinte minutos después, el suelo se niveló y el coronel aflojó el paso. Will vio que Sweeney estaba agachado al lado de las cajas que contenían los localizadores móviles que había ayudado a empaquetar.

—Quedaos quietos —ordenó Parry. Drake y él se adelantaron. Cuando estuvieron a unos diez metros, sacaron unos artefactos que parecían antorchas, aunque no se veía ninguna luz.

Todos miraron hacia arriba al oír un rugido que parecía anunciar que el cielo se venía abajo. Fue tan fuerte e inesperado que se agacharon.

El helicóptero había estado volando tan bajo que nadie esperaba que apareciese de un modo tan repentino sobre sus cabezas. Cuando sus potentes rotores agitaron la nieve como si fuera confeti, el inmenso aparato de guerra, situado a menos de diez metros por encima de ellos, resultaba terrorífico.

Se dirigió hacia la pista señalada por Parry y Drake y comenzó a descender.

Descendió en un ángulo de cuarenta y cinco grados y en el momento en que las ruedas traseras tocaron tierra, una

rampa se deslizó ante ellos. Por encima del ruido del motor, Parry y Drake gritaban que subieran a bordo. A modo de guía, había tenues luces rojas en los bordes de la rampa y, al subir por ella, Will vio el logotipo del ejército en el fuselaje. Drake, Sweeney y el coronel estibaron las cajas en la panza de la aeronave, la rampa se plegó y ya estaban en el aire.

Will se sentó al lado de Chester y se abrochó el cinturón de seguridad. El interior tenía asientos a ambos lados y dos veces el tamaño de un vagón de tren, pero no había ni rastro de la tripulación. Will y Chester vieron que Parry se dirigía a la parte delantera del helicóptero y distinguieron a los dos pilotos bañados en la luz verdosa de los instrumentos antes de que la puerta se cerrara de nuevo.

Al advertir su interés, Drake se acercó y se inclinó ante ellos, hablando en voz muy alta para que lo oyeran.

—¿Qué os parece nuestro transporte?

—¡Una pasada! —dijo Chester.

—¿De qué tipo es? —gritó Will.

—Es un Chinook de la Escuadrilla número veintisiete, que va camino de Hampshire. Debían algunos favores a mi padre y nos ha conseguido este paseo. Por supuesto, nuestra presencia es totalmente oficiosa, y no quedará registrado en ninguna parte que hemos subido a bordo.

Will y Chester asintieron con la cabeza.

Drake señaló la ventanilla que había detrás de los chicos y ambos se volvieron para mirar por ella. Vieron unos puntitos luminosos, como estrellas lejanas, pero aparte de eso, sólo había copos de nieve flotando en la oscuridad.

—No os quitéis el cinturón, habrá sacudidas. Volaremos a la altura de los árboles para evitar los radares todo lo que podamos —avisó.

—Sí, realmente nos movemos —dijo Will emocionado, mientras zigzagueaban por un tramo iluminado de carretera.

Pero cuando Drake volvió a su asiento, el entusiasmo inicial de Will se evaporó rápidamente. El golpeteo de los motores y los súbitos cambios de altura le trajeron recuerdos de su último vuelo en helicóptero.

Aunque era difícil asegurarlo con aquella tenue luz, Will estaba convencido de que Elliott y el coronel Bismarck lo miraban. Se preguntó si también estarían pensando en el viaje que habían hecho juntos en el mundo interior. Había sido poco después de que una de las Rebeccas disparara al doctor Burrows, y Will se había puesto tan fuera de sí, de cólera y dolor, que tuvieron que subirlo a bordo a la fuerza dos soldados neogermanos.

Y después, para empeorarlo todo, Will había empezado a culpar a Elliott de la muerte de su padre. Podía ver el brillo de sus ojos, sentada frente a él en el helicóptero, y se sentía avergonzado de su conducta. Pero sobre todo era que no podía dejar de pensar en el violento final de su padre en la pirámide bañada por el sol.

Estaba perdido en sus pensamientos cuando Chester le dio un codazo en las costillas, con una sonrisa de oreja a oreja y los pulgares levantados. Will consiguió esbozar una leve sonrisa a modo de respuesta. Pero al menos alguien estaba disfrutando del vuelo.

Will no estaba seguro de no haberse dormido, pero de repente los motores cambiaron de timbre y, conforme el aparato perdía altitud, vio luces por las ventanillas. Antes de darse cuenta, el helicóptero dio un bandazo y tocó tierra.

Parry y Drake les ordenaron bajar a gritos, para hacerse oír por encima del ruido de los motores, que seguían en marcha. Descargaron rápidamente las cajas y, en menos de un minuto, el helicóptero despegó de nuevo.

A Will le pitaban los oídos a causa del silencio. Los habían dejado en un campo donde la nieve caía con más intensidad que nunca, y no se veía ni un alma por los alrededores.

Entonces destellaron dos faros al fondo. Parry devolvió la señal con la linterna y de repente se encendió toda una constelación de luces en el campo.

Los vehículos comenzaron a aproximarse en columna. El primero era una caravana, detrás venía un Land Rover, luego un Volvo y varios coches más sin marca reconocible. Parry habló con los conductores de uno en uno mientras Drake y Sweeney cargaban una caja en cada coche. Luego los vehículos siguieron su marcha, haciendo crujir la nieve al avanzar.

Cuando desapareció el último en la noche, Parry habló con Eddie, que estaba esperando al lado de la última caja de localizadores que quedaba.

—Aquí es donde nos separamos. Buena caza.

Por toda respuesta, Eddie asintió con la cabeza y miró a Elliott.

—¿Quieres venir conmigo?

Elliott miró de reojo a Will a través de la cortina de nieve.

—Bueno —dijo con indiferencia.

Will abrió la boca; no esperaba ni por lo más remoto que ella aceptara la invitación. Se sintió traicionado y abandonado por Elliott, y aunque nunca lo habría admitido, un poco celoso por su recién adquirida relación con su padre. Y se dio cuenta de que tenerla a su lado le daba tanta confianza como tener a Chester.

Parry se dirigió al borde del campo, pero Will no se movió. Drake le dio un codazo amistoso.

—No sufras, colega, antes de que te des cuenta ella estará de nuevo con nosotros —le aseguró.

—Ah, bueno, sí, claro —murmuró Will, cayendo en la cuenta de lo transparentes que resultaban sus sentimientos. Se inclinó, fingiendo que tosía, para no tener que hablar con Drake y echó a andar a su lado.

Peleando con la nieve, siguieron a Parry a través de varios campos hasta que llegaron a una zona vallada. El hombre abrió una puerta. Al otro lado había un montículo cubierto de nieve, del tamaño de varias pistas de tenis. Will trató de deducir dónde estaban, pero no tuvo tiempo, ya que Parry los condujo bruscamente alrededor del montículo y luego por unas escaleras cubiertas de hielo, hasta una puerta.

Se alegraron de estar lejos del aire frío y de la nieve, y bajaron varios tramos de escalera, de peldaños de hormigón, detrás de Parry; hasta que llegaron a una puerta de metal con un rótulo que decía CUARTO DE BOMBAS.

Chester entró delante de Will.

—¡Mira! —susurró a su amigo.

Estaban en un andén, con un tren subterráneo esperando en el túnel. El andén no era muy diferente de los anticuados andenes que aún se utilizaban en el metro de Londres; las paredes estaban cubiertas de baldosas, aunque era imposible distinguir el color debido a la espesa costra de suciedad y eflorescencia que los cubría. Y el andén estaba lleno de grandes bidones de cable forrado de metal y de cajas de madera podrida con oxidados componentes de ingeniería.

Will vio una tabla con la inscripción ESTADO DE ALARMA, y debajo un par de ganchos, aunque no colgaba nada de ellos. Recorrió el andén con la mirada y no pudo ver nada que indicase el nombre del lugar.

—¿Estamos cerca de Londres? —preguntó a Parry.

—No, estamos a unos cincuenta kilómetros. Estamos en Essex. —Parry señaló el techo con el dedo—. Estamos exactamente debajo de Kelvedon Reservoir, y no encontrarás nada sobre este lugar en ningún libro de historia —replicó—. Esto era conocido como el «Primer Círculo» de la infraestructura de defensa, para que el gobierno pudiera salir de la capital si las cosas se ponían feas. Cuando lo construyeron, este tren comunicaba directamente con Westminster.

—¿Así que es allí adonde vamos? —dijo Will.

Parry negó con la cabeza.

—El último kilómetro hace años que está fuera de servicio... por las inundaciones.

Will desvió su atención hacia el tren. Los dos primeros vagones estaban iluminados, aunque las ventanillas eran prácticamente opacas debido a la suciedad.

—Lo mantienen algunos de la Vieja Guardia, más como entretenimiento que otra cosa —dijo Parry. Se volvió al oír un silbido en el extremo opuesto del andén y las puertas de los vagones se abrieron—. Ahora hay uno de ellos aquí.

—El hombre estaba demasiado lejos para que Will pudiera verlo con claridad cuando Parry lo saludó con la mano y gritó—: ¡Todo el mundo dentro!

El interior del vagón consistía en un suelo de madera cubierto por lonas hechas jirones.

—Tenemos que ir despacio debido al estado de la vía, así que el viaje durará una hora. Deberíais dormir —les aconsejó Parry, mientras todo el mundo se desprendía de las Bergen y escogía un lugar para acomodarse.

—La norma de oro es echar una siesta siempre que se pueda —observó Drake—. Nunca se sabe cuándo habrá otra oportunidad para descansar.

—Así que hemos subido en un helicóptero y ahora en un tren —dijo Chester a Will—. ¿Qué será lo siguiente?

—Quizás un barco —sugirió Will, recostándose, apoyando la cabeza en la Bergen y tratando de ponerse cómodo. Cuando se cerraron las puertas, dio un largo bostezo—. Sí, un barco. No hemos subido en uno desde que estuvimos en las Profundidades.

—Ni hablar. Odio los barcos —protestó Chester con voz contrariada—. Los barcos, los ascensores y el subsuelo. —Se enjugó la humedad de la cara y reprimió un estornudo—. Y tener frío y estar mojado. Eso también lo odio. —¿Y qué me dices de los insectos? —apuntó Will—. No olvides los insectos.

—Estamos llegando —gritó Drake.

Will abrió los ojos de golpe, pero tardó un momento en recordar dónde estaba. Vio el rostro dormido de Chester a menos de un metro del suyo.

—¡Venga, tío feo! ¡Despierta! —exclamó Will, sacudiendo a su amigo—. ¡Hemos llegado!

Chester miró amodorrado el sucio suelo.

—Maldita sea. Estaba soñando que me encontraba de vacaciones —se quejó—. En Center Parcs, con mamá y papá.

—Lamento contrariarte —repuso Will.

Bajaron del tren a un andén parecido al que habían abandonado. Se dirigieron en tropel a la salida, donde había un hombre esperándolos. Aunque llevaba el rostro oculto por un pasamontañas y un arma en el cinto, no parecía peligroso. Chupeteaba una pipa y daba la impresión de ser más viejo aún que Parry.

—Gracias, Albert —dijo Parry, dándole una palmada en el hombro mientras atravesaban algo que, por su grosor, le pareció a Will una puerta blindada, y subieron por una escalera de caracol. Las escaleras eran eternas, girando sobre sí mismas sin parar, hasta que desembocaron en una puerta que conducía a un corredor oscuro. El suelo era de moqueta marrón, cuadriculada para imitar las baldosas, muchas de las cuales habían saltado, y a un lado había muebles de oficina arrinconados. Al final del corredor había un pequeño ascensor de servicio, que Parry llamó pulsando un botón. Como no era lo bastante grande para todos, Parry indicó que con él subieran Will, el coronel y Stephanie.

—¿Dónde estamos exactamente? —preguntó Will.

—Ya lo verás —respondió Parry. Las puertas se abrieron y Will entornó los ojos, deslumbrado por la luz, cuando salió del ascensor detrás de Parry.

—Es un delito que este lugar no se utilice para nada actualmente —dijo Parry—. Antes había un restaurante un par de niveles más abajo, con un suelo giratorio.

—Estamos en la torre de British Telecom —proclamó Will.

—¡Estamos en Londres! —chilló Stephanie, encantada.

La luz del día entraba a raudales por las ventanas, iluminando toda la planta que, exceptuando los ascensores de la zona central, estaba totalmente vacía.

Y desde aquellas ventanas había unas vistas espectaculares: las calles, avenidas y parques de Londres. Will se acercó a mirar y vio los tejados cubiertos de nieve y gente en las calles. Mientras caminaba lentamente junto a las ventanas, vio un grupo de camiones militares en Charlotte Street; aparte de eso, todo parecía normal. Hasta que llegó donde se había detenido Parry.

—Dios mío. Quién iba a pensar que alguna vez veríamos algo así —exclamó el anciano, transfigurado por lo que veía por la ventana.

A unos cinco kilómetros, en un tramo entre Westminster y la City, se elevaban espesas columnas de humo negro hacia el cielo. Will vio el enjambre de helicópteros que sobrevolaban la zona y cayó en la cuenta del constante ulular de sirenas que se oía al fondo.

—Reina la anarquía —informó Parry—. Los styx han conseguido algo que nunca creí que consiguieran. Estamos en guerra entre nosotros.

Drake y el resto del grupo acababan de llegar en el ascensor. Al reunirse con el anciano ante la ventana, también se quedaron mirando. A causa de la sorpresa se produjo un instante de ominoso silencio.

—¿Estás bien, mamá? —preguntó Will al ver a su madre retroceder.

Tenía los puños apretados y había palidecido.

—Demasiada gente —susurró—. Puedo sentir su odio y su miedo. Es peor que la última vez que estuvimos aquí.

—Retrocedió hacia el centro de la habitación—. Es demasiado..., y un hombre acaba de subir en el ascensor.

Alguien tosió a sus espaldas. Todos a una giraron sobre sus talones y se vieron ante un hombre mayor, con un bigote al estilo Dalí, vestido con un mono azul. Se puso a leer una tarjeta:

—El dragón duerme...

—Oh, no te molestes con esas paparruchas —dijo Parry, adelantándose y estrechando con firmeza la mano del hombre—. El primo del sargento Finch, supongo.

El viejo asintió con la cabeza y se oyó un sonido agudo y penetrante. Se dio una palmada en la oreja y el sonido cesó.

—Es el audífono —profirió sin más—. Soy Terrence... Terry Finch.

—Por favor, mire aquí —indicó Drake, dirigiendo el Purgador de Danforth hacia el rostro del viejo. El fogonazo morado se reflejó en sus ojos legañosos, pero no hubo reacción alguna.

—¿Me ha hecho una fotografía? —preguntó Terry.

—Está limpio —informó Drake, apartando el Purgador—. No ha sido sometido a la Luz Oscura.

—Sólo queremos asegurarnos de que es uno de nosotros —explicó Parry.

Terry no había oído a Parry y se puso una mano en la oreja para oír mejor.

—¿Es suficiente con una? —preguntó.

Parry habló más alto de lo que era habitual en él.

—¿Se ha entregado la orden de requisa al personal de seguridad? No queremos que nos moleste nadie.

—¿Me lo repite? —insistió Terry.

Con un suspiro, Drake acercó la boca a la sien del viejo.

—Terry, lléveme a la Sala de Transmisiones —gritó—. Tengo que instalarme.

En otra parte de Londres, Harry bajaba la escalera con la cabeza doblada de un modo extraño mientras se esforzaba por bajar los escalones. Pero su postura no era exactamente una anomalía. Estaba así desde hacía unos veinte años, desde que un paracaídas de gran altura y apertura lenta había funcionado mal, y desde el accidente tenía que vivir con una columna vertebral casi enteramente de titanio.

—Janey, voy a salir. Y voy a coger el coche —gritó—. ¿Estamos?

—Muy bien papá —respondió su hija, apartando la mirada de lo que estaba leyendo para echar un vistazo a su padre, de sesenta y cinco años, que en aquel momento viró en redondo para buscar las llaves: no tenía más remedio a causa de la limitada flexibilidad de su cuello.

Harry apareció en el umbral de la salita.

—No recordarás dónde puse los cargadores extra, ¿verdad?

—Sí, en la repisa de la chimenea —respondió la joven—. En Mister Clowny.

—Gracias —dijo el padre, dirigiéndose al payaso de cerámica de vivos colores y levantándole la cabeza tocada con bombín. Introdujo la mano y sacó dos cargadores de pistola. Se detuvo y, antes de volver a tapar el payaso, sacó una larga daga que había escondido asimismo en el interior.

—¿También el cuchillo Sykes-Fairbairn? Tendrás cuidado cuando estés allí, ¿verdad papá? —dijo Janey, llena de preocupación.

—No voy a dejar que un montón de idiotas que rompen escaparates me estropeen el día —respondió Harry con actitud desafiante.

—Lo que está pasando es algo más serio que eso —dijo la joven—. Pero yo no estaba hablando de los disturbios callejeros, me refería al clima. Ahí fuera debe de hacer una temperatura bajo cero.

Con gorro de lana, bufanda y un grueso chaquetón verde, el atuendo era el mismo que llevaba para ir de pesca, aunque esta vez no se veía por ningún lado ni la caña ni los aparejos. Además, tampoco era la época del año apropiada para pescar, así que la muchacha supuso que tenía que tratarse de la otra actividad en la que ocupaba sus días.

—¿Vas al huerto? —preguntó cuando el padre ya había salido de la habitación. La única respuesta fue el golpe de la puerta principal al cerrarse.

Dejando el libro a un lado, Janey se levantó de la silla y se acercó a la ventana, apartando la cortina. Había nevado un par de veces a primera hora del día y todo estaba blanco y helado.

—No puede trabajar en el huerto. No con este hielo —pensó en voz alta.

Siguió mirando y vio que el ex teniente Harry Handscombe, «Hoss» para los amigos, limpiaba la nieve y el hielo del parabrisas del coche con una espátula.

«Pero ¿adónde irá el viejo idiota?» —se preguntó Janey con cariño. Se encogió de hombros y encendió el televisor. Empezó a cambiar de canal, pero no se sintonizaba ninguno, así que volvió a arrellanarse en el sillón para seguir leyendo.

Harry condujo durante diez minutos, entró en el aparcamiento de un supermercado y lo recorrió dando vueltas, estirándose para mirar por el parabrisas. Como en muchas otras tiendas de Londres, el pánico había originado tal demanda de productos alimenticios que apenas quedaba nada para vender. Así pues, el aparcamiento no estaba lleno y no tardó en encontrar lo que estaba buscando.

Aparcó, pero no muy cerca del viejo Land Rover del rincón. Mientras se acercaba al vehículo con su peculiar rigidez de espalda, miró la imagen del dragón verde que habían pegado en la parte superior del parabrisas. La puerta del conductor se abrió nada más llegar y una mujer de su misma edad asomó la cabeza.

—Me alegro de verte, Hoss —dijo. No sonrió, pero sus ojos color verde oscuro eran cordiales.

—Yo también, Anne —respondió Harry, estrechándole la mano—. Pienso a menudo en Ian. Lo echo de menos.

Ella asintió con la cabeza.

—Él también te apreciaba mucho. Después de tu accidente bromeaba diciendo que habías caído con tanto ímpetu que casi abriste un agujero en el suelo y te enterraste tú solo. Que hiciste todo lo posible por ahorrarle a tu familia el gasto de un funeral.

—Una cosa que no echo de menos es el sentido del humor que tenía el muy cabronazo —dijo Harry, echándose a reír. Luego habló en serio—: ¿Cómo estaba al final?

—Hizo un pacto con la enfermedad. Me contó que se había reconciliado con ella porque había conseguido lo que quería: morir en casa, y no en una selva olvidada de la mano de Dios, como muchos otros hace treinta años. Pero dejémonos de tanta sensiblería; ¿cómo va la artritis? —preguntó, cambiando de tema.

—No del todo mal. Cada vez tardo más tiempo en ponerme en movimiento por la maña...

Se calló al ver dos coches de policía entrando en el aparcamiento. Harry metió la mano en el bolsillo de su chaquetón, cerrándola alrededor de la culata de la Browning. Pero los dos coches se dirigieron hasta la puerta del supermercado. Los policías bajaron y entraron en el edificio.

—Alguna pelea en la caja —murmuró Anne, mirando los coches patrulla—. Estos días no sabe una en quién confiar, ¿verdad? Excepto en nosotros, los pensionistas, porque todo el mundo nos ha olvidado ya. Somos invisibles. —Rió brevemente y volvió a dejar la escopeta recortada a sus pies.

—Vivimos tiempos se inseguridad —dijo Harry—. Me parece ridículo que hayan recurrido al ejército para patrullar las calles. —Mientras hablaba, Anne había sacado de debajo del asiento un objeto envuelto en una tela caqui—. Supongo que eso será para mí.

—Sí, con todo el cariño del comandante —respondió ella—. ¿Parry te habló del procedimiento?

—Sí, me dio algunas instrucciones —confirmó Harry.

La mujer le dio el contador Geiger transformado.

—Buena caza, Hoss —le deseó. Antes de que la mujer cerrara la portezuela, Harry vio varios envoltorios caqui en la parte trasera del Land Rover.

Al volver a su coche, Harry dejó el detector móvil en el asiento del copiloto, al lado de su GPS y de la Browning, y los cubrió con un periódico.

«Va a ser un día muy largo», se dijo. Comprobó el indicador de combustible. Tendría que buscar una gasolinera con reservas para llenar el depósito. Tenía que recorrer un buen camino antes de entrar en la autopista que lo sacaría de Londres para dirigirse al cuadrante que le había asignado Parry.

—Un día largo para la Vieja Guardia —murmuró.

Danforth estaba coordinando las operaciones en el Centro, mientras en la Torre de British Telecom Drake controlaba las antenas parabólicas con su ordenador portátil. Drake tenía un mapa en la parte superior de la pantalla, y cada vez que alguno de los miembros de la Vieja Guardia o de los hombres de Eddie le enviaba un informe sobre Luz Oscura detectada por sus localizadores móviles, Danforth lo señalaba en el mapa. Drake se concentraba en la zona utilizando las antenas de la torre y triangulaba la posición exacta.

La operación no estaba resultando útil, porque había varios cortes de luz que apagaban las antenas de Drake. Y cada vez que ocurría, tenía que esperar a que se restableciera el suministro eléctrico y que el sistema se volviera a encender para empezar de nuevo.

Pasaron varias horas antes de que llamara a Parry.

—Creo que tenemos algo aquí —dijo, acercando la cabeza al mapa de la pantalla—. Estamos encontrando señales por todas partes, pero hay un lugar al oeste en el que el nivel es mucho más alto. Ahí tiene que haber un lugar con mucha Luz Oscura.

—Cerca de Slough —informó Parry, mirando los puntos rojos que parpadeaban en el mapa—. ¿Nos movilizamos para dirigirnos allí?

Drake negó con la cabeza.

—Todavía no. No queremos perder tiempo si no tiene nada que ver con la Fase. Danforth ha enviado unos equipos a echar un vistazo.

Tras salir de la autopista, Harry había pasado por dos rotondas e iba ya camino del polígono industrial cuando vio delante de él un control de carreteras del ejército. Miró a su alrededor rápidamente; a ambos lados había prados verdes y ni un solo edificio. Era demasiado tarde para dar la vuelta, así que mientras se acercaba a la barrera se aseguró de que el localizador estaba apagado y fuera de la vista.

A un lado de la carretera había un vehículo blindado. Era un Viking y dentro distinguió a un soldado detrás de una ametralladora de calibre 0,50 con la que apuntaba directamente a Harry. Éste supo inmediatamente que algo iba mal. Incluso con los niveles actuales de inquietud civil y seguridad reforzada, aquello era excesivo para tratar con un anciano que salía a dar una vuelta en coche.

El soldado de la barrera le indicó por señas que se acercara.

—¿Puedo preguntarle adónde va, señor? —dijo sin miramientos.

—Voy a buscar a mi nieta que está en una fiesta —mintió Harry.

—Su nieta. Vaya. ¿Le importaría bajar de su vehículo, señor, y poner las manos donde pueda verlas? —ordenó el soldado.

—¿Hay algún problema ahí delante? —preguntó Harry, tratando de ver lo que había más allá de la barrera.

El soldado habló con voz chirriante e impaciente.

—Baje del coche —ordenó, apuntando a Harry con el fusil de asalto—. ¡Ya!

Harry bajó con las manos estiradas al frente.

—Póngase contra el vehículo —le indicó el soldado, trazando un círculo con el dedo para indicarle que se pusiera de espaldas—. Y abra las piernas.

Harry obedeció mientras otro soldado se aproximaba y comenzaba a registrarlo exhaustivamente.

—Veo que pertenecen al Regimiento de Paracaidistas —dijo Parry—. ¿Está muy lejos el cuartel?

El soldado que lo registraba había terminado con sus piernas y se enderezó rápidamente. Cogió a Harry por el hombro, con brusquedad, y lo obligó a darse la vuelta.

—¿Y qué sabe usted de eso, abuelo?

—Yo también estuve en los paracas —dijo Harry, sin perder la serenidad—. Serví desde 1951 hasta...

—Enséñeme alguna identificación —exigió el soldado.

Harry sacó lentamente la cartera de mano y se la tendió. El soldado encontró el carné de conducir y lo examinó.

—Harold James Handscombe —leyó. Rezumaba desprecio y por su forma de apartar la mirada nada más hablar se notaba que Harry le importaba muy poco.

Pero entonces Harry oyó las palabras que estaba temiendo.

—Quédese aquí —dijo el soldado del fusil de asalto—. Vamos a echar un vistazo a su vehículo.

En la cabeza de Harry sonaron todas las alarmas del mundo y sus terminaciones nerviosas se estremecieron como si una corriente eléctrica pasara por su cuerpo.

—Por supuesto —contestó, mirando el asiento del copiloto mientras calculaba cuánto tardaría en alcanzar la Browning que estaba escondida debajo. No tenía mucho tiempo, y aunque consiguiera coger el arma, tenía todas las probabilidades en contra; primero tendría que deshacerse del soldado más cercano y después enfrentarse a los otros dos.

Hacía mucho tiempo que no disparaba a nadie, pero el viejo instinto no había desaparecido. Una cosa era segura, la situación iba a empeorar. Para Harry, se trataba de algo más que de un pálpito: era el resultado de todos sus años de lidiar con situaciones difíciles.

Los soldados tenían los ojos ligeramente vidriosos; si

Parry no le hubiera hablado de los styx y sus técnicas de control mental, Harry habría creído que estaban drogados. Y la forma en que se comportaban estaba totalmente fuera de lugar.

El soldado rodeaba ya el coche por delante.

—¿El maletero está abierto? —preguntó.

—Sí —dijo Harry, que sabía que era imposible, sin necesidad de abrir el maletero, que el soldado no descubriera el localizador móvil, el GPS y finalmente el arma escondida bajo el asiento del copiloto.

El soldado había llegado a la puerta del copiloto y la estaba abriendo.

Se inclinó para mirar debajo del periódico que había en el suelo.

Cuando vio el contador Geiger modificado, abrió la boca para gritarle una advertencia al otro soldado.

Harry supo que el juego había terminado.

Se movió con toda la rapidez que le permitía su anciana constitución.

Mientras giraba sobre sus talones y se dirigía al asiento del conductor, vio por el rabillo del ojo algo curioso.

El soldado con el fusil de asalto se desplomó en el suelo como por arte de magia. Y cuando Harry se volvió a mirar al otro soldado, vio que también estaba caído en la carretera.

Harry se irguió. Incluso el soldado del Viking estaba tendido sobre la pesada ametralladora.

Eddie y tres de sus hombres, empuñando fusiles de proyectiles tranquilizadores, aparecieron por el arcén cubierto de nieve y avanzaron hacia un Harry totalmente confundido.

—El profesor Danforth pensó que podría necesitar ayuda —dijo Eddie.

Media hora después llegó una llamada. Era Eddie. Parry se quedó al lado de Drake mientras hablaba por el teléfono vía satélite. Cuando finalizó la conversación, Drake informó a su padre.

—Hemos dado con algo. Eddie ha encontrado Limitadores y equipos de soldados instalando controles de seguridad en las carreteras que van al polígono industrial. La zona estaba totalmente rodeada, pero él y sus hombres han despejado un camino para entrar.

—Parece prometedor —comentó Parry.

—Más que eso. Eddie está en el polígono con alguien de la Vieja Guardia. Han estado inspeccionando una fábrica enorme llena de Limitadores, y con mucho movimiento de vehículos. Han visto al menos dos camiones refrigerados transportando algo que probablemente es carne; el último acaba de entrar. Podría ser comida para las larvas de Guerrero. Creo que deberíamos atacar la veta madre.

—¿Qué opina Danforth de todo esto? —preguntó Parry.

—Está de acuerdo en que hay mucho uso de Luz Oscura en ese punto. Cree que es una prueba. Ahora mismo acaba de enviar a Eddie el plano de la fábrica.

Parry se quedó pensativo.

—¡Atención todo el mundo! —gritó a toda la planta—. Tenemos trabajo.

## TERCERA PARTE

# Ataque

# 14

—Esta movida es un chollo. Creo que podría acostumbrarme a la vida de empresaria —bromeó Rebecca Uno mientras sorbía su Coca-Cola *light* con una pajita.

—Seguro que sí —respondió Rebecca Dos.

Las gemelas styx estaban en la sala de juntas, apoltronadas en los sillones tapizados y con los pies encima de la mesa.

Rebecca Uno recorrió con la mirada las bandejas de emparedados que su hermana y ella apenas habían tocado.

—Ya he comido todo lo que quería.

—Yo también. ¿Te importaría quitar la mesa y traernos un par de helados, Johan? —preguntó Rebecca Dos. Miró al capitán Franz mientras éste recogía las bandejas y se dirigía hacia la cocina.

Rebecca Uno dejó la Coca-Cola dando un fuerte golpe sobre la mesa.

—¿Quieres no tratarlo con guante blanco? No le pides que te haga cosas... se lo ordenas. Y es un Ser de la Superficie... no pronuncies su nombre —dijo en son de queja—. Me preocupas, ¿sabes? Tienes que portarte de otra manera.

Rebecca Dos siguió sorbiendo su bebida sin responder.

Tras apurar el último trago, Rebecca Uno envió la lata de Coca-Cola al otro extremo de la sala.

—De todas formas, no importa. Tarde o temprano, tendremos que despacharlo.

Rebecca Dos esquivó la mirada de su hermana.

El capitán Franz volvió con dos tarrinas de helado. Rebecca Uno cogió el suyo y se lo tiró directamente a la cara. El capitán apenas parpadeó cuando el helado impactó en su rostro.

—Es de vainilla. Yo quería chocolate. ¡Tráeme uno de chocolate enseguida!

—No dijiste de qué lo querías —señaló Rebecca Dos mientras el capitán Franz se retiraba.

—Pero ¿de qué estás hecha? —protestó Rebecca Uno—. A nosotras nos corresponde enseñar a los paganos quién manda aquí. —Cabeceaba con el ánimo soliviantado cuando sonó el teléfono móvil. Tras bajar los pies de la mesa, se dirigió a su abrigo para cogerlo.

—No conozco este número —dijo mirando la pantalla—. ¿Y quién iba a llamarme ahora? —Tras pensarlo un momento, contestó—: ¿Cómo ha conseguido mi núm... —exclamó, enmudeciendo de súbito.

—Pero ¿quién es? —preguntó Rebecca Dos mientras su hermana escuchaba a su interlocutor sin pronunciar palabra.

El capitán Franz había vuelto con la tarrina de helado de chocolate, pero Rebecca Uno le indicó por señas que se alejara. Había fruncido el entrecejo.

—¿Cómo sé que está en el nivel? —preguntó. Instantes después parecía satisfecha con la respuesta. Sin dejar de escuchar, colocó una mano sobre el micrófono del teléfono—. Coge el abrigo —susurró a su hermana.

—¿Para qué? —preguntó Rebecca Dos, pero su hermana no le hizo caso y avanzaba ya hacia la puerta.

Una vez en el pasillo, Rebecca Uno volvió a cubrir el micrófono con la mano y habló rápidamente a su hermana.

—Dile a Franz que acerque el Mercedes por la parte de atrás. Dile que no apague el motor.

Rebecca Dos estaba a punto de explotar de curiosidad.

—¿Por qué? ¿Qué pasa? —susurró.

Pero su hermana avanzaba por el corredor a toda velocidad mientras se ponía el abrigo.

—Dígame qué es lo que quiere —dijo por el teléfono mientras rodeaban la esquina y se daban de bruces con el Limitador que vigilaba las puertas del almacén.

Rebecca Uno le hizo una seña con la mano libre.

—Tu pistola... rápido —le ordenó, con el susurro que la gente suele utilizar cuando habla por teléfono.

El Limitador desabrochó obedientemente la solapa de la funda de la pistola y le entregó el arma.

—Con silenciador. Bien —comentó, mirando el silenciador del cañón—. No, lo siento... Nada —respondió rápidamente al teléfono—. Nada importante. —Endureció el tono para hablar con autoridad—. Muy bien, me ha convencido, y ha conseguido un trato. Tiene mi palabra... palabra de *girl scout* y todo eso. Nos veremos pronto.

Plegó el teléfono. Sin perder un momento, levantó la pistola, apuntó al pecho del Limitador y le disparó a quemarropa.

—¿Qué co...? —Rebecca Dos dio un salto hacia atrás, delante de ella, mientras el Limitador se desplomaba en el suelo—. ¿Por qué has hecho eso?

Rebecca Uno respondió sin apenas respirar.

—Decisión ejecutiva... no hay tiempo para dar explicaciones.

Pasando por encima del cadáver del Limitador, abrió las puertas. Rebecca Uno entró corriendo, sumergiéndose en la humedad y el hedor a carne cruda del almacén.

—Busca a Hermione y a Vane —gritó a su hermana—. ¡Date prisa!

Parry condujo al primer grupo hasta el ascensor. Les había dicho que cambiaran las parcas polares por otras vestimentas menos llamativas que habían recibido en el Complejo.

Pero cuando entraron en la zona de recepción de la torre de British Telecom con los chaquetones forrados y los pantalones de gruesa pana, parecían un grupo de alpinistas victorianos a punto de salir de excursión.

Terry Finch estaba al lado de la puerta giratoria sin dejar de vigilar Mortimer Street.

—¿Así que has llegado a un acuerdo con el personal? —preguntó Parry en voz muy alta al anciano mientras recorría con la mirada aquel recinto más bien insulso y el vacío mostrador de recepción—. Es obvio que la Orden de Emergencia ha funcionado.

—Bueno... han ido a tomar café a la vuelta de la esquina y no volverán hasta que yo se lo diga —respondió Terry.

Parry frunció el entrecejo.

—No pareces muy seguro... ¿Hubo algún problema? —preguntó con impaciencia al anciano.

—Uno de los miembros del servicio de seguridad quería hablarlo con el jefe, así que puse el documento oficial delante de sus narices.

—¿Y surtió efecto? —preguntó Parry.

—No, no quería creerlo, así que tuve que apuntarle con el Webley —añadió Terry con una sonrisa maliciosa, sacando un revólver de una funda que llevaba a la espalda—. Eso sí surtió efecto, como si fuera magia.

—Muuuy bien —suspiró Parry, frunciendo aún más el entrecejo. Miró a Drake—. Asegúrate de que tienes la pistola tranquilizadora a mano —dijo, dirigiéndose después a la señora Burrows—. Y tú Celia, ¿podrías estar atenta a cualquier *olor* que percibas? Necesito saber qué nos espera a la vuelta de la esquina.

—Un precioso restaurante italiano a unos trescientos

metros a la izquierda. La preparación de la *calzone* me está haciendo la boca agua —dijo sonriendo.

—¿Por qué nadie me responde directamente a lo que pregunto? —gruñó Parry, mientras dos minibuses se detenían junto a la línea amarilla. El resto del grupo había bajado en el ascensor y, de uno en uno, salieron a la calle y cargaron sus equipos en el maletero de los vehículos.

Los conductores de los minibuses no pronunciaron palabra mientras se abrían paso por las calles de Londres. Will vio por primera vez lo lejos que habían ido las cosas en la capital. Aparte de los grupos de soldados y policías apostados por todas partes, Euston Road parecía totalmente normal y el tráfico relativamente abundante. Pero al mirar las calles laterales, vio que la historia era muy diferente. Coches quemados y enormes montones de basura sin recoger durante semanas. Y cuando pasaron por delante de la entrada de Regent's Park, vieron las puertas bloqueadas por coches de bomberos, ya que una fila completa de grandes edificios blancos estaba envuelta en llamas.

Doblaron a la derecha por Marylebone Road y avanzaron por varias travesías hasta que el conductor del primer minibús vio que había problemas más adelante. Salieron al principio de Marylebone Flyover y aceleraron pendiente arriba.

Todos llevaban la radio encendida para poder oír las órdenes de Parry, que les hablaba desde el primer minibús, en el que también viajaban Stephanie, Sweeney y el coronel.

—Me han informado de que hay disturbios en Shepherd's Bush y el ejército ha intervenido allí, así que vamos a salir de Londres por la M3 y atravesaremos el campo hasta la M4. Tendremos las radios apagadas a partir de ahora, a menos que se arme algún pollo.

—¿Pollo? —preguntó la señora Burrows mientras sonaba un chasquido y los auriculares quedaban en silencio. Drake se volvió en el asiento para responderle. Con la cabeza vuelta, miró a Will, a Chester y al señor Rawls.

—Mi padre quiere decir que si surge un problema, sacarán las armas y acapararán toda la atención para que podamos seguir avanzando. Uno de los vehículos tiene que llegar a su destino.

—¡Caramba! Me alegro de ir contigo —dijo Chester.

Una de las primeras en nacer, la larva de Guerrero styx que Vane había acunado en sus brazos sólo unos días antes, ya era difícil de reconocer.

Le habían crecido dos pares de patas y una cola muscular; por fuera se parecía mucho a un renacuajo que estuviera metamorfoseándose en rana. La única diferencia era que ningún nenúfar habría podido soportar su peso; como medía más de un metro de punta a punta, se parecía más a una iguana.

Y mientras la larva de Guerrero crecía, almacenando reservas de proteínas para su inminente paso a crisálida, lo único en lo que pensaba era en la comida. Dormía sólo esporádicamente y pasaba cada minuto de su vida tratando de satisfacer su hambre insaciable.

Así que cuando la larva de Guerrero se encontró con un charco de sangre caliente que se había filtrado bajo las puertas del almacén, comenzó a lamerla con frenesí con su lengua gris y rápida. La comida que le servían regularmente era lo mejor de lo mejor, pero sin el toque de vida ni de frescura que caracterizaba a la presa recién muerta. Después de lamer el suelo hasta dejarlo limpio, comenzó a investigar el origen de la sangre.

Como un perro delante de una despensa cerrada, fue de un lado a otro hasta que introdujo la lengua por la ranura inferior de una de las puertas. Cuando los receptores olfativos de la larva localizaron los efluvios del cadáver que había al otro lado, empezó a babear sangre. Bufó de frustración. No sabía cómo llegar a la jugosa comida y había empezado de nuevo a moverse de un lado a otro cuando chocó contra la otra puerta. No estaba cerrada con llave y observó que se entreabría.

La larva de Guerrero se detuvo un momento, con las pupilas negras observando la barrera que se alzaba ante ella. Entonces comenzó a dar cabezazos contra la madera. La larva la golpeó cada vez con más fuerza, hasta que tuvo espacio suficiente para pasar al otro lado. Y no podía creer en su buena suerte cuando vio al Limitador muerto tendido en el suelo. La puerta se había cerrado tras ella, pero a la larva de Guerrero no le importó: no tenía intención de comunicar su hallazgo a sus hermanas. Tener todo aquel cadáver para ella sola era demasiado tentador.

Comenzó a atracarse con la suculenta carroña, ajena a lo que la rodeaba mientras arrancaba trozos de carne del rostro del Limitador con aquellos dientes que parecían agujas y los engullía.

Los minibuses aparcaron en la parte trasera del edificio de dos plantas y todos salieron y siguieron a Parry cuando éste se coló en el interior. Eddie y uno de sus hombres los estaban esperando en una habitación llena de cajas de cartón. Will buscó a Elliott, pero no había el menor rastro de ella.

—Su Vieja Guardia tiene la fábrica rodeada. No hemos visto nada que indique que los de dentro se hayan percatado de nuestra presencia —informó Eddie a Parry—. Y estamos listos para rodear toda la finca.

—Perfecto —dijo Parry—. Sigue adelante y rodea la finca. A partir de ahora, que no entre ni salga nada.

Eddie habló con su hombre en styx. Cuando el emisario se hubo ido a toda prisa, Eddie se dirigió a Drake y al resto del grupo.

—La planta de abajo es un semisótano utilizado como almacén. Lo he señalado como uno de los cuatro Puntos de Concentración de la Vieja Guardia. Podéis ver el objetivo desde aquí, pero no os acerquéis mucho a las ventanas. —Se volvió hacia Parry—. Y mi equipo de supervisión lo está esperando en el tejado, comandante.

—Excelente, iré a echarle un vistazo. Pero antes quiero oír a Celia —dijo Parry, volviéndose hacia la señora Burrows—. Eso que sabes hacer... ¿puedes hacerlo desde aquí? Porque necesito que me digas qué está pasando en la calle.

La señora Burrows asintió y echó la cabeza hacia atrás. Will oyó la pesada respiración de Stephanie mientras los iris de su madre se desplazaban hacia la parte superior del ojo, dejando visible sólo la parte blanca.

—Gente, humanos... quizá quinientos cincuenta... No, más, creo. Quizá seiscientos..., no puedo decirlo con exactitud —dijo la señora Burrows.

—¿Y styx? —preguntó Parry.

—También..., pero no muchos. No sé, unas tres docenas o más.

—Sería de gran ayuda saber el número exacto —insistió Parry.

Una gota de sudor apareció en el nacimiento del cabello de la señora Burrows y resbaló por el centro de su frente.

—No es bueno... Me llegan señales mezcladas —susurró. Se estremeció y sus ojos volvieron a adquirir su aspecto normal. Durante un momento pareció aturdida, pero luego se volvió hacia Parry—. Qué raro. Es como si no consiguiera sintonizar bien.

Parry se acarició la barba, pensativo.

—No te preocupes. Me has confirmado lo que sospechaba. Han debido de traer a toda esa gente para el programa de crianza. ¿Qué otra cosa podrían estar haciendo ahí? —Se dirigió a Eddie—. Aunque dentro haya un regimiento entero de Limitadores, tenemos que completar el trabajo.

—¡No, espera! —dijo la señora Burrows bruscamente—. No lo entiendes... Hay algo ahí dentro que no quiere que yo lo encuentre. Algo que no es un styx. Algo oscuro.

Parry se limitó a asentir con la cabeza.

—Está bien, todo el mundo conmigo al piso de abajo —dijo Drake a Will y los demás.

Eddie levantó la mano.

—Antes de que se vaya nadie: Elliott está en el Puesto de Observación del tejado y, si os parece bien, tiene una petición que hacer.

—¿Cuál es? —preguntó Drake mientras Will y Chester cambiaban una mirada. Los dos se acercaron a Eddie, creyendo que Elliott los querría tener a su lado.

—Pidió que Stephanie se reúna con ella arriba —aclaró Eddie.

Will se quedó de piedra y Chester susurró:

—¿Qué...?

Una vez en el tejado, Stephanie y Parry se agacharon para acercarse con Eddie al antepecho. Los ex Limitadores estaban allí en gran número y habían puesto una red de camuflaje azul claro unos metros por encima del parapeto, para que no se los viera perfilados contra el cielo.

—Comandante —dijo Harry Handscombe cuando Parry se agachó bajo la red y se estrecharon vigorosamente la mano—. Ha sido una suerte, ¿sabes?, que localizara el objetivo tan pronto.

—Desde luego que sí —concedió Parry, sonriendo a su viejo amigo—. Menos afortunado fue que casi te descubriesen esos soldados sometidos a la Luz Oscura. Yo nunca te pedí que metieras las narices tan lejos, lo sabes.

Harry habría negado con la cabeza si hubiera podido moverla, así que se limitó a sonreír a Parry con ironía.

—¡Ya está bien de chistes malos, viejo depravado!

Parry se acercó al borde del tejado con los binoculares en la mano y comprobó la posición del pálido sol para asegurarse de que no se reflejara en las lentes antes de empezar a escrutar la fábrica.

—Ah, sí, ahí están —susurró al localizar a los Limitadores y la guardia de neogermanos patrullando por el aparcamiento.

Stephanie se había mantenido alejada del antepecho, no muy segura de lo que tenía que hacer, cuando Elliott la llamó con una seña. Mientras se arrastraba a su lado, Stephanie miró a los ex Limitadores con cierto nerviosismo.

—No te preocupes por ellos. Puede que sean algo siniestros, pero están de nuestro lado —le confió Elliott.

—Pues qué bien —dijo Stephanie, frunciendo el entrecejo—. Pero ¿por qué querías que viniera? Tus dos amigos andan como babeando por estar contigo.

—En el Complejo me dijiste que eras capaz de enfrentarte a cualquier cosa. Aquí está tu oportunidad de demostrarlo. —Elliott no le hablaba en tono desafiante y Stephanie se dio cuenta mientras la muchacha seguía hablando—. Dentro de un momento vamos a neutralizar todas y cada una de las cosas vivas del edificio de ahí enfrente.

—¿Neutralizar? —preguntó Stephanie.

Elliott ladeó la cabeza.

—Vamos a disparar a todos esos hombres lo más rápida y limpiamente que podamos. ¿Me ayudarás?

—¿Es algo así como una cosa de hermanas?

—Si quieres llamarlo así... —Elliott se encogió de hombros—. No tengo hermanas.

—¿Quieres que yo también les dispare? —preguntó Stephanie, mirando el fusil largo de Elliott, camuflado con cinta blanca y con un silenciador acoplado a la boca del cañón.

—No, quiero que me localices objetivos —explicó Elliott, señalando la mira telescópica—. Tú te encargarás de fijar la posición de los guardias, porque cuando abramos fuego desde aquí, no podremos permitirnos ningún error. Si alguno de ellos da la alarma, perderemos el elemento sorpresa.

—De acuerdo, creo que podré hacerlo —replicó Stephanie, inclinándose sobre la mira.


A Will le sorprendió la gran cantidad de miembros de la Vieja Guardia que estaban presentes en el sótano apenas iluminado. Aunque llevaban el rostro oculto por pasamontañas, notó la expectación nerviosa que flotaba en el ambiente mientras hablaban en voz baja entre ellos.

—¿Escopetas? —preguntó al ver las armas que empuñaban algunos.

—No sabemos lo que nos espera al otro lado de la calle —explicó Drake—. En el combate cuerpo a cuerpo, una semiautomática de calibre doce es lo más apropiado.

—¿Y de qué son esos tanques que llevan a cuestas? —preguntó Chester al ver a varios hombres con cilindros dobles a la espalda.

—Lanzallamas, para la etapa final de la ofensiva —respondió Drake—. Verás. Reducir a escombros el edificio no acabará con el problema. Esas cosas pueden sobrevivir en bolsas de aire debajo de las ruinas. No queremos que ninguna de las larvas de Guerrero, si es que todavía están en ese estado, consiga salir después de habernos ido. Si una sola quedara en libertad, podría encontrar más humanos y hacer de las suyas, y volveríamos de nuevo al punto donde nos hallamos ahora.

—Entiendo —respondió Chester.

—La única alternativa es entrar y hacer el trabajo bien y en persona. Tenemos que asegurarnos de que no quede nada vivo —continuó Drake.

—O sea, que hay que matarlos a todos, ¿no? —intervino la señora Burrows—. ¿Y qué pasa con los humanos que he percibido ahí dentro? Podrían ser colonos, o inocentes Seres de la Superficie que no tienen ninguna culpa de haber quedado atrapados en esto. ¿No podríamos desprogramarlos con el Purgador de Danforth y luego...?

—Eso no va a pasar —la interrumpió Drake con una mueca—. No podemos permitirnos ese lujo. Esta operación es a todo o nada... Tenemos que detener la Fase en su inicio, a costa de lo que sea.

La señora Burrows iba a objetar, pero Drake ya se había alejado y hablaba con Parry por una frecuencia privada de su aparato de radio. Volvió cuando terminó la conversación.

—Todo el mundo está en su puesto alrededor del edificio y estamos al final de la cuenta atrás. —Se descolgó la Bergen de la espalda—. Quiero que os despojéis de todo menos de lo fundamental: las armas y la munición. Dejad todo lo demás aquí. Luego podréis ver la primera etapa por las ventanas.

Armados con los Sten, Will y Chester fueron a la parte delantera del sótano y se pusieron de puntillas para mirar por las polvorientas ventanas.

—Puñeteros Limitadores —gruñó Will al ver un par de ellos en las puertas—. Ni que fueran los amos del lugar.

—Esos otros hombres... ¿Crees que son neogermanos? —preguntó Chester.

Will echó un vistazo al coronel Bismarck, que estaba mirando por otra ventana. Algunos soldados que había en la calle habían sido hombres suyos en el mundo interior, y Will se preguntaba lo que pensaría el coronel sobre la política de Drake de no hacer prisioneros. Y Will también sabía que si el coronel no hubiera sufrido una contraprogramación de la Luz Oscura gracias a la explosión en la City, en aquellos momentos podría ser uno de los soldados con el cerebro lavado que patrullaban por la fábrica.

Sus pensamientos se vieron interrumpidos cuando la voz de Parry sonó en los auriculares.

—Alfa, repito, Alfa —enunció claramente, dando comienzo a la primera etapa de la operación—. A mi señal, eliminad los blancos designados. —Calló un momento e inició la cuenta atrás—: Cinco, cuatro, tres, dos, uno, FUEGO.

No se oyó ni un sonido, pero los hombres que Will había localizado en el aparcamiento desaparecieron de su vista.

Arriba en el tejado, Stephanie movía la mira telescópica de un lado a otro.

—Siguiente objetivo moviéndose... Vuelve... va hacia la entrada —decía con voz vibrante y agudizada por los nervios.

—Lo veo —respondió Elliott con calma, apretando el gatillo. Su rifle con silenciador tembló en sus manos, pero el único sonido que se oyó fue una débil ráfaga de aire. Cuando el proyectil encontró su objetivo, el Limitador cayó hacia adelante y su cabeza explotó dejando una mancha escarlata sobre la blanca nieve.

—¡Aaaah! —murmuró Stephanie, llevándose la mano a la boca—. Qué puntería.

—Bravo —anunció la voz de Parry—. Repito, bravo. Hemos acabado con los centinelas.

—Vale. Vosotros, todos fuera —ordenó Drake.

Tras haber arrancado la parte superior del cráneo del Limitador como si su cabeza fuera un huevo duro, la larva de Guerrero estaba engullendo los últimos restos del cerebro con su lengua prensil. Tenía los ojos en blanco a causa del éxtasis que le producía saborear la deliciosa materia gris; y su eficacísimo sistema digestivo absorbía las proteínas tan rápido como las engullía.

Will y Chester cruzaron la calle con Drake y Sweeney flanqueándolos; el coronel Bismarck, el señor Rawls y la señora Burrows iban detrás.

—Mira eso —dijo Will, señalando al centenar de hombres de la Vieja Guardia de Parry que avanzaban en línea abierta. Y ésos eran sólo los que alcanzaba a ver; sabía que debía de haber al menos una cantidad igual en los otros lados de la fábrica—. No me había dado cuenta de que hubiera tantos.

Drake había oído a Will.

—Sí, abarcan todo el perímetro. Mi padre está dirigiendo el ataque de forma ejemplar —dijo, con la mirada llena de orgullo mientras veía a su padre unirse a la línea de la Vieja Guardia, a pocos metros de allí—. Incluso ha enviado un par de unidades a las alcantarillas por si alguien intentara utilizarlas para escapar.

La nieve que cubría el asfalto contribuía a amortiguar cualquier ruido que pudiera hacer la Vieja Guardia en su avance. Y cuando llegaron a la valla que rodeaba el recinto, lo único que podía oírse era el silbido ocasional del viento.

Pero entonces vieron que las puertas principales del edificio de oficinas se abrían de par en par. Salió un Limitador, corriendo a toda prisa. Algo lo había asustado. Pero no había dado más que un par de pasos cuando una flecha de ballesta se le clavó en el cuello. Al caer a tierra, toda la Vieja Guardia contuvo la respiración, pero nadie más salió por las puertas.

—Charlie —dijo la voz de Parry por la radio—. Repito, Charlie. Antes de que perdamos la ventaja de la sorpresa.

Drake indicó por señas a Will y a los demás que cruzaran la puerta con él y entraran en el aparcamiento. Estaban rodeados por la Vieja Guardia, que corría hacia todos los puntos de entrada de la factoría que Parry les había asignado.

—Quedaos atrás —ordenó Drake mientras Sweeney y él se dirigían a la entrada principal del edificio de oficinas, cubriéndose mutuamente. No había nadie en la zona de recepción, así que Drake avanzó con rapidez por el corredor que salía de allí, mientras Sweeney comprobaba las habitaciones de ambos lados.

—La sala de juntas —susurró Drake por el micrófono, mientras Sweeney se asomaba a la última puerta—. La vi en el plano del edificio.

Los muchachos se mantenían a distancia con los Stens listos, tal como Drake les había indicado, con la señora Burrows, el coronel y el señor Rawls en la retaguardia. Dos integrantes de la Vieja Guardia también habían entrado en la zona de recepción, pero se quedaron al lado de la puerta.

Cuando Sweeney salió de la sala de juntas, Drake y él siguieron avanzando por el pasillo, deteniéndose cuando una pequeña explosión sacudió toda la fábrica, seguida por el tableteo de armas automáticas.

—¡Delta, Delta, Delta! —El tono apremiante de Parry sonó en la radio—. ¡Se acabaron las contemplaciones!

Drake desatornilló el silenciador de su Beretta y se volvió para dirigirse a todos.

—Los styx ya saben que estamos aquí, pero aún podemos vencerlos con facilidad —dijo.

Sweeney y él siguieron por el corredor hasta que llegaron a un ángulo del mismo. Sweeney avanzó con la espalda pegada a la pared, mientras Drake lo hacía por la pared opuesta.

De repente, Sweeney levantó el puño y Drake se quedó inmóvil. El hombretón se señaló la oreja y luego hacia arriba. Había oído algo.

La larva de Guerrero habría podido pulverizar con sus potentes molares lo que quedaba del cráneo del Limitador, pero en el cadáver había otras partes más blandas y jugosas que parecían más apetitosas. Se dirigía hacia las piernas del Limitador cuando oyó la explosión y el subsiguiente tiroteo.

Se detuvo un momento; pero entonces olió la sangre de los dos agujeros de bala que Rebecca Uno había abierto en el pecho del hombre; imposible resistirse. La larva reptó hacia atrás por el tronco del Limitador y comenzó a lamerlos, mordisqueando después la carne de las costillas del cadáver.

—¿Qué es eso? —susurró Sweeney a Drake.

La marfileña cola, salpicada de sangre, se agitaba de un lado a otro, visible para ambos hombres. Mientras la criatura se abría paso mordiendo el cadáver del Limitador, la cola desapareció poco a poco.

La larva, ya fuera porque había oído u olido a los dos humanos acercándose por el corredor, había dejado de comer a desgana y se había preparado adoptando una postura encogida.

Sweeney se esforzaba por oír lo que había allí, pero le resultaba imposible con todo el ruido que había en otras partes del edificio.

—Cuidado —susurró Drake, avanzando con pasos muy cortos.

No había ningún miedo en la mente de la larva: no había sitio en ella para algo así. Lo único que sentía era emoción porque se acercaba más comida, con corazones palpitantes. De repente dejó su escondite y avanzó a toda prisa por el corredor.

—¡Dios mío! ¡Contacto! —gritó Drake cuando la larva de Guerrero pasó a toda velocidad por su lado, como un lagarto, con las patas traseras arañando la moqueta.

La velocidad a que se movía la criatura era fantástica, pero también lo fue la reacción de Sweeney, que consiguió disparar y cercenarle parte de la cola de un balazo. Y aunque tardó una fracción de segundo en llegar al ángulo del corredor, con las patas traseras de la larva todavía ante sus ojos, no pudo disparar por segunda vez. Will estaba en la línea de fuego y habría podido darle si hubiera fallado.

A pesar de que el primer disparo la había frenado ligeramente, la larva de Guerrero siguió corriendo por el centro del pasillo.

—¡Detenedla! —gritó Drake.

Más tarde se preguntaría si la razón de no haber disparado contra la larva se debía a que iba muy aprisa o a lo que había visto. Cierto que la larva de Guerrero se movía a una velocidad increíble, pero también podía haber influido su aspecto.

Verle la cabeza había bastado para que su corazón se olvidara de latir un par de segundos.

Will y Chester abrieron la boca y reaccionaron del mismo modo.

Aunque su torso parecía el de un anfibio, su cabeza era algo totalmente distinto.

Algo impresionante.

Aquella cabeza era como la de un niño humano, con rasgos inconfundiblemente humanos. Cubiertos por escamas de matices blancuzcos, los ojos, la nariz y las orejas estaban totalmente formados, aunque en la boca tenía unas brillantes púas blancas en lugar de dientes y una lengua que medía al menos treinta centímetros cuando la asomaba.

Y peor aún, cuando Sweeney la hirió, el quejido que emitió habría podido ser el de un humano recién nacido.

Mientras la larva de Guerrero se dirigía hacia las puertas principales, uno de la Vieja Guardia que había oído la advertencia de Drake corrió a interceptarla. Se echó la escopeta a la cara, listo para disparar, pero la larva saltó limpiamente por encima de su cabeza.

—¡Caramba! —exclamó. Pero el viejo militar aún conservaba el instinto y disparó otra vez mientras retrocedía. Erró por completo y le dio a una lámpara del techo, que estalló en mil pedazos, cayendo sobre él y los muchachos.

—¡Detenedla! —repitió Drake.

En aquel momento, el señor Rawls era el único obstáculo en su camino hacia la libertad que había al otro lado de las puertas principales.

La larva de Guerrero saltó otra vez.

Otro miembro de la Vieja Guardia disparó mientras la larva estaba todavía en el aire, pero falló e hizo añicos un jarrón que había en la zona de recepción.

El señor Rawls había retrocedido. La larva de Guerrero trató de modificar su trayectoria girando parte de la cola que conservaba, pero no fue suficiente y cayó sobre el señor Rawls, aferrándose a su pecho con las garras.

—¡Coronel! ¡Dispare! —gritó Drake al darse cuenta de que la larva estaba a punto de escapar.

Pero el neogermano no podía abrir fuego, pues corría el riesgo de herir al padre de Chester.

Aunque tenía encima todo el peso de la larva de Guerrero, el señor Rawls había conseguido mantenerse en pie. Se inclinaba hacia atrás como si estuviera bailando una danza extraña.

—¡Socorro! ¡Socorro! ¡Socorro! —farfulló cuando la larva le mordió en los hombros. El señor Rawls gritaba de miedo y de dolor.

—¡Quitádsela! —chilló Chester, apuntando con el Sten, aunque sabía que no podía utilizar el subfusil.

Algo relampagueó en el aire.

La larva se deslizó del señor Rawls, con un cuchillo clavado en el cuello hasta la empuñadura. Al caer al suelo, la criatura siguió sacudiendo los miembros, pero se trataba sólo de un débil reflejo.

—Tiene un aspecto espeluznante —murmuró uno de la Vieja Guardia.

—Buen tiro, coronel —dijo Sweeney—. Pensé que esa cosa pegajosa conseguiría salir.

El coronel Bismarck se inclinó sobre la larva de Guerrero. Le puso un pie encima y arrancó el cuchillo.

—*Ich war es nicht* —dijo. Se guardó el cuchillo en la funda del cinturón y miró a la señora Burrows—. Fue Celia. Ella lanzó mi cuchillo.

—¡Mamá! —exclamó Will—. ¿Cómo lo has hecho? ¡Si ni siquiera puedes ver!

La señora Burrows se encogió de hombros mientras Drake examinaba a la criatura, que seguía agitándose.

—Será mejor asegurarse de que está muerto. Quién sabe de qué serán capaces estos bichos —dijo.

Para sorpresa de todos, el coronel se limitó a levantar la pierna y a pisar con fuerza la larva. Sonó un crujido de huesos de lo más desagradable cuando su aniñada cabeza se partió como una nuez.

Will y Chester desviaron la mirada.

Drake abrió en la radio un canal para Parry.

—Dígales a todos que los bichos Guerreros maduros son rápidos y muy ágiles. Y también que son capaces de saltar a cierta altura.

Parry replicó a gritos:

—Ya lo sabemos —dijo. Al fondo sonaron aullidos y escopetazos antes de que Drake cortara la conexión y se volviera hacia la señora Burrows—. ¿Podría llevar a Jeff al otro lado de la calle para que le examinen ese mordisco? —le pidió.

Mientras ella se lo llevaba, Will y Chester siguieron a Drake y a Sweeney hasta el final del corredor, intentando no mirar al Limitador que yacía descerebrado en el suelo. Los chicos oyeron a la Vieja Guardia al otro lado de las puertas cuando empezaron a atravesar el almacén. Disparaban a todo lo que se movía, y los horribles gritos cada vez eran más abundantes y rápidos.

—Quedaos aquí y aseguraos de que no sale nada —ordenó Drake a los chicos mientras Sweeney y él se preparaban para entrar.

—¿No quieres que ayudemos? —se ofreció Chester.

—No, la limpieza ahí dentro no será agradable de ver. No me gustaría que... —Drake calló al oír sonar la radio—.

Parry de nuevo —murmuró, abriendo la frecuencia privada.

—Cuando Jiggs estuvo contigo percibió algo —dijo Parry.

—¿Jiggs... con nosotros? —respondió Drake, frunciendo el entrecejo y mirando a Sweeney, que negó con la cabeza—. Nadie lo ha visto.

—Bueno, localizó una cámara de videovigilancia en el corredor en que te encuentras ahora —continuó Parry—. Dice que hay una sala de seguridad en la segunda planta. Compruébalo, ¿quieres?

Cuando se cortó la comunicación, Drake se dirigió a Sweeney.

—Mantenga la posición aquí, Chispas. Tengo que investigarlo.

Drake retrocedió por el corredor, seguido por los chicos, que querían averiguar lo que iba a hacer. Drake se detuvo ante la puerta de la sala de juntas y observó una cámara que había pegada al techo.

—Sí, ahí está. —Se volvió hacia la zona de recepción y se dirigió al coronel Bismarck—. Jiggs ha localizado la sala de seguridad en el piso de arriba —dijo—. Si el sistema está funcionando, la grabación nos resultaría muy útil.

Drake subió inmediatamente por la escalera para investigar con el coronel, aunque no sin antes encargar a Will y a Chester que relevaran a Sweeney en las puertas del almacén.

—Lo más seguro es que vuelva por este mismo camino. No me voléis la cabeza de un tiro —dijo Sweeney con una sonrisa antes de meterse en el almacén.

Una vez solos, los chicos se apostaron con los Stens, sin dejar de oír ruidos que parecían surgidos de la peor de las pesadillas. Eran gritos penetrantes. Y no parecían tener fin. Como si estuvieran matando a miles de recién nacidos y niños pequeños.

—Sé que no son humanos... pero me alegro de no estar ahí dentro —susurró Chester.

Will se limitó a asentir con la cabeza.

El aire estaba lleno de vapor y lo único que rompía la densa oscuridad eran los ocasionales fogonazos de los disparos.

El pelotón despejaba el campo partiendo de los rincones, mirando con los oculares y gafas de infrarrojos debajo de las camas en las que yacían restos de humanos deshidratados sobre unos colchones manchados de sangre. El equipo térmico que utilizaban era esencial. Era fácil pasar por alto a las larvas más jóvenes, que se escondían debajo de los animales muertos o se refugiaban en cualquier recoveco o grieta que encontraban.

Pero el mayor problema eran las larvas maduras.

—¡Arriba! —gritó uno de los miembros del pelotón al detectar rastros calientes en las vigas metálicas del techo. Mientras las luces enfocaban el escondite, salieron corriendo varias larvas de Guerrero. Utilizaban sus miembros recién desarrollados al completo, moviéndose entre las vigas mientras desde abajo acribillaban el techo con las armas automáticas.

Una larva cayó herida al suelo, donde se retorció y gritó, perforando los tímpanos hasta que un tiro la liberó de todos sus males.

Fue entonces cuando el pelotón encontró a la primera mujer styx.

—Aquí la señal es más fuerte —advirtió uno de los hombres al aproximarse a un montón de camas que casi llegaba al techo—. Podría ser un nido.

Mientras el pelotón avanzaba, una joven larva de Guerrero asomó la nariz por debajo. La dejaron tiesa con un único disparo de pistola; el bicho reventó salpicándolo todo de un fluido lechoso.

Vieron otra larva, no muy lejos de la anterior. Un miembro de la Vieja Guardia se preparó para disparar.

Pero no llegó a hacerlo, porque alguien gritó:

—¡Maldita sea, miradla!

Estaba encaramada en lo alto del montón de camas, con los miembros insectiformes vibrando con un ligero zumbido. La mujer styx había salido reptando, como si fuera una araña que hubiera atrapado una presa en su red. Su barriga hinchada y sus brazos y piernas de delgados tendones contribuían a dar esta imagen.

—¡Alejaos de mis hijos! —ordenó la mujer styx, lanzando miradas lascivas al pelotón mientras la baba le chorreaba de la boca.

Con las cejas arqueadas por la ira y los labios hinchados y negros, sus exagerados rasgos femeninos eran como una máscara burlesca.

—¡Caray! Aseguraría que es mi ex mujer —bromeó uno de la Vieja Guardia, aunque nadie rió el chiste.

—Bajad las armas, hombres. Repito... bajad las armas —ordenó la mujer styx al pelotón de la Vieja Guardia. Había tal autoridad en su voz que varios soldados veteranos, sin darse cuenta, habían empezado a cumplir la orden, como una reacción refleja al entrenamiento recibido durante su larga trayectoria militar.

—¡No! ¡Seguid apuntando! —dijo alguien y, durante unos segundos, nadie se movió.

La mujer styx y el pelotón de la Vieja Guardia se quedaron paralizados un momento.

Entonces, una joven larva de Guerrero quiso volver a su escondite y el miembro de la Vieja Guardia la apuntó con su arma.

Con un gemido de alma en pena, la mujer styx saltó sobre él. Aterrizó delante del soldado en un abrir y cerrar de ojos. Sirviéndose de los brazos y de los miembros insectiformes, asió el fusil de asalto y se lo arrancó de las manos.

La mujer monstruo conocía sus armas. Con la rapidez que la caracterizaba, dio la vuelta al H&K MP53 y apuntó directamente al pecho del soldado.

Y se aprestaba a apretar el gatillo.

Pero otro hombre se había movido a la misma velocidad que ella.

Era Sweeney, que propinó un puntapié al fusil de asalto, desviando así los disparos. Los proyectiles dieron en el suelo, abriendo agujeros en el hormigón.

La mujer styx murmuró un juramento y trató de llegar al rostro de Sweeney con sus miembros insectiformes, pero Sweeney se agachó, esquivando el golpe. Y cuando se irguió de nuevo, tenía el MP53 en las manos.

La mujer styx no esperaba aquello.

Desarmada, hizo lo único que podía hacer. Asió al hombre que había estado a punto de matar a la larva de Guerrero y lo rodeó con sus brazos y miembros insectiformes. Lo apretó con fuerza, rompiéndole varias costillas. Los pies del hombre dejaron de tocar el suelo mientras la mujer lo zarandeaba y se protegía con él de los restantes miembros del pelotón, que acudieron al rescate.

Pero eran demasiados para ella sola.

En la oscuridad reinante y en medio de la confusión, no había posibilidad de dispararle, ya que podían herir al hombre que tenía atrapado. Sweeney se puso a gritar órdenes e hicieron falta diez miembros del pelotón para obligar a la mujer monstruo a que soltara su presa.

Mientras la mujer se retorcía, chillaba y bufaba, consiguieron sujetarla.

—¡A la una, a las dos, a las tres! —contó Sweeney, y la arrojaron contra el montón de camas. Todos los miembros del pelotón abrieron fuego sobre ella, haciéndola trizas a balazos.

Mientras la mujer dejaba de existir, el ex comandante del ejército británico profirió un grito.

Cuando el ruido de los disparos cesó por fin, Parry exclamó «Eco» por la radio. Todo el mundo salió de la fábrica y formó un cordón en la calle.

Se oyó un rugido sordo, como si arrastraran algo muy grande por el suelo. Las llamas comenzaron a lamer la parte interior de las ventanas y a salir como lanzas anaranjadas por los conductos de ventilación del tejado.

—Bombas incendiarias —murmuró Drake mientras envolvía cuidadosamente con un jersey un disco duro que el coronel y él habían sacado de la sala de seguridad—. Nada podrá sobrevivir a esas temperaturas. Ésa era la idea.

Sonaron silbatos.

—Al punto de concentración —gritaron los hombres, y todos se movieron en masa hasta el extremo del aparcamiento, al otro lado de la calle.

Se reunieron alrededor de Parry, que estaba sobre un cajón de armas de fuego, con un aparato en la mano. Además de los hombres de Eddie, que se mantenían juntos en un pequeño grupo, debía de haber allí al menos unos trescientos miembros de la Vieja Guardia, en silencio, todavía con las máscaras puestas.

—Sé que ésta ha sido probablemente una de las misiones más extrañas que os he pedido... y una de las más terribles —proclamó Parry, mirando a ambos lados de la calle—. Pero os quiero dar las gracias a todos por vuestra profesionalidad. La ejecución ha sido impecable...

—¿Ya estás otra vez echándonos flores, jefe? —gritó alguien. Se oyeron carcajadas y el humor de la reunión se transformó de inmediato. Algunos hombres encendieron un puro mientras otros sacaban petacas de licor y las pasaban.

Parry trató de poner un poco de orden en la reunión, aunque sonreía.

—La operación ha sido impecable, como las que solíamos llevar a cabo en su día. Algunos os habéis llevado unos cuantos golpes, pero me alegra informaros de que no ha habido ni una sola baja en nuestro bando.

Todo el mundo miró un Land Rover que estaba con las puertas traseras abiertas. Aunque dentro había dos hombres en camilla, había otros diez esperando a ser atendidos, casi todos con vendajes que les cubrían heridas leves.

—Ahí está papá. Me gustaría ver cómo se encuentra —dijo Chester al ver a su padre en el grupo del Land Rover. Corrió hacia él, dejando a Will solo.

Parry prosiguió:

—¡Y a eso lo llamo yo un éxito rotundo!

La multitud pensaba lo mismo y se lo hizo saber.

—Aunque la misión dista de haber terminado y aún tenemos que expulsar a los styx de la Superficie, hoy... —añadió, respirando hondo— hoy hemos evitado una catástrofe de proporciones planetarias.

—Se acabó. Hemos detenido la Fase —murmuró Will para sí. Con todo lo que había ocurrido en la última hora, casi había perdido de vista lo que habían conseguido—. Maldita sea, lo hemos hecho.

—Y no creo que yo sea el hombre indicado... —prosiguió Parry, levantando el aparato que llevaba en la mano.

Hubo gritos de «¡Sigue, jefe!», pero él negó con la cabeza.

—No, me gustaría que mi viejo y buen amigo, que hoy ha arriesgado el cuello por nosotros...

La multitud lanzó gruñidos de queja.

—Me gustaría que hiciera él los honores —continuó Parry—. ¡Acércate, Hoss!

Un hombre alto fingió esconderse entre la multitud.

—Vamos... tú no eres precisamente tímido —lo animó Parry.

Will se fijó en el hombre que salió de entre los congregados y advirtió que giraba sobre sus talones para mirar a sus camaradas mientras se dirigía hacia Parry.

El hombre recogió el aparato que le tendía Parry y lo levantó.

—Esto es para todos nosotros. ¡Y después de pelear con esos asquerosos bichos ahí dentro, nunca más volveré a quejarme de las plagas de insectos que invaden mi huerto!

La multitud estalló en carcajadas.

—Sólo una advertencia más —dijo Parry, haciéndose oír mientras buscaba a Will con la mirada—. Para aquellos de vosotros que no hayáis visto mucha acción, nunca hay que mirar hacia arriba cuando se está cerca de una explosión. Y ahora, sigue tú, Hoss.

Harry apretó el botón y se produjo una explosión ensordecedora. Parte del techo del almacén principal saltó hacia el cielo y por el agujero salieron grandes llamaradas. Invadido por el fuego, el resto del tejado se hundió, seguido por las paredes, hasta que apenas quedó en pie nada de la antigua estructura.

Will descubrió el motivo de la advertencia de Parry. A los pocos segundos, empezaron a caer escombros en llamas no muy lejos del aparcamiento, aterrizando sobre la nieve y apagándose con un silbido. Pero la Vieja Guardia no se preocupó, y siguió gritando y dando saltos para esquivarlos.

Alguien le tocó la espalda. Will dio media vuelta y vio a Elliott detrás de él.

—Ah, hola —dijo, contento de verla.

—Hola —respondió ella, aunque parecía preocupada y no le devolvió la sonrisa. Durante un momento, miró al horizonte, en la dirección opuesta a las ruinas incendiadas de la fábrica.

—¿Por qué quisiste que Stephanie estuviera a tu lado? —preguntó Will, fingiendo indiferencia.

—Porque ahora es una de nosotros. Alguien tenía que enseñarle cómo funcionaba esto —respondió Elliott con aire ausente—. Y porque tengo esta sensación...

Se estaba frotando la nuca.

Antes de que Will tuviera ocasión de preguntarle a qué se refería, la muchacha anunció:

—Ah, ahí vienen.

Eddie y Stephanie se dirigían hacia ellos y Will se sintió triste. Era diferente ahora que había tanta gente implicada. Ya no eran sólo Chester, Elliott y él contra los styx, con Drake dirigiéndolos.

Algunos miembros de la Vieja Guardia, animados por lo que había en sus petacas, hablaban y fanfarroneaban entre ellos. Otros, cogidos por los hombros, cantaban lo que parecía un himno de victoria:

*They met the tyrant's brandished steel,*
*the lion's gory mane;*
[Arrostraron el acero del tirano,
la ensangrentada crin del león]

Will cayó en la cuenta de algo. Por difícil que el último año hubiera sido para él, se dio cuenta de que sin las geme-las Rebecca y los styx y el constante peligro, nunca habría tenido los amigos que tenía ahora: los mejores amigos del mundo..., amigos con los que podía contar en cualquier situación, por desesperada que fuera.

Y si los styx eran derrotados y la amenaza desaparecía, todo podría cambiar.

*...they bowed their heads the death to feel;*
*who follows in their train?*
[abatieron la cabeza al presentir la muerte;
¿quién seguirá su ejemplo?]*

Quizá siguieran todos caminos diferentes, viviendo vidas que nada tuvieran que ver entre sí. Elliott había recuperado a su padre y Chester a sus padres. En cuanto a Drake, probablemente se iría a buscar otra causa que defender.

¿Y qué clase de vida iba a llevar Will cuanto todo terminara? ¿Dónde terminaría exactamente? ¿Otra vez en Highfield, con su madre y su nariz superdotada? No sabía qué saldría de aquello. Peor aún, tendría que volver al colegio.

La perspectiva de volver a llevar una vida normal lo llenó de un oscuro pavor.

—Mi padre nos llevará en el Humvee parte del camino —dijo Elliott, bostezando—. Quiero estar otra vez en casa, en el Complejo.

—Sí, otra vez en casa —dijo Will.

---

* Versos de un himno religioso, titulado «El Hijo de Dios va a la guerra» y escrito por el sacerdote anglicano Reginald Heber a principios del siglo XIX. Parte del interés actual por este himno se debe a que Rudyard Kipling reprodujo la primera estrofa, algo modificada, al final de uno de sus mejores cuentos, «The man that would be king». *(N. del T.)*

# 15

El Bugatti Veyron cruzó los herbosos campos de Windsor Park, esquivando por los pelos una arboleda.

—Vas demasiado deprisa —dijo Rebecca Uno cuando el coche, lanzado por una pendiente casi sin tocar el suelo, aterrizó con una sacudida, inquietándola a ella y a Vane.

—Ve más despacio. Creo que vamos...

Soltando un gruñido, Vane dio un volantazo mientras pisaba a fondo el freno. El coche trazó un círculo de 360 grados, salpicando nieve con las ruedas a su alrededor.

El motor se caló y Vane bajó del vehículo agitando los miembros insectiformes en el aire.

Rebecca también bajó del coche y Vane se acercó a ella de inmediato.

—¿Qué has hecho? —gimió la mujer styx.

Vane empezó a toser y se dobló por la cintura, vomitando un chorro de fluido amarillento con algo más.

Era una bolsa de huevos.

Cayó de rodillas, recogió la bolsa con las manos y la levantó ante sí como si estuviera haciendo una ofrenda.

—Qué terrible, qué terrible desperdicio —dijo con voz ronca—. Mis niños necesitan un anfitrión. Van a morir.

Con el capitán Franz al volante, el Mercedes cruzó la hierba a toda velocidad y se detuvo al lado del Veyron. Hermione también se encontraba mal y bajó del vehículo trastabillando en cuanto Rebecca Dos le abrió la portezuela. La mujer styx necesitó ayuda para recorrer la corta distancia que la separaba de su hermana.

Al verse, ni Hermione ni Vane dijeron nada, pero agitaron los miembros insectiformes para comunicarse. Aún de rodillas, Vane alargó la bolsa de huevos a su hermana. Hermione negó con la cabeza y en su expresión se reflejó una profunda desesperanza.

Vane se puso en pie tambaleándose y las dos gemelas adultas se enfrentaron a las dos jóvenes.

—¿Por qué habéis hecho esto? Lo habéis estropeado todo —acusó Hermione a Rebecca Dos.

—Yo no he decidido nada. Todavía no sé por qué estamos aquí —respondió la muchacha volviéndose hacia su hermana.

Vane avanzó hacia Rebecca Uno con intención de hacerle daño.

—¿Por qué nos has obligado a abandonar a nuestros niños y todos aquellos cadáveres calientes?

Rebecca Uno ni se inmutó.

—Ahí tienes el porqué —respondió, girando sobre sus talones.

A lo lejos vieron una columna de humo elevándose en el cielo.

Vane y Hermione trataron de entender lo que estaban viendo. Influidas todavía por la Fase, sus rostros estaban demacrados, la piel casi transparente se les pegaba al cráneo y tenían un cerco morado alrededor de los ojos.

—Intenté decírtelo en el coche, pero no me escuchabas —dijo Rebecca Uno en voz baja.

Vieron una llamarada a lo lejos e inmediatamente después oyeron el estampido de una explosión.

—¿Ha sido nuestra fábrica? —preguntó Vane.

Rebecca Uno exhaló un sonoro suspiro.

—Sí, ha volado por los aires. Nuestros almacenes han desaparecido, junto con todo lo que había dentro.

—¡NO! ¡NO! ¡NO! —gritó Hermione con toda la fuerza de sus pulmones.

—¿Y cómo sabías que iba a pasar esto? ¿Por eso te llamaron al móvil? —preguntó Rebecca Dos.

Su hermana asintió con la cabeza.

—Sí. Era una advertencia —dijo con voz quebrada—. Ese pequeño asqueroso, Will Burrows, junto con Drake y esa mestiza de Elliott, y todos los demás que tendríamos que haber enterrado hace meses... ellos son los responsables. Ellos tienen la culpa. —Forcejeaba por contener las lágrimas y respiró hondo antes de proseguir—: Supe que había un gran número de personas contra nosotras. En ese momento no podíamos hacer otra cosa.

—Si han podido sorprendernos de esa manera, no estaremos a salvo en ninguna parte —dijo Hermione.

—Otra vez se ha repetido lo de Rumanía —añadió Vane con voz hueca—. Ahora no somos bastantes para continuar con la Fase. Se acabó. —Abrió la mano y dejó caer la bolsa de huevos sobre la nieve.

—No, no se ha acabado —dijo Rebecca Uno con resolución—. Ojalá hubiera podido salvar a más hermanas, pero al menos conseguí salvaros a vosotras. —Se acercó a Vane y a Hermione y les puso las manos en los brazos—. Y vamos a dividirnos para mejorar las posibilidades que tenemos.

—¿Por qué? ¿Para hacer qué? —preguntó Rebecca Dos.

Rebecca Uno no miró a su hermana, sino que miró alternativamente a Vane y a Hermione.

—Todavía hay tiempo para hacer algo en la Superficie. No sé si resultará, pero podemos inducir a algunas de las hermanas más jóvenes. Así seríais suficientes para volver a poner en marcha la Fase. Pero lo principal —añadió, soltando a Hermione y dejando la mano sobre el brazo de Vane— es que tú y yo iremos a un lugar donde esos malvados Seres de la Superficie no puedan tocarnos. Un lugar donde tendremos todo el tiempo del mundo. Un lugar donde las condiciones para desarrollar la Fase serán perfectas... sencillamente perfectas.

# 16

Drake había conectado el disco duro del sistema de seguridad de la fábrica a un ordenador portátil. Tecleó rápidamente durante varios minutos antes de retreparse en el asiento y estirar los brazos.

—No me vendría mal otro par de ojos —dijo.

Will, Elliott, Parry y Sweeney se congregaron a su alrededor.

—He averiguado la contraseña... no era nada especial. Este disco contiene las últimas doce horas de grabación de las cámaras. —Se echó hacia adelante y tecleó más instrucciones—. Y ahora voy a poner las imágenes de todas las cámaras a la vez, así que cada uno elegirá un par para observar. Las imágenes irán a mayor velocidad de la normal, así que en el momento en que os parezca ver algo interesante, gritad.

Will y los demás se pusieron frente a la pantalla y esperaron sin atreverse apenas a respirar.

—¡Luces! ¡Acción! —exclamó Drake, pulsando una tecla. La pantalla se dividió en diez cuadrículas monocromas cuyas imágenes comenzaron a moverse con rapidez.

Will no quitaba ojo a sus dos escenas; ambas le resultaron conocidas. La superior pertenecía a la zona de recepción y la otra mostraba un tramo del corredor que salía de allí. La cámara de recepción estaba inclinada de tal forma que podía verse el exterior a través de las puertas de cristal, por lo que no había duda de que era de noche.

Los otros se habían repartido el resto de las cámaras, pero Parry no parecía muy contento con las que le habían tocado. Mientras observaba lo que las dos cámaras del interior del almacén principal habían grabado, se inclinó sobre la pantalla para mirar de cerca uno de los cadáveres de las camas, que parecía agitarse ligeramente. El sargento Finch se le había acercado en su silla motorizada y también miraba fijamente la pantalla, con un gato ronroneando en sus rodillas al que acariciaba con aire ausente.

Pero mientras Parry y el sargento Finch seguían mirando el cadáver, el gato comenzó a agitarse violentamente. De repente el cadáver se abrió desde el cuello hasta la entrepierna y empezaron a salir larvas de Guerrero. El hecho de que la escena se desarrollara a gran velocidad hacía que todo fuera aún más desagradable.

Parry retrocedió.

—¡Por los santos pantalones de Dios! —exclamó el sargento Finch, tan fuerte que el gato que tenía en las rodillas se asustó y dio un salto—. Es como cuando una maldita salchicha revienta porque la fríes demasiado.

—Es una abominación —gruñó Parry—. Lo que vi en la fábrica ya era bastante horrible, pero esto desafía cualquier descripción.

—Céntrate, papá, céntrate —dijo Drake—. Necesitamos confirmar que hemos terminado el trabajo.

Parry comenzó a farfullar algo, pero los demás sólo pudieron entenderlo a medias:

—Enséñale a tu abuela a sorber huevos. ¡Venga ya!

Se enderezó, cuadró los hombros y volvió a concentrarse en el trabajo que tenían a mano. En aquella semioscuridad se veían ocasionales imágenes de mujeres styx desplazándose de un lado a otro como insectos mientras fecundaban más cuerpos humanos o comían carne fresca.

—Veo a un Limitador en mi pantalla, pero no va de uniforme —anunció Elliott cuando su cámara captó uno de los soldados styx que vigilaban la puerta principal—. Dos Limitadores —rectificó al aparecer en pantalla otro soldado. Al ver que el número aumentaba, Eddie se acercó para observar con ella sin hacer ningún comentario.

Chester estaba en el pequeño comedor del Centro haciendo té para todos mientras su madre preparaba bocadillos.

—Está todo muy silencioso ahí fuera —dijo mirando a través de la puerta abierta. Luego fue a llenar una de las tazas con agua del cazo.

—Me alegro mucho de que lo hayáis conseguido —respondió la señora Rawls.

—Tengo un coche entrando por delante. Hora, nueve y cuarto —informó Elliott al ver que aparecía un coche de aspecto caro ante las puertas principales y luego entraba en el recinto.

Drake asintió con la cabeza.

—El número de matrícula podría resultarnos de utilidad, pero no quiero detener el...

—Más coches —interrumpió Elliott.

Chester escurrió con la cuchara las bolsas de té de todas las tazas y les añadió leche.

—Voy a llevárselas. ¿Qué tal vas tú?

La señora Rawls no respondió. Seguía dándole la espalda mientras continuaba con la preparación de los bocadillos.

Chester se detuvo a su lado.

—¿Todavía estás con la mantequilla? —dijo sorprendido. No entendía por qué tardaba tanto.

—Me alegro mucho de que lo hayáis conseguido —repitió la señora Rawls.

Chester sacudió la cabeza.

—Mamá, ¿te encuentras bien?

La madre no respondió y siguió untando meticulosamente el pan, que ya estaba impregnado de mantequilla.

—Tengo a las dos Rebeccas en el corredor —anunció Will estremeciéndose—. Creo que una está hablando por un teléfono móvil.

Las gemelas desaparecieron de la pantalla.

—Reduciré la velocidad de reproducción —dijo Drake, tecleando en el ordenador.

—Demasiado tarde, ya no se ven... pero estoy casi seguro de que una iba hablando por el móvil —comentó Will.

—Las volveremos a ver en el almacén principal. Mantén esa velocidad —dijo Parry—. Esto es interesante. Se mueven muy rápido, pero... ¿qué hacen? Mira eso... ¡se llevan a dos mujeres styx con ellas! —Golpeó el suelo con el bastón—. ¡Las están sacando del almacén!

—Tengo a Rebecca con una mujer styx dirigiéndose hacia la entrada principal —intervino Will.

—Y yo tengo a la otra Rebecca en la parte de atrás. También lleva a una mujer styx con ella —anunció Elliott.

Drake miró la pantalla grande.

—¿Mujeres styx? ¿Estáis seguros?

Elliott respondió con voz inexpresiva:

—Sí. Veo claramente sus miembros insectiformes.

Will percibió más actividad en una de sus ventanas.

—Yo también.

Drake sacudió la cabeza.

—Eso no es bueno. No dejéis de mirar... Tenemos que saber qué más ocurrió antes de que llegáramos.

—¿Mamá? ¿Qué te ocurre? ¿Estás preocupada porque hirieron a papá?

Chester puso una mano en el hombro de su madre, pero ésta se apartó sin dejar de trabajar en la encimera. Cogió otro trozo de pan con mantequilla y volvió a untarlo.

—¿No estás poniendo demasiada? —preguntó Chester con voz amable.

La señora Rawls permaneció en silencio.

—Si estás enfadada porque resultó herido, no fue culpa de Drake... hizo todo lo que pudo para evitarnos cualquier peligro.

Chester adelantó la cabeza para verle la cara. Su madre no parecía inquieta.

—¿Por qué no vas a ver a papá? La señora Burrows le está cambiando el vendaje y estoy seguro de que le gustaría que estuvieras allí —añadió con suavidad.

—... de que lo hayáis conseguido..., de que lo hayáis conseguido..., de que lo hayáis conseguido —murmuró la señora Rawls, como un disco rayado.

—Pero ¿qué dices? —Chester no la entendía.

Se quedó un momento pensativo.

—Para mañana —aventuró— se prevé que lloverán ranas de chocolate. Tenemos que cazar algunas para comer. ¿Qué opinas? ¿Ranas de chocolate?

La señora Rawls habló en tono normal, pero Chester ya había oído demasiadas veces la misma frase:

—Me alegro mucho de que lo hayáis conseguido.

Mientras las imágenes monocromas de algunas ventanas se fundían en negro, otras se llenaron de rayas onduladas y otras interferencias.

—Esto es cuando llegamos —dijo Drake—. Los sensores de la cámara se han saturado con la luz de las explosiones.

Parry se volvió hacia él.

—Entonces no cabe duda de que las gemelas han puesto patas en polvorosa. —Sacudió la cabeza, horrorizado—. No quería hacer un chiste. Y se han llevado a dos mujeres styx. —Miró a Drake—. Fue en el momento más oportuno. ¿Estás pensando lo mismo que yo?

Drake enarcó las cejas.

—La llamada de móvil debió de ser para advertirlas de que estábamos a punto de entrar —añadió Parry.

—Así que hay un espía entre los de la Vieja Guardia —sentenció Will, pensando en voz alta—. O eso o uno de los Limitadores de Eddie es un traidor.

—Eso es imposible —dijo Eddie.

Mientras hablaban, Chester había salido de la cocina y se encontraba al lado de Drake.

—Tengo que hablar contigo —dijo con expresión preocupada.

—Espera un momento, Chester —dijo Drake, rebobinando hasta el momento en que Will había visto a una de las Rebeccas entrando en el corredor y congelando la imagen ahí—. Tienes razón... está hablando por el móvil. Si el reloj de la grabación marca la hora correcta, podremos determinar el momento en que tuvo lugar la llamada. Danforth podría rastrearla por el transmisor más cercano.

—Drake —perseveró Chester con voz trémula y apremiante.

—¿Y dónde está el profesor? —preguntó Drake, volviendo a teclear en el ordenador.

Chester plegó con brusquedad el ordenador portátil y casi pilló los dedos de Drake con la pantalla.

—¿Por qué no me escuchas? A mi madre le pasa algo raro.

—¿Qué quieres decir? —preguntó Drake, dándose cuenta en ese momento de lo preocupado que estaba el muchacho.

—Se comporta de forma anormal y no deja de decir lo mismo una y otra vez cuando le hablo... —farfulló Chester, callando al ver que Drake y Elliott cambiaban miradas de inquietud. Ambos cogieron sus armas y se pusieron en marcha inmediatamente.

Will se había desplazado hacia el eje del Centro con intención de echar un vistazo a la señora Rawls, a la que suponía aún en la cantina. Pero en lugar de verla a ella, vio algo más bien incongruente.

—Ahí está Danforth —anunció, señalando el túnel de entrada. Todas las puertas de la sección estaban abiertas y el hombrecillo se encontraba dentro del túnel, a cierta distancia.

En aquel momento hubo un corte de electricidad y el Centro quedó totalmente a oscuras.

—¿Son los styx? —dijo la señora Burrows, presintiendo que algo iba mal. Will no la había visto entrar en el Centro, y a ella, por supuesto, estar a oscuras no le suponía ninguna diferencia.

—No, no lo sabemos. Quedaos todos donde estáis —ordenó Parry, tratando de mantener la calma.

—¿Adónde ha ido Emily? —preguntó la señora Burrows.

Las luces de emergencia parpadearon y se encendieron. Y en el pálido resplandor amarillento que teñía el pasillo, vieron claramente que la señora Rawls se dirigía sin vacilar hacia el profesor.

—¡Mamá! —gritó Chester.

Aún no había llegado junto al profesor cuando se detuvo bruscamente y dio media vuelta.

—¿Qué lleva puesto? —preguntó Chester con voz entrecortada al ver a su madre con una prenda ancha que recordaba a un chaleco salvavidas.

Elliott había empuñado el fusil y apuntaba al pasillo.

—Desde aquí podría darle al profesor —dijo en voz lo bastante alta para que la oyera Drake.

Drake negó moviendo la cabeza de un modo casi imperceptible y gritó a Danforth:

—¿Qué es esto? ¿Qué está pasando?

—Plan B —dijo el profesor, echándose a reír—. No creí que fueseis a descubrirme tan pronto.

Tenía algo en la mano. No era un arma.

—¿Qué quiere decir con que lo hemos descubierto? —preguntó Drake, empezando a andar hacia él.

—¿Puedo sugerirte que te mantengas alejado? —amenazó el profesor, blandiendo el control remoto con la mano—. Sometí a la señora Rawls a la Luz Oscura cuando el sargento Finch dormía la siesta. Puede que haya sido algo precipitado y no tan perfecto como me hubiera gustado, pero la misión para la que la he programado es muy sencilla. Lleva suficientes explosivos en la blusa para hundir el techo si le digo que lo detone. Y si alguien me dispara un solo tiro o se acerca demasiado, también sabe lo que pasará. Será el momento de hacer buuum.

—¡DANFORTH! —gritó Parry—. ¿A qué infiernos estás jugando?

—No me levantes la voz, jefe, viejo amigo. He anulado todos los sistemas del complejo, así que sé educado conmigo, por favor. No hay nada que puedas hacer. —Danforth pulsó una tecla del control remoto y la puerta de la sección que lo separaba de la señora Rawls empezó a cerrar el pasillo. La señora Rawls no se movió, estaba tan quieta como una estatua. Danforth volvió a apretar el control y la puerta invirtió su trayectoria, volviendo a quedar junto a la pared. El sargento Finch apretaba los botones del manillar de su silla motorizada, pero ya no tenían efecto alguno.

—¡Explícate, Danforth! —gritó Parry con una voz de trueno.

—No podéis ganar —vaticinó el profesor—. Los styx han traído un nuevo amanecer. Sabes que terminé la traducción del *Libro de la Proliferación* mientras estabais en Londres. Es un programa de lo que vendrá después... después de la raza humana. Y lo que encontré cuando examiné a Elliott... bueno, me abrió los ojos. No es nada personal, Parry... es la evolución y yo quiero estar en el equipo ganador.

—Así que huyes del barco y te pasas al otro bando, ¿no es eso? —gritó Parry—. ¡A mí sí me parece algo personal, maldito idiota!

—¿Y por qué no iba a hacerlo? —replicó Danforth—. He terminado con los de mi especie... Se quedaron con el fruto de todo el trabajo de mi vida y el único agradecimiento que he recibido ha sido la jubilación forzosa y un arresto domiciliario en un páramo escocés. No fue justo, pero no espero que lo entiendas, Parry.

—No, maldita sea, no lo entiendo —gruñó el viejo—. Todos hicimos lo que nuestro país nos pedía y ninguno esperaba recibir medallas a cambio.

Por primera vez, Danforth perdió la calma y elevó la voz mientras se apoyaba en el otro pie.

—No esperaba flamantes medallas. Esperaba gratitud. —Respiró hondo para calmarse—. Lo único que quería es que alguien dijera: «Buen trabajo, profesor Danforth... con su ingenio ha hecho del mundo un lugar mejor». Pero en lugar de eso, recibí una orden nauseabunda en un sobre beis y un viaje de ida en un coche policial hasta tu mohosa finca, Parry.

—Así que, como un niño quejica, decidiste traicionarnos —le recriminó Parry.

—Fue muy fácil rastrear el número de móvil de las Rebeccas. Era demasiado tarde para salvar su operación en la fábrica, pero les hice una oferta que no podían rechazar. No la rechazaron. Cuando el nuevo orden esté establecido, quieren que me haga cargo del desarrollo de su tecnología. ¡Será el paraíso!

—Te engañas a ti mismo —le espetó Eddie—. No te necesitan.

La convicción de Danforth no se alteró por este comentario.

—Muy al contrario. Me han garantizado un puesto con los nuevos reyes del castillo.

La voz de Eddie era tan monótona como siempre, pero Will habría jurado que había en ella un no sé qué de venganza.

—Cuando aparezcas, te ejecutarán como si nada. Eres un Ser de la Superficie.

Danforth rió con crispación.

—Al contrario, estoy en la lista protegida, mientras que todos vosotros, incluidos los traidores como tú, mi viejo amigo Eddie, pertenecéis a una especie en peligro, junto con los pobres osos pandas.

—¿Así que has dicho a los styx dónde encontrarnos? ¿Ya vienen hacia aquí? —preguntó Drake.

Danforth negó con la cabeza.

—No. Llámame sentimental, pero no quiero mancharme las manos con vuestra sangre. No preguntaron dónde estabais, probablemente porque la partida continúa y, de todas formas, estaréis todos muertos de aquí a unos meses. —Sonrió para sí—. No creáis que vuestras payasadas en la fábrica han tenido importancia. No se puede detener lo inevitable y la Fase se desarrollará igual. Es el progreso.

Se irguió cuan alto era con una sonrisa presuntuosa bailoteándole en los labios.

—Los styx me necesitan. Mi detallado examen del *Libro de la Proliferación* les muestra cómo podrían haberlo hecho de una forma diferente: quiero decir mejor.

—¿A qué te refieres? —preguntó Drake.

—Bueno, ¿qué otro lugar posee unas condiciones idénticas a la superficie, con un suministro de seres humanos frescos y en el que no habrá ninguna interferencia por parte de neandertales de la Superficie como vosotros?

Se hizo el silencio hasta que el profesor se dio unos golpecitos en la frente con el dedo índice.

—No se os ocurre nada, ¿verdad? Gracias a mi consejo, las Rebeccas han trasladado el lugar de ejecución de la Fase a donde tendría que haber estado desde el principio: en el mundo interior del coronel Bismarck. ¿A ninguno de vosotros, pobres tarados, se os ocurrió antes? Las condiciones ahí abajo son ideales.

Danforth consultó su reloj.

—En fin —añadió—, ya es hora de que vaya a reunirme con mis nuevos colegas. —Dando un paso atrás, agitó el control en el aire—. Ninguno de vosotros me seguirá, porque voy a cerrar este lugar el tiempo suficiente para escapar. Y mi eficaz ayudante, la exquisita Emily Rawls, es mi garantía de que no intentaréis salir por la fuerza.

Will percibió una débil presencia que se movía lentamente en la oscuridad del extremo del Centro. Estaba a punto de avisar a Drake cuando el señor Rawls salió de las sombras al débil resplandor amarillento del pasillo. Estaba claro que acababa de cambiarse las vendas, pues su camisa aún estaba sin abotonar.

—¡Emily! Soy yo, amor mío. Soy Jeff.

Mientras aceleraba el paso, el señor Rawls alargó los brazos hacia su mujer.

—¡No, papá! —gritó Chester.

—¡Os lo advierto! ¡Decid a ese imbécil que se aparte! —exclamó Danforth, retrocediendo aún más por el pasillo.

Pero el señor Rawls no se detuvo.

—Emily... soy yo, Jeff. No escuches a ese hombre —suplicó a su mujer.

—¡Jeff, vuelva atrás! ¡Es una orden! —gritó Drake.

—Esto no va bien —susurró Parry.

Will vio que Danforth manipulaba el control remoto. Movía la cabeza en sentido negativo mientras la puerta de la sección cerraba el pasillo, delante de él.

El señor Rawls siguió avanzando hacia su mujer, pero redujo la velocidad mientras hablaba apaciblemente con ella, con voz calmada y suave.

Cuando llegó a su lado, la señora Rawls se volvió hacia él. Tenía el rostro totalmente inexpresivo.

—¡Mamá! ¡Papá! —gritó Chester con desesperación, echando a correr hacia ellos.

—¡A cubierto! —gritó Parry. Asió el manillar de la silla motorizada del sargento Finch y la empujó hacia la zona de los ascensores.

Vieron un relámpago repentino y a continuación oyeron una explosión que les sacudió los huesos.

Will saltó por los aires, se golpeó contra uno de los escritorios y quedó inconsciente.

Luego sólo hubo oscuridad y polvo en el Centro.

Y el estruendo de las toneladas de tierra y piedras que cayeron cuando la montaña sepultó el túnel de entrada.

El único camino para entrar o salir del Complejo estaba sellado.

# 17

Will despertó en el suelo. Estaba tendido sobre unas mantas y cubierto por una fina capa de polvo. Tuvo que quitárselo de los ojos para poder abrirlos bien, aunque no le sirvió de mucho porque apenas había luz en la habitación. En una mesa cercana, alguien había conectado un casquillo de bombilla a lo que parecía una batería de coche y, aunque débilmente, alumbraba el lugar.

Will se irguió con un agudo dolor de cabeza y sufrió un ataque de tos. Cuando se le hubo pasado, oyó algunas voces, bajas y sombrías. Una pertenecía a Elliott.

—Deberías quedarte un rato acostado —le aconsejaba el coronel Bismarck cuando éste entró en su campo visual. El neogermano llevaba colgado del hombro un zurrón con una ancha cruz roja.

—¿Cómo he llegado aquí? —preguntó Will, todavía aturdido.

—Estás en una de las salas de reuniones. Te has dado un golpe serio —dijo el coronel, señalando la frente de Will—. He cortado la hemorragia y te he vendado la herida, pero necesitas descansar.

Will se tocó el vendaje mientras trataba de recordar lo que había pasado.

—La explosión —murmuró, al caer en la cuenta.

A pesar de las protestas del coronel Bismarck, Will se había propuesto ponerse en pie. A la débil luz de la bombi-

311

lla vio a Chester y a Elliott sentados en sendas sillas al otro extremo de la habitación.

—¡Eh! —exclamó Will con alegría al ver que sus amigos estaban a salvo.

Un recuerdo, el segundo anterior a la explosión, apareció entonces en su mente como si fuera la última pieza de un rompecabezas. Recordó a los padres de Chester en la entrada del túnel. Estaban juntos. El señor Rawls abrazaba a su mujer, pero el recuerdo no conducía a ninguna parte y se disolvía en una espiral de fuego, oscuridad y vacío.

Como si una potente ráfaga de viento lo hubiera empujado, Will se aferró al borde de la mesa para sujetarse.

—¡Eh! —repitió, aunque esta vez le salió de la garganta en forma de gemido.

—Hola, Will —respondió Chester con voz neutra—. ¿Cómo te encuentras?

—Me duele la cabeza... un poco mareado. Y me pitan los oídos —replicó Will.

—A mí también —comentó Chester—. Tengo una quemadura en el brazo, pero no es grave. Tuve suerte.

Will se movió deslizándose por el borde de la mesa, encontrándose con la mirada de Elliott al levantar los ojos. Advirtió que la muchacha había estado llorando y que las lágrimas habían dejado un rastro en sus mejillas sucias.

Chester estaba sentado muy tieso y se asía a los brazos del sillón como si estuviera en una montaña rusa.

Will se aclaró la garganta.

—Chester... yo... no sé qué decir. Estoy muy...

Dio otro paso, alargando la mano hacia la de su amigo, aunque no lo tocó.

Chester había estado mirando fijamente la parpadeante bombilla, pero entonces se concentró en la mano de Will. Le empezó a temblar la mandíbula como si estuviera a punto de romper a llorar. Levantó la cabeza, con el rostro inexpresivo, y se puso a mirar otra vez la bombilla.

Will se quedó a su lado con la mano alargada y los dedos ligeramente separados. Recordaba demasiado bien cómo se había sentido cuando una de las Rebeccas había disparado a sangre fría contra su padre, pero aquel segundo anterior a la explosión en el túnel de entrada se había llevado a los progenitores de Chester.

Will quería decir algo que llenara el silencio.

—¿Todos los demás están bien? —preguntó, lamentando haber elegido aquellas palabras en el momento en que las pronunció. «¿Todos los demás están bien? ¿Por qué demonios tengo que molestar a mi amigo con esta pregunta?»

—Sí, creo que sí —respondió Chester. Miró fugazmente a Elliott, que se lo confirmó con un movimiento de cabeza, y luego siguió mirando la bombilla—. El sargento Finch ha perdido algunos gatos. Es una pena.

Si Will estaba en condiciones de sentirse peor, esta respuesta lo consiguió. Su amigo lamentaba la suerte de los gatos cuando había sufrido la mayor pérdida imaginable. Chester siempre había estado muy unido a sus padres, sobre todo después de la prematura muerte de su hermana. Y el señor y la señora Rawls adoraban a su único hijo. Sólo se habían separado de él cuando Will se lo había llevado a la Colonia.

Y aunque no por culpa de Chester, sus padres se habían visto arrastrados a toda la pesadilla de los styx, y ahora habían pagado el precio definitivo por su implicación involuntaria. Will se sintió tan culpable que quiso arrojarse a los pies de Chester. Quería suplicar a su amigo que lo perdonara.

Pero no lo hizo.

Antes bien, buscó de nuevo la mano de Chester, consiguiéndolo esta vez. Chester no se movió cuando los dedos de Will acariciaron su mano, firmemente sujeta al brazo de la silla.

Fue una acción torpe y Will no sabía qué hacer a continuación. Él no era Elliott... no podía abrazar a su amigo. Murmurando «lo siento» apartó la mano y salió tambaleándose de la habitación. Tenía que salir, necesitaba escapar. Ya en la oscuridad del pasillo, se detuvo.

—Dios mío... ¿por qué ha tenido que ocurrir esto? —murmuró con voz ronca, con la garganta agarrotada por el arrepentimiento y el reproche—. ¿Por qué han tenido que morir? ¿Por qué ellos y no yo?

Retrocedió hasta que tropezó con la pared... la pared tras la que su pobre amigo trataba de encajar la pérdida.

Lo que más crispaba a Will era que por mucho que lo deseara, no podía hacer nada para que las cosas volvieran a ser igual para Chester. No podía devolverle a sus padres. Will se sentía exactamente igual que cuando la fiebre le producía pesadillas de niño y se despertaba con la sensación de que había cometido un error garrafal. Aunque no supiera cuál había sido su delito, la culpa era tan punzante como un cuchillo que le desgarrase las entrañas.

Le seguía doliendo mucho la frente, pero se dio la vuelta y la apretó con fuerza contra la pared. Luego empezó a darse golpes de manera reiterada, dando gracias por el hiriente alivio del dolor.

—No, no, no, no.

Will se detuvo al sentir la sangre en los ojos. Parpadeó. Entonces oyó gritos en el Centro y a continuación un estrépito. Drake estaba gritando algo. La idea de que alguien pudiera necesitar ayuda lo obligó a erguirse y avanzar a tientas por el pasillo hasta que entró en el Centro.

Aunque había aún algunas nubes de humo flotando en el aire, se habían colocado luces de emergencia, así que pudo ver el alcance de los daños. Una fina película de cieno gris lo cubría todo, y muchas mesas habían saltado: las más próximas a la entrada estaban ennegrecidas por el fuego.

Pisando los escombros que cubrían el suelo, Will se abrió paso hacia el túnel. A unos siete metros, estaba totalmente tapiado por grandes bloques que habían caído del techo de hormigón. Los reventados tubos del cableado colgaban sueltos del techo y de las paredes como arterias cortadas. Y casi todo lo que quedaba del túnel estaba manchado de carbón.

—Tenemos suerte de seguir con vida —dijo Parry, apareciendo al lado de Will para inspeccionar los daños.

—Los padres de Chester... ¿Cabe alguna posibilidad de que hayan escapado? —preguntó Will, mirando el montón de escombros.

Parry negó con la cabeza.

—Danforth sí que habrá salido con vida, porque estaba al otro lado de la puerta, pero me temo que ellos no.

Will se quedó un momento en silencio.

—¿Podríamos abrirnos camino a través de todo esto? —dijo por fin.

—Supongo que necesitaríamos un grupo de especialistas con el equipo apropiado excavando durante dos o tres semanas. —Sin detenerse apenas a respirar, Parry preguntó—: ¿Cómo se encuentra Chester?

—Sinceramente, no lo sé —respondió Will volviéndose hacia Parry—. Creo que todavía sigue aturdido.

Parry miró fijamente a Will.

—Estás cubierto de sangre. El coronel me dijo que te había limpiado —dijo con voz sorprendida.

—No es nada —murmuró Will. No pensaba admitir que se había reabierto la herida él solo golpeándose contra la pared del pasillo. Se volvió para mirar a Drake, que estaba al otro lado del Centro, hundido hasta los tobillos en los cables eléctricos que Danforth había estado manipulando. Oyó que Drake gritaba algo a Sweeney y advirtió que el grito reflejaba pánico. Dijo a Parry—: Estamos en un serio problema, ¿verdad?

—Aparte del hecho de que deberíamos estar fuera persiguiendo a las gemelas styx y a sus mujeres, sí, tenemos aquí un serio problema —respondió Parry—. Danforth ha destrozado a hachazos todos los sistemas del Centro. Todo ha quedado inutilizado. —Su voz era tan baja que a Will le costó trabajo entenderla.

—¿Todo? —preguntó Will.

Parry suspiró.

—Lo único que nos queda es un par de teléfonos vía satélite, pero sin ninguna posibilidad de recibir señal, algunas baterías industriales y un ordenador portátil que aún funciona. —Parry tragó una profunda bocanada de aire y lo expulsó lentamente—. Quizás esté concediendo demasiada gloria a Danforth, y cuando lo vea de nuevo, puedes estar seguro de que estrangularé a ese bastardo; pero no creo que nos quiera muertos. Creo que ni siquiera imaginó que la señora Rawls detonaría el chaleco explosivo.

—Ah, ¿no? —dijo Will.

—No. Lo único que él quería era tenernos encerrados el tiempo suficiente para escapar. Pero Danforth es muy concienzudo; ha puesto cargas para destrozar todos y cada uno de los generadores. No sirve ninguno.

—¿Así que no hay ni pizca de electricidad? —preguntó Will—. ¿Por qué lo habrá hecho?

—Supongo que por si se nos ocurría conectarla con las puertas reventadas —dijo Parry señalando con el bastón lo que quedaba del túnel de entrada—. Lo hemos comprobado una y otra vez. Todos los generadores están destrozados y sin posibilidad alguna de arreglo. Y uno de los efectos secundarios es que no hay energía para el sistema de ventilación. De todos modos, el fuego consumió buena parte del oxígeno disponible. Haciendo un cálculo somero, yo diría que nos queda aire para unos quince días, quizá menos, teniendo en cuenta que somos muchos.

—Vamos a quedarnos sin aire —susurró Will, tratando de asimilar la noticia.

Parry echó a andar lentamente hacia Drake y Will fue tras él.

—¿Y los conductos de ventilación por los que entraba el aire? ¿No pueden abrirse manualmente? —sugirió Will, añadiendo una idea que se le ocurrió en el último instante—: ¿Y no podríamos subir por ellos?

—Ésa sería una excelente solución —comenzó Parry, golpeando con el bastón algo que había en el suelo y agachándose para recogerlo. Era una taza, y mientras Parry la volvía, Will pudo ver que aún contenía un poso de té—, si no fuera porque no hay ninguno. El Complejo fue construido sobre la premisa de que tenía que estar completamente aislado del exterior. Está herméticamente cerrado... ni una molécula entra o sale.

—Entonces, ¿de donde procede el aire? —preguntó Will.

—Cuando la seguridad nacional está en peligro, el túnel de entrada queda sellado y el aire se toma de la reserva... de los tanques presurizados que hay en cada nivel.

Will sintió que en su interior renacía la esperanza.

—Entonces no hay nada que temer, porque...

—Los tanques están vacíos —lo interrumpió Parry.

—Lo cual no mejora las cosas, ¿verdad? —murmuró Will cuando llegaban junto al sargento Finch y su silla motorizada. El sargento tenía la cabeza gacha y acariciaba un pequeño bulto que había en sus rodillas. Era uno de sus gatos muertos, al parecer un cachorrillo.

Stephanie estaba arrodillada al lado del sargento. Despeinada y el rostro cubierto de suciedad, no parecía la Stephanie de siempre. Miró brevemente a Will a los ojos y luego siguió con lo que estaba haciendo. Will la observó mientras envolvía el cadáver de otro gato. Había por lo menos seis cuerpecitos peludos, cubiertos con sendas servilletas. Aquellos tristes y diminutos cadáveres le recordaron algunas imágenes de televisión que había visto sobre accidentes aparatosos o ataques terroristas. A pesar de que eran gatos y no personas, no dejaba de ser un espectáculo horrible, ya que la sangre había empapado el blanco algodón de las servilletas.

Will hacía comentarios en voz baja mientras Parry y él se acercaban a Drake.

—¿Ha hablado alguien con el sargento Finch? Me parece recordar algo que dijo usted sobre el reabastecimiento de víveres.

Parry negó con la cabeza.

—Cada dos meses un miembro de la Vieja Guardia se deja caer por un chamizo que hay al otro lado de la montaña.

—¿Un chamizo? —dijo Will, arrugando el entrecejo ante aquella palabra, cuyo significado desconocía.

Parry se encogió de hombros.

—Es un cobertizo de piedra en desuso. La Vieja Guardia no sabe para quién son los víveres, debido a las restricciones de seguridad, así que la comida se queda allí hasta que se pudre. Y a causa de los recortes presupuestarios, el semisecreto departamento de ingeniería del MI5 que se encarga de este Complejo sólo envía un equipo aquí una vez al año. Y como la próxima visita no está programada hasta dentro de siete meses, lamento decirte, Will, que tendremos que arreglárnoslas solos.

A Will se le ocurrió otra idea cuando oyó maullar a un gato y miró a Stephanie por encima del hombro.

—¿Y qué hay del Viejo Wilkie? ¿No se preguntará qué nos ha ocurrido?

—Quizá, pero no sabe dónde estamos. Debido a las restricciones de seguridad, le vendé los ojos cuando lo dejé a unos noventa kilómetros de aquí. Y también le ordené que mantuviera apagada la radio.

Will ató cabos y pensó otra cosa.

—¡Jiggs! ¿Qué hay de J...?

—Está aquí dentro, con nosotros —respondió Parry, alejándose. Will se quedó mirando fijamente las sombras del Centro, preguntándose dónde estaría en aquel momento aquel escurridizo personaje.

Transcurrieron algunos días. Chester parecía estarse todo el tiempo mirando al vacío con aire ausente. Y en las pocas ocasiones en que se quedaba dormido, despertaba llamando a sus padres a gritos. Aunque la señora Burrows se sentaba a veces con él, Elliott se había comprometido a procurar que no se quedara solo. Para empezar, había intentado que Chester se olvidara de su sufrimiento hablando con él, pero como él no mostraba ningún interés, se limitaba a sentarse a su lado en silencio.

Así que Will se encontró con que no tenía a nadie con quien compartir el tiempo. Vagaba por el Complejo a oscuras, sintiéndose un cero a la izquierda, porque no había nada que pudiera hacer para ayudar a nadie.

Y Chester no era el único que no dormía; Drake y Parry apenas habían pegado ojo mientras se esforzaban por encontrar una manera de salir del Complejo, o un medio para pedir ayuda. La señora Burrows abría latas de comida en la cocina para que se sirvieran todos, y cuando Will aparecía por allí, se detenía a menudo a oír las interminables conversaciones de Drake y Parry. A veces también estaban presentes el coronel Bismarck, Eddie o el sargento Finch, pero padre e hijo eran los que más hablaban.

La primera iniciativa de la que oyó hablar Will fue la propuesta de Parry de reventar las puertas de alguno de los otros niveles, para disponer de más aire. Will había descubierto que los niveles tres, cuatro y cinco habían quedado sellados por sus puertas automáticas después de la explosión. Cuando Will preguntó a Parry el porqué, éste le dijo que era una medida para proteger a los que hubiera dentro si se veía amenazada la integridad del Complejo. Drake había rechazado de plano la idea de Parry, argumentando que la cantidad de aire no sería muy apreciable. Y después de muchos cálculos, se decidió que utilizar explosivos en el corazón del Complejo comportaría demasiado riesgo, y probablemente consumiría más oxígeno del que conseguirían.

Tras varias discusiones infructuosas, Drake y Eddie empezaron a trabajar con otra iniciativa. Con la ayuda del sargento Finch, habían localizado las microfichas de los planos del Complejo. Will no sabía lo que era una microficha, así que observó con interés que Drake ponía en funcionamiento el escáner de Danforth conectándolo a una cadena de baterías industriales. Una vez que hubo escaneado las microfichas —que, según averiguó Will, eran transparencias del tamaño de una postal con fotografías minúsculas de varios documentos—, pudo ampliarlas en la pantalla del ordenador, lo suficiente para poder interpretarlas.

Drake y Eddie se turnaron para estudiar aquella documentación; la mayor parte consistía en planos arquitectónicos de la estructura del Complejo, y esquemas del cableado que registraban hasta el más mínimo detalle. Ninguno había dicho lo que estaban buscando, pero aun así pasaban horas observándolos.

Otra iniciativa había sido servirse de las antenas de radio ocultas en la torre de alta tensión de la montaña para enviar una señal de socorro. Pero después de encender uno de los transmisores de radio del Centro, quedó claro que Danforth ya había previsto algo así. A pesar de intentar todo lo que se le ocurrió, Drake no consiguió nada. O Danforth había empleado interruptores diferenciales o había puesto más explosivos para inutilizar las antenas.

La perspectiva era totalmente deprimente, y las conferencias entre Drake y Parry languidecían según iban quedándose sin ideas.

Pero después de oír a Parry mencionar la existencia de un arsenal en el Nivel 6, la planta más baja del Complejo, Will se propuso bajar allí para investigar a conciencia. Además, estaba convencido de que cada vez le costaba más respirar en el Centro. Puede que sólo fuera su imaginación, pero estaba empezando a sentir claustrofobia.

Había ido a su habitación a recoger la esfera luminiscente y se dirigía a la escalera cuando tropezó con Stephanie, que había recuperado su antigua personalidad: se había lavado el pelo y olía a limpieza. Will notó que incluso llevaba maquillaje. En medio de toda la mugre y oscuridad del Complejo, brillaba con tal intensidad que a él le dio un salto el corazón.

—Estás fantástica —la piropeó de manera espontánea.

—Gracias, Will —respondió la muchacha, esbozando una sonrisa—. Creo que ya he aportado mi granito de arena para ayudar al sargento Finch. —Will sabía que había pasado varios días con el anciano, que sufría por la muerte de sus gatos—. Es un encanto, pero... —inclinándose confidencialmente hacia Will— huele un poco mal. Así que decidí que merecía un poco de tiempo libre. Un momento personal.

Preguntó a Will adónde iba y quiso ir con él. Will se sintió muy agradecido por la compañía.

—Es realmente espeluznante, ¿verdad? —comentó Stephanie fingiendo un escalofrío cuando llegaron al final de la escalera y vieron que no podían seguir bajando.

El inicio del Nivel 6 contrastaba de manera radical con el trazado de las demás plantas, porque no había un pasillo principal, sino un espacio abierto en el que suelo, paredes y columnas espaciadas regularmente eran de hormigón desnudo, con manchas ocasionales de agua de color óxido. La esfera luminiscente de Will creaba sombras móviles mientras pasaban entre las columnas.

—Es como un dormitorio gótico o algo por el estilo —dijo riendo Stephanie al ver una calavera sonriente en una señal de tráfico que indicaba peligro, cubierta de telarañas.

—Sí —admitió Will con algún titubeo, mientras se preguntaba por qué Stephanie se sentía obligada a llenar los silencios—. ¿Crees que aquí se respira mejor? —preguntó deteniéndose.

Stephanie tragó una ruidosa bocanada de aire.

—Podría ser —respondió.

—Drake dice que el anhídrido carbónico es más ligero que el oxígeno. Así que cabe la posibilidad de que en este nivel haya más oxígeno —comentó Will, pensando en voz alta y tratando de recordar el resultado del debate que habían entablado Drake y Parry.

—Mmmmm —murmuró Stephanie pensativa cuando llegaron a unas estructuras que se elevaban casi hasta el techo.

—Son los tanques de agua —dijo Will, iluminando con la esfera los tanques que tenían a ambos lados—. Son muy grandes, ¿no? —dijo, acercándose a uno y golpeándolo con la mano abierta. El sonido retumbó como una campana sepulcral—. Parece lleno.

—Bueno, al menos como que no moriremos de sed —sentenció Stephanie.

Mientras Will investigaba entre los tanques con la esfera, la muchacha se quedó en silencio, algo poco característico de su personalidad.

Mientras se adentraban en la planta, pasando entre los generadores que Danforth había estropeado, le dio la mano a Will. Este debió de sobresaltarse ligeramente, porque la muchacha se echó a reír.

—Ejem —carraspeó el joven con torpeza, cuidando de no iluminarse con la esfera porque no quería que Stephanie viese lo nervioso que estaba.

—Me gustas, Will —dijo la muchacha con dulzura—. Lo sabes, ¿verdad?

Will siguió avanzando, pero relativamente despacio, porque Stephanie no le soltaba la mano. No respondió inmediatamente, pero al final tuvo que decir algo:

—A... a mí también me gustas tú.

—Lo dices como para no contrariarme. Pero está bien.

Se puso a trotar a su lado, taconeando con sus altas botas sobre el hormigón como si fuera a ponerse delante de él. Al notarlo, el joven también aumentó la velocidad.

—La verdad es que me gustaría pasar más tiempo contigo, Will —susurró Stephanie—. No creo que Elliott esté por aquí, ¿verdad? No tiene por qué saberlo.

Como el chico no respondía, Stephanie bajó la voz, susurrando casi como si fuera a echarse a llorar.

—Y si todo acaba mal y no conseguimos salir de este sitio, ¿qué importará ya todo? Sólo importará el tiempo que nos queda.

Llegaron a una serie de puertas cerradas y Stephanie apretó la mano de Will varias veces, con clara intención de no soltarla. Aunque fingía estar ensimismado en la exploración del nivel, el chico pensaba a velocidad vertiginosa. No podía dejar de recordar lo guapa que Stephanie le había parecido en la escalera.

Se aclaró la garganta.

—Esto es el arsenal. La última vez que estuve aquí estaba cerrado —explicó, iluminando con la esfera una puerta abierta—. Vamos a mirar dentro.

—Claro, entremos —dijo ella, animándose y cogiéndole el brazo con la otra mano.

Will estaba recordando sus claros ojos azules y las arruguitas que se le formaban en las comisuras de la boca cuando sonreía. Se le aceleró el pulso. Quizá la chica tuviera razón... ahora ya no importaba. Él sabía lo mucho que le gustaba a Chester, pero precisamente ahora su amigo no estaba para pensar en esas cosas, y probablemente no lo estaría en mucho tiempo. Y Elliott estaba más interesada en cuidar de Chester que en estar con él. Si iban a quedarse sin aire en una semana, todo era diferente, y Stephanie tenía razón. Ya nada importaba.

Salvo el tiempo que les quedaba...

Antes de darse cuenta de lo que estaba haciendo, Will apretó la mano de Stephanie y tiró de ella hacia la habitación.

Una vez dentro, se detuvieron. Will había dejado la esfera luminiscente a un lado y Stephanie estaba frente a él, no mucho más que una sombra grisácea. La muchacha le acarició el brazo con la mano.

—¿Sabes? Eres muy especial.

—No sos curra cender una zriya aquí —dijo una voz baja y pastosa—. Sería un jerror.

Stephanie dio un grito.

Will se volvió hacia la voz, levantando la esfera para ver de quién se trataba. La sala era grande, con varias filas de estanterías en las que se guardaban todas las armas y los explosivos del Complejo.

—¿Quién anda ahí? —preguntó Will, intentando parecer todo lo seguro que podía—. ¿Quién es?

—Sólo soun pbre viego —contestó la voz—. Si ciendes una zriya, saltaremos por los aires. Por los plosssivos.

Will se acercó al origen de la voz con Stephanie, que no lo soltaba, más porque estaba aterrorizada que por otra cosa en aquellos instantes.

La luz de la esfera cayó sobre un hombre que estaba tendido de mala manera sobre unos sacos.

—¡Chispas! —exclamó Will—. ¿Qué demontres está haciendo aquí?

—Poss lo mismo que votros —gruñó—. Cría star solo.

Will y Stephanie lo miraban atónitos. Sweeney llevaba la camisa desabrochada hasta el estómago. Lo que parecían dos pequeñas terminales metálicas que le sobresalían del esternón estaban conectadas mediante unos cables a una batería industrial a la que estaba abrazado. Sweeney siguió su mirada.

—Ps sí... creo que se maido la mano los plosivos —dijo parpadeando—. Pero me currió que podía provchar viegas batrías de serva. Porsi caso.

—Sparks, habla usted de un modo muy raro —dijo Will—. No habrá estado bebiendo, ¿verdad?

—¡Nos ñor! ¡Nuna gota! Es la moción delmento... veces mafecta así. Mone un poco grogui —respondió Sweeney. Intentó incorporarse, pero no llegó muy lejos—. ¿Sabéis? He ido sin crer tlo que heis dicho.

—¿Todo? —dijo Will, dirigiendo una rápida mirada a Stephanie.

Sweneey trató de señalarlos con la mano libre. El brazo le temblaba como si sufriera convulsiones.

—Sssí... yscuchad...... sil cossa empeora, y qdamos trapdos en estro barco... —hizo una mueca y sacudió la cabeza con cómica seriedad— tonces dremos que meternos en sos anques dagua. Srá commorir en un submrino. Nos mal forma de partir. Mjor hogarse que fixiarse.

—Pero si vamos a salir de este lugar, Chispas. ¡Todavía no hemos tirado la toalla! —dijo Will, asombrado de oír hablar así al viejo militar—. ¿Seguro que está usted bien?

—Suro que toy suro. Hora scansa, hijo. Qdate migo un rato. Di a ts tus amigos quengan con sotros.

—Pero si sólo somos dos... —terció Stephanie, que enmudeció al ver la cara que le ponía Will.

—Claro que nos quedaremos con usted —dijo Will. Acercó unos cuantos sacos vacíos y Stephanie y él se sentaron encima. Aunque había sitio de sobra para los dos, Stephanie se sentó con una pierna pegada a la de Will. Y allí la dejó, mientras él hacía todo lo que podía por entenderse con Sweeney, que seguía hablando de forma tan rara.

—¿Puede decirme a nombre de quién hizo la reserva? —preguntó la vivaracha recepcionista de chándal rosa.

Sacó un lápiz de entre los prietos rizos de su cabello y miró con curiosidad a la joven de aspecto firme y seguro que estaba al otro lado del mostrador, acompañada por un chófer muy guapo, aunque con cara de idiota.

Girando el lápiz entre el pulgar y el índice como si fuera un pequeño bastón, la mujer pulsó el ratón para avanzar por la página expuesta en la pantalla de su ordenador.

—¿He de suponer que es para un pariente? ¿Su padre, su madre quizá? —La recepcionista había visto llegar el Mercedes último modelo seguido por un autocar, así que estaba claro que se trataba de alguien importante. Y como no aceptaban niños, la reserva no podía ser para la chiquilla que tenía delante—. Si quieres decirles que pasen, nos aseguraremos de que la habitación está lista.

—Qué chulada —dijo Rebecca Dos, observando las vueltas del lápiz en la mano de la recepcionista.

—Ah, gracias. Se lo quité a un antiguo novio —comentó la recepcionista con aire ausente. Sentía curiosidad por saber quién estaba a punto de honrar con su presencia su carísimo establecimiento de superlujo, pero cuando llegó al final de la página de reservas y vio que los que faltaban eran todos clientes habituales, frunció el entrecejo—. Estamos prácticamente llenos ahora mismo. ¿A qué nombre estaba la reserva?

—¿Reserva? —repitió Rebecca Dos mientras el viejo styx entraba majestuosamente en el vestíbulo y miraba las fotos de los servicios que ofrecía aquella selecta clínica de adelgazamiento situada en lo más profundo del campo de Kent. Las fotografías eran de gente bañándose en la piscina de dimensiones olímpicas, recibiendo masajes y tratamientos faciales, y corriendo en grupo por los extensos terrenos que rodeaban el edificio.

—Sí, la reserva. Supongo que será para usted, señor —añadió, dirigiéndose al viejo styx, que se había acercado a los ventanales que había al fondo y que daban a la piscina, y miraba la clase matutina de ejercicios acuáticos, que estaba en su momento más animado.

—¿Señor? ¿Hola? —dijo la recepcionista al ver que el hombre de cabello canoso no se molestaba en responder. Se mordió la lengua. Por exasperante que fuera la actitud de aquella gente de aspecto tan extraño, estaba obligada a ser amable, ya que era muy probable que se tratara de un nuevo e importante cliente.

Observó su perfil cuando se volvió hacia un tablón de anuncios en el que se informaba de las actividades del día. Llevaba el cabello peinado hacia atrás e iba vestido con un abrigo negro de piel hasta los tobillos, lo que hizo pensar a la recepcionista que se trataba de algún famoso director de cine o, al fijarse más detenidamente, de un músico. Trató de recordar los nombres de los miembros de los Rolling Stones, que parecían tan delgados y secos como aquel hombre. Sí, quizá fuera uno de ellos. Pero no el cantante de labios y caderas seductores... lo habría reconocido.

El autocar podía ser el autobús en el que se desplazaban para los conciertos, y quizás habían hecho la reserva con seudónimo. Era algo habitual cuando los famosos iban a la clínica de adelgazamiento para escapar de los focos y ponerse de nuevo en forma.

La recepcionista esperó pacientemente, girando el lápiz y tarareando en voz baja «*Tiiii-me... is on my side*». Lo último que quería era ofender a quienquiera que fuese, si podía evitarlo.

Un grupo de mujeres hablando sin parar eligió aquel momento para cruzar la recepción, camino de su sesión de Pilates.

—¿Cuántas personas se encuentran alojadas aquí? —preguntó el viejo styx cuando hubieron pasado.

La recepcionista no estaba preparada para la severidad de aquellos ojos fríos e inexpresivos que se clavaron en ella. Unos agujeros negros que la hicieron desear mirar a otro lado. O echar a correr.

—Ciento veinte clientes es el aforo total, pero también tenemos un gran número de personas con pase diario que vienen a las clases del gimnasio.

El viejo styx asintió con la cabeza.

—¿Y todos sus clientes tienen obesidad crónica, como esas mujeres que acaban de pasar?

No fue de extrañar que la recepcionista se quedara atónita ante la pregunta.

—No creo que eso...

—Hay carne humana de sobra para nuestros propósitos —la interrumpió el viejo styx, dirigiéndose a Rebecca Dos.

—¿Qué? —exclamó la recepcionista, mirándolo sin comprender.

El viejo styx había sacado un walkie-talkie del abrigo y estaba hablando en el lenguaje más extraño que la recepcionista había oído en su vida.

—Lo siento. Me parece que hoy no es tu día —dijo Rebecca Dos sin emoción alguna en la voz.

Las puertas principales se abrieron con estruendo.

El lápiz de la recepcionista saltó dando vueltas por la sala cuando un ser babeante apareció detrás de Rebecca Dos y el capitán Franz.

Con un grito ronco, Hermione se lanzó sobre el mostrador y lo derribó. La recepcionista cayó de espaldas. Mientras yacía atónita en el suelo, Hermione saltó sobre ella.

Lanzando un gemido de alivio mientras inmovilizaba la cara de la muchacha, Hermione le introdujo el ovipositor hasta lo más profundo de la tráquea, donde depositó la bolsa de huevos.

Hermione levantó la cabeza enseguida, chorreando saliva alrededor del ovipositor.

—Necesito otra boca... aprisa —dijo—. Tengo muchos hijos dentro.

El viejo styx se había apartado del camino y miraba temeroso a Hermione. Estaba junto a la puerta principal, donde un pelotón de Limitadores había entrado para acatar sus órdenes.

—Creo que deberíamos empezar por aquí —dijo Rebecca Dos a Hermione, dirigiéndose hacia la puerta por la que habían desaparecido las mujeres que iban a Pilates.

—Puede que hayamos dado con algo —anunció Drake mientras todos se reunían alrededor del ordenador portátil. A excepción de Chester, al que nadie podía convencer de que saliera de la sala de juntas, y de Elliott, que no pensaba dejarlo solo, estaban todos presentes.

Habían pasado casi quince días y ya no había duda de que el aire estaba enrarecido y cada vez era más difícil respirar.

Will los miró a todos. Sus ojos reflejaban el brillo de la pantalla y eran tangibles las expectativas que se percibían en ellos. Al menos había esperanzas. Ninguna idea anterior había servido para nada, y Will había empezado a pensar que sólo un milagro podía salvarlos.

—Eddie y yo hemos estado repasando a conciencia los planos originales del Complejo —dijo Drake, pasando una serie de páginas en la pantalla—. Aquí tenemos unas secciones verticales de la montaña que muestran dónde está situada esta instalación. —En la pantalla apareció una ilustración, que señaló con el dedo—. Aquí se ve que el Complejo está rodeado por una muralla rocosa que lo protege.

—Ésa era la idea básica —murmuró Parry.

—Al principio no vimos nada raro —prosiguió Eddie—, pero entonces comparamos estos planos con un estudio geológico realizado en la década de 1950.

Drake abrió otra ventana en la pantalla, que mostraba más secciones verticales de la montaña, pero sin el menor rastro del Complejo.

—Este informe se refiere a varias cotas centrales de la montaña donde la erosión era particularmente acentuada. —Drake señaló uno de los planos—. Y hemos visto que en la cara norte de la montaña, justo encima de la cornisa que podéis ver aquí, la erosión era bastante considerable. Si añadimos sesenta años más de lluvias y heladas, habrá desaparecido parte de la roca.

—El ciclo de congelación y deshielo —intervino Will, que deseó no haber hablado al ver la mirada que le dirigió Parry.

—¿Y de qué nos sirve exactamente todo eso? —preguntó este último.

—El tiempo y la erosión no esperan a nadie. —Drake sonrió, volviendo a la primera ventana y arrastrando una imagen de ella—. Nos sirve porque si superponemos el informe geológico a los planos de construcción, la zona de más erosión queda... —señaló el plano— exactamente al lado de la pared externa del Nivel Dos.

—Así que se trata del punto más vulnerable del Complejo —intervino Eddie—. Y si ponemos todos los explosivos junto a esa pared, hay una pequeña posibilidad de abrir un camino para salir.

Parry dio un silbido.

—Es muy arriesgado —dijo. Se apoyó en un escritorio y comenzó a estirarse la barba mientras pensaba. Will vio que todos lo miraban. Stephanie incluso tenía la boca abierta y formaba palabras, deseando que dijera que el plan era viable.

Finalmente, Parry habló sacudiendo la cabeza.

—Entiendo lo que decís, pero el volumen de material explosivo del arsenal podría no ser suficiente. Y aunque pusiéramos toda la carne en el asador, si el plan fracasa se llevaría por delante todo el oxígeno que queda en el Complejo. Habríamos quemado el último cartucho. —Cruzó los brazos inhalando fuertemente por la nariz—. Además, lo que queda del Complejo podría derrumbarse sobre nuestras cabezas.

—Oiga... jefe. ¿No se olvida de algo? —preguntó el sargento Finch.

—¡No, Finch, no me olvido! —respondió irritado Parry.

Los ojos de Drake iban de su padre al sargento Finch mientras intentaba adivinar a qué se referían con aquellos comentarios.

—Si hay algo que no nos habéis contado, creo que ha llegado el momento.

Parry se irguió inmediatamente.

—¡No! —exclamó—. Hay cosas que nadie tiene derecho a saber. Y Finch ha hablado demasiado, porque no conoce toda la historia.

La voz de la señora Burrows era tranquila y mesurada cuando intervino en la conversación.

—Parry, somos las únicas personas del mundo que sabemos que la Fase sigue su curso. Y las únicas que pueden hacer algo para detenerla. Así que dinos, ¿qué es tan importante como para preferir dejarnos morir a todos antes de contarlo?

Parry miraba al suelo y tensaba una pierna, como agobiado por las dudas. De repente levantó la cabeza y miró a su hijo.

—¿Estás seguro de que hay alguna posibilidad con esa absurda idea que se os ha ocurrido? ¿Estás totalmente seguro?

—Teniendo en cuenta los planos que hemos visto, y suponiendo que la erosión ha avanzado... sí —respondió Drake—. El único punto negativo es que necesitaríamos dos o tres veces la cantidad de explosivo que tenemos para atravesar la pared del Complejo y la montaña.

—Así que estáis empeñados en utilizar la fuerza bruta, ¿no? —preguntó Parry, quedándose pensativo—. Muy bien, será mejor que me sigáis —decidió, haciendo una seña al sargento Finch.

Por indicación de Parry, recogieron por el camino mazas, escoplos y martillos. Como los ascensores no funcionaban, el coronel cargó al sargento Finch sobre sus espaldas mientras Drake y Sweeney llevaban la silla motorizada escaleras abajo.

Cuando llegaron al Nivel 6, Parry los condujo hasta el arsenal que estaba al fondo de la planta pasando los tanques de agua. Avanzó por uno de los pasillos que formaban las estanterías hasta que llegó a un ancho armario de metal que estaba pegado a la pared.

—Poneos unos cuantos a trabajar y colocad todos los explosivos y bombas incendiarias en un radio no mayor de siete metros, partiendo de aquí. Lo último que queremos es prender algo con una chispa suelta —dijo Parry señalando los estantes. Luego fue con su hijo y con Sweeney, que estaban apartando el armario de metal. La pared que había detrás no parecía diferente de las demás, pero Parry cogió un escoplo y un martillo y se puso a dar golpes.

Pronto se hizo evidente que no era un sólido tabique de hormigón. Había localizado una zona en la base de la pared que sonaba de un modo diferente cuando se golpeaba. Estaba abriendo un camino vertical pared arriba cuando se detuvo para dirigirse a Will.

—Tú eres bueno para estas cosas, chico. Recoge algunas herramientas y busca el otro lado de la puerta —dijo, señalando un sector de la base de la pared de un metro de anchura, aproximadamente.

Will encontró una tabla de madera enterrada encima del suelo de hormigón y no tardó mucho en dejarla al descubierto. Los dos siguieron trabajando hasta que empezó a perfilarse un rectángulo del tamaño de dos puertas. Cuando terminaron, se apartaron de la pared.

—Ábrete, Sésamo —dijo Parry—. Es nuestro camino de entrada.

Tras comprobar que las estanterías cercanas estaban vacías, Parry se volvió para dirigirse a todos.

—Ahora romperemos el hormigón que cubre la puerta.

—¿Qué hay ahí dentro? —preguntó Drake—. ¿Un alijo de explosivos?

Sin hacerle caso, Parry golpeó con la maza un ángulo inferior del rectángulo.

El sargento Finch no fue tan reticente.

—Sí, el almacén secundario está escondido ahí —dijo—. Un almacén secreto.

—Y todo lo demás —murmuró Parry sin dejar de mover la maza. Tanto Sweeney como el coronel le echaron una mano. El hormigón iba cayendo, pero no tan aprisa como Will había creído.

—¿Puedo hacer algo? —preguntó alguien, entrando en el arsenal.

—¡Chester! —exclamó Will con una amplia sonrisa. Elliott lo seguía a varios pasos de distancia, con cara de preocupación.

—Ya es hora de ser útil —dijo Chester mientras el coronel le entregaba la maza y el muchacho se ponía a trabajar.

Sweeney fue el primero en hacer un agujero y mirar al otro lado.

—No, sigue —indicó Parry—. Será mejor que lo abramos del todo.

Unos veinte minutos después, el coronel estaba atacando el último fragmento de hormigón que quedaba encima de la apertura. Cuando cayó, estrellándose contra el suelo, Parry iluminó el camino con la linterna y todos se pusieron en fila tras él.

—Hay mucho más de lo que necesitamos —dijo Drake, viendo el gran número de cajones de madera cuando Parry los iluminó—. Aunque no son muy modernos... es la reserva de explosivos comunes y corrientes de la posguerra. ¿A qué vino entonces ese pequeño melodrama de antes?

—La mejor manera de esconder algo, es esconderlo en algo que ya está escondido —dijo Parry, dando media vuelta para mirarlos de frente—. En ninguna circunstancia diréis nunca una palabra sobre lo que estáis a punto de ver... a nadie. —Se irguió cuan alto era—. Ahora os voy a pedir a todos vosotros que deis vuestro consentimiento para que, de acuerdo con la Ley de Defensa del Reino de 1973, revisada en 1975 y en 1976, aceptéis irrevocablemente y sin reservas lo estipulado en dicha ley. —Parry fue pronunciando sus nombres uno por uno—. ¿Drake?

—Signifique lo que signifique, sí —consintió Drake.

—¿Finch?

—Sí, jefe.

—Coronel Bismarck, a partir de ahora se le concede la nacionalidad británica. Necesito su respuesta.

—¿Puede Parry hacer eso? —susurró Will a Chester cuando el coronel dijo que aceptaba.

—También a ti, Eddie el styx, se te concede la ciudadanía de este país. ¿Estás de acuerdo?

—Sí, señor —respondió Eddie.

—¿Señora Burrows?

—Sí, Parry —dijo amablemente la interpelada—. ¿Por qué no?

—Elliott, lo siento, olvidé que tú también necesitas que te concedan la nacionalidad británica. Respóndeme, por favor.

—Sí —dijo la muchacha.

—¿Sweeney?

—Sí, jefe.

Parry se dirigió a Will y a Chester, que también accedieron.

—¿Stephanie? —añadió Parry.

—Como que sí —respondió la chica.

—Muy bien —dijo Parry—. Tenéis que saber que si alguno de vosotros filtra información relativa a este asunto, de acuerdo con la Ley de Defensa del Reino, seréis ejecutados sumariamente sin juicio ni ninguna otra forma de apelación legal.

—¿Ejecutados? —dijo la señora Burrows.

—Tengo licencia para mataros —respondió Parry con naturalidad. Y por el tono de su voz, todos sabían que lo haría—. Después del Tratado de Desarme Nuclear de 1972, se decidió en un subcomité secreto del Ministerio de Defensa que quedábamos en espantosa desventaja. Así que...

Parry iluminó con la linterna un rincón de la estancia. Vieron diez contenedores de metal que brillaban débilmente.

—¿Qué? —dijo Stephanie, totalmente impertérrita después de todo lo vivido hasta el momento.

—Almacenamos unos cuantos ITN aquí —dijo Parry—, por si acaso.

—¿ITN? —preguntó Will.

—Ingenios Termonucleares —explicó Parry.

—¡Energía atómica... estás hablando de energía atómica, papá! —dijo Drake, mirando los contenedores—. ¡Esto sí que es una broma de mal gusto!

Parry y el sargento Finch, pertrechado con su inseparable carpeta, recorrieron el arsenal y el escondite, poniendo cruces con tiza en los cajones que contenían los explosivos más potentes. Poco a poco, los fueron cargando en una carretilla de cuatro ruedas que empujaron hasta el pie de la escalera. Una vez allí, Will y Chester se encargaban del transporte, descubriendo que su poco envidiable misión consistía en subirlos de uno en uno los ocho tramos de escalera que había hasta el Nivel 2, donde los esperaba otra carretilla.

Fue un trabajo duro. Los cajones de madera eran muy pesados y los chicos además se resentían de la falta de aire.

Mientras subían penosamente la escalera cargando cada cajón entre los dos, Chester no parecía sentir las asas de áspera cuerda que les raspaban las manos. Finalmente subieron el último cajón y lo dejaron en la carretilla con todos los demás.

Apoyado en la pared para recuperar el aliento, Will buscó la mirada de su amigo. Chester le dirigió una amplia sonrisa, como si no tuviera preocupación alguna en el mundo.

—¿Estás bien? —preguntó Will.

—Contento de hacer algo útil —respondió Chester.

Al margen de la naturalidad con que parecía sobrellevarlo, Will estaba preocupado por él, aunque en aquel momento no podía hacer nada al respecto.

Chester se enjugó la frente.

—¿Dónde se ha metido Drake? Propongo que le llevemos los cajones entre los dos.

—Vale —dijo Will.

Will tirando y Chester empujando, llevaron la cargada y pesada carretilla por el corredor. Una de las ruedas empezó a chirriar lastimeramente.

—Esto me recuerda aquella vez que vaciamos la carretilla de mano en Highfield Common —comentó Chester.

Cuando llegaron al final del pasillo, introdujeron la carretilla por una puerta y pasaron al cuarto que Drake había señalado. Había dicho que era el mejor lugar para abrir un camino por la ladera de la montaña.

La habitación ya estaba llena de cajones y en aquel momento Drake se dedicaba a colocar detonadores, conectados entre sí por una red de cables.

—Muy bien —dijo Drake, mirando la carretilla—. Yo los descargaré si queréis ir por más.

—¿Cuántos más necesitas? —preguntó Chester, mirando el montón que había detrás de Drake.

—Los que se necesiten para llenar este cuarto y el cuarto de al lado —respondió Drake—. Calculo que serán aproximadamente unos veinte viajes con la carretilla.

—¡Veinte! —exclamó Chester, riendo con exageración—. Qué bien... seguiremos haciendo viajes —añadió, saliendo del cuarto. Pudieron oír sus carcajadas mientras se alejaba por el pasillo, golpeando la pared y exclamando—: ¡Más cajas, más cajas, más cajas!

—No es él mismo —afirmó Drake en voz baja, frunciendo el entrecejo.

—Ninguno de nosotros lo es —respondió Will.

—Bueno, no le quites el ojo de encima, ¿estamos? —dijo Drake.

Tardaron casi todo un día en preparar los dos cuartos. Finalmente, Drake subió las escaleras y se dirigió al Centro, desenrollando un cable que iba quedando tras él.

Parry temía que, aunque la explosión abriera un camino, provocara al mismo tiempo el derrumbe del techo del Nivel 2, sellándoles la salida y convirtiendo en humo todo aquel ejercicio. No había forma de cerrar las puertas del nivel, pero bajo la dirección de Parry, amontonaron sacos de arena alrededor de los dos cuartos, para amortiguar en el interior parte de los efectos de la explosión. Parry aún no estaba convencido de haber hecho todo lo posible, así que supervisó la construcción de otra barrera de sacos terreros en mitad del pasillo.

Y llegó el momento. Todos esperaban fuera del pequeño comedor del Centro, donde Chester había notado por vez primera el extraño comportamiento de su madre. Drake y Eddie lo habían escogido porque creían que sería un buen lugar para refugiarse durante la explosión.

—Todo listo —anunció Parry y el grupo entero entró

en el comedor y cerraron la puerta. Vieron que Drake destrenzaba los dos extremos del cable de cobre y los conectaba a los terminales de un detonador.

Nadie hablaba. La señora Burrows acariciaba a *Colly*, que los deleitaba con un concierto de maullidos en la fila de cestas de mimbre que había sobre la encimera. Stephanie y Elliott se habían deslomado buscando y reuniendo los gatos del sargento Finch, que se habían escondido en los lugares más inverosímiles del Complejo; pero era lo menos que podían hacer por el anciano.

Drake les había dicho a todos que amontonaran las mochilas Bergen en un rincón, para tener los equipos cerca. Y además de los extintores de incendios que habían acumulado en el cuarto, Parry se había encargado de que hubiera suficiente comida y agua para sobrevivir durante unos días.

Drake tiró de los cables para comprobar que estuvieran firmemente ligados al detonador e hizo una seña a su padre.

Parry respiró hondo y habló con amabilidad, para variar.

—Creo que no hay mucho que decir, salvo buena suerte a todos, maldita sea. Espero sinceramente que Dios esté hoy de nuestra parte.

—Amén —concluyó Sweeney.

Parry golpeó el suelo dos veces con su bastón.

—Y ahora, ¿podríamos situarnos en un lugar seguro, por favor?

Ayudaron al sargento Finch a levantarse de la silla motorizada y luego hicieron lo que se les había dicho, buscando un lugar en el suelo. Agacharon la cabeza y unieron las manos en la nuca.

Will miraba a Drake mientras éste giraba el manubrio del detonador para cargarlo de energía eléctrica. Conforme aceleraba las vueltas, el chirrido de la dinamo rasgaba el aire del cuarto.

—Será suficiente —decidió, quitando el seguro que rodeaba la base del mango deslizante.

—¿Preparados? —preguntó.

—Preparados —respondió Parry.

—Nos veremos en el otro lado —dijo Drake.

Y hundió el mango.

# 18

El ascensor subía por las distintas plantas de la Cancillería, el enorme edificio del gobierno situado en pleno centro de Nueva Germania. Cuando se detuvo, se deslizaron las puertas y salieron dos Limitadores styx. Sus botas golpeaban al unísono los suelos de mármol brillantemente pulido.

La ayudante del Canciller estaba en su puesto, una barroca mesa dorada con un teléfono y un jarrón de flores mustias. Vio acercarse a los dos soldados mientras se cepillaba el cabello. Tiempo atrás se habría quedado paralizada de miedo al ver a aquellos macabros personajes de rostro cadavérico y ojos hundidos. Personajes que olían a muerte y destrucción.

Pero en aquel instante los miró con indiferencia cuando se detuvieron ante su mesa.

—¿Está dentro? —preguntó uno con un gruñido.

La ayudante asintió con una expresión bovina que hablaba de intensas sesiones de Luz Oscura. Al igual que todos los demás habitantes de Nueva Germania, había sido sometida intensivamente a aquel tratamiento que prácticamente le había cocido el cerebro.

Y su aspecto había cambiado considerablemente desde el día, acaecido hacía varios meses, en que Rebecca Dos y el Limitador General habían visitado por primera vez la Cancillería. Aún llevaba el sufrido vestido azul, pero las raíces de su cabello rubio platino delataban su oscuro color natural y se había maquillado de cualquier manera.

Vio que uno de los limitadores abría de un puntapié las anchas puertas de madera del despacho del Canciller y que entraban los dos.

Sin dejar de cepillarse el cabello, oyó la conmoción que causaron en el despacho. Luego los Limitadores salieron, arrastrando entre los dos al corpulento Canciller, Herr Friedrich. Debían de haberlo pillado durante uno de sus copiosos almuerzos, pues aún tenía la servilleta colgando del cuello de la camisa.

—Voy a salir un momento, Frau Long —consiguió decir antes de que lo sacaran al pasillo.

Con dos escoltas despejando el camino, la limusina oficial bajó por Berliner Strasse, una de las calles más grandes y bulliciosas de Nueva Germania. Pero aparte de aquel vehículo de anticuado estilo aerodinámico y reluciente carrocería cromada, no había tráfico alguno.

Cuando se detuvo cerca de una delegación que lo esperaba, se abrió la puertezuela. Rebecca Uno bajó sin prisas depositando suavemente su bota de combate en la calzada de color yeso. Y, también sin prisa, se dirigió hacia la delegación, inclinando la cabeza para escuchar el lúgubre ulular de las sirenas que resonaban por toda la ciudad.

Se volvió para mirar hacia la otra acera de la ancha avenida, más allá del andén central sembrado de palmeras, donde había una multitud organizada en columnas. Había tantos neogermanos que las columnas trazaban eses continuas sobre la tórrida superficie de la acera. Nadie hablaba ni hacía el menor ruido, y todos se limitaban a avanzar cuando la cola correspondiente se movía, cosa que sucedía con una lentitud que crispaba los nervios.

Rebecca Uno frunció los labios y dio un silbido.

—Agua... que alguien me traiga agua —dijo, ahuecándose el largo abrigo negro para que circulara el aire por debajo.

Un soldado Limitador de la delegación se desenganchó inmediatamente la cantimplora que llevaba al cinto y se la entregó. La mujer tomó varios sorbos largos antes de devolvérsela.

—Este clima... es demasiado —comentó, entornando los ojos para protegerse del sol que lucía permanente en aquel cielo. Bajó la mirada hacia el Limitador General, que estaba esperando sus órdenes. Frunció ligeramente el entrecejo al ver los uniformes pardos de faena que llevaban los otros Limitadores—. Te dejo al frente de todo y mira lo que pasa. Sé que el calor es la razón de que hayáis dejado el uniforme, pero no estoy muy segura de aprobar el cambio. No somos realmente nosotros, ¿no crees? Es demasiado *fiesta playera* para mi gusto.

No hubo cambio en la expresión impávida del Limitador General, pero se notaba que se había molestado por la crítica mientras se miraba la holgada guerrera y los pantalones.

—Es el uniforme de las Fuerzas Especiales Neogermanas —explicó.

—No te preocupes ahora por eso —replicó la mujer—. Pero si sois la Raza Superior, tenéis que parecerlo. ¿No cree usted, Canciller? ¿No era en eso en lo que creía vuestro maravilloso Tercer Reich cuan...? —Enmudeció mientras buscaba con la mirada a Herr Friedrich, que estaba en medio de la delegación. Se encontraba a kilómetros de allí, con la cabeza echada hacia atrás, contemplando un pterodáctilo que cabalgaba por el cielo, montado en una corriente de aire cálido—. ¡Tú, gordo, estoy hablando contigo! —exclamó.

El Canciller, el antiguo jefe supremo de Nueva Germania, dio un respingo. Él también había recibido su ración de Luz Oscura y sufría el aplatanamiento que era de esperar.

—¿Perdón? —dijo, mirando a Rebecca Uno.

—Ah, olvídelo —rezongó la mujer. Se volvió al Limitador General—. Ponme al día. ¿Qué tal le va a Vane?

El Limitador General sacudió la cabeza.

—Está sobrepasando todas las expectativas. —Señaló uno de los edificios institucionales que flanqueaban la calle, un sólido edificio de diez plantas de granito claro—. Como sabes, llenamos el Instituto de Geología con humanos. —Señaló con el dedo otros edificios de aspecto similar—. Luego hicimos lo mismo con los centros médicos y las facultades de Historia Antigua y Prehistoria. Vane ha ido de un anfitrión humano a otro en todos ellos. Trescientos cincuenta cuerpos para la fecundación y casi el doble para sustento...

—¡Espera! —interrumpió Rebecca Uno—. ¿Estás diciendo que ya ha fecundado a tantos? Es sólo una mujer. ¿Cómo puede ser?

—¿Puedo sugerirte que vengas a verlo con tus propios ojos? —dijo el Limitador General. El resto de la delegación y él se pusieron detrás de Rebecca Uno mientras ésta cruzaba el andén divisorio y avanzaba directamente entre las colas. La gente se apartaba con aire ausente. Un anciano, con el rostro rojo y brillante por la exposición al implacable sol, se desmayó repentinamente. Rebecca Uno apenas se molestó en mirar el cuerpo caído.

—Sí, por aquí —dijo el Limitador General cuando llegaron al edificio más cercano.

Era un enorme invernadero, con una fachada de casi treinta metros de anchura.

—Los Jardines de Kew —murmuró Rebecca Uno, advirtiendo lo mucho que se parecían al Real Jardín Botánico junto al que había pasado con Vane apenas quince días antes.

El Limitador General mantuvo abierta la puerta del invernadero para que pasara y le señaló los peldaños de hierro que había nada más entrar. La mujer los subió y atravesó una puerta que daba a un corredor que rodeaba toda la anchura del edificio. Por la abundancia de árboles, arbustos y flores diferentes que Rebecca Uno veía abajo, estaba claro que los botánicos neogermanos habían estado recogiendo especies de la jungla para sembrarlas allí.

El Limitador General y los soldados styx, dos de los cuales llevaban a rastras al Canciller, se quedaron atrás mientras ella se dirigía al centro del corredor. Desde allí miró a ambos lados. A través del follaje pudo ver multitud de cuerpos humanos caídos en el suelo y ya horriblemente hinchados a causa de las larvas de Guerrero que estaban creciendo en su interior.

—Extraordinario —dijo Rebecca Uno—. Pero ¿cómo se las habrá arreglado para fecundar a tantos...? —Calló al ver que uno de los cuerpos acababa de reventar y varias larvas jóvenes se arrastraban por la nutritiva turba de un arriate—. ¡No puedo creerlo! En la Superficie tardaban casi una semana en incubar. Pero aquí han tardado... ¿cuánto?

—Veinticuatro horas —informó el Limitador General.

Rebecca Uno guardó silencio un momento.

—Pero ¿cómo ha podido acelerarse tanto el ciclo vital?

—Lo único que se nos ocurre es que Danforth tenía razón al decir que las condiciones eran aquí excepcionales. Quizás el ambiente... la proximidad al sol y los altos niveles de radiación ultravioleta se combinen para acelerar el proceso —sugirió el Limitador General.

—Aun así... ¿cómo una sola mujer ha podido ser físicamente capaz de hacer todo esto? —preguntó Rebecca Uno—. Es increíble.

El Canciller también estaba mirando por la barandilla. Una parte de su mente que había escapado a las sesiones de Luz Oscura se daba cuenta de la carnicería de abajo: de que su gente estaba muriendo de la forma más horrible. Comenzó a sollozar.

—¡Ah, deja de hacer eso! —le reprochó Rebecca Uno, que volvió a mirar la escena de abajo—. ¿Dónde estará? —se preguntó. Luego gritó—: ¡Vane! ¿Estás ahí?

El Limitador General y los soldados retrocedieron al oírla. Lo último que querían era atraer la atención de la mujer styx. Ya habían visto la desgraciada muerte de varios camaradas cuando la transportaban de un edificio a otro.

Se oyó un susurro y asomó una cabeza entre dos palmeras datileras. El cabello rubio de Vane estaba empapado de sangre, sudor y el fluido que le manaba de la boca. Aquello no había cambiado. Pero lo que obligó a Rebecca a abrir los ojos como platos fue que, en lugar de un único ovipositor, a Vane le habían salido dos más por la boca. Y su abdomen había crecido más del doble mientras su aparato reproductor seguía funcionando a tope para engendrar más bolsas de huevos.

Vane levantó con entusiasmo los pulgares en dirección a Rebecca Uno y luego se frotó la barriga orgullosa.

—¡Adelante, hermana! ¡Estás batiendo todas las marcas! —la felicitó Rebecca Uno.

El Canciller seguía sollozando, ahora con más fuerza.

—Oh, por Dios, niño grande —gruñó Rebecca Uno—. ¿Por qué no lo tiráis abajo? —dijo a los Limitadores—. ¡Un gordo jugoso para ti! —gritó a Vane.

Vane volvió a levantar los pulgares y la vegetación se agitó ruidosamente cuando la mujer se movió a toda prisa.

Los Limitadores empujaron al hombre por encima de la barandilla. El Canciller agitó brazos y piernas durante su breve trayecto hasta el suelo. La caída fue amortiguada por la tierra del plantel, así que no resultó malherido. El Canciller se sentó y miró a su alrededor con expresión aturdida.

—¡Ahí lo tienes! —gritó Rebecca Uno a Vane—. ¡Buen provecho!

La explosión fue tan ruidosa que más de uno lanzó un grito. Y el temblor tan intenso que les castañetearon los dientes y se les nubló la vista.

La onda expansiva barrió el Centro. Will quedó momentáneamente sordo. Hubo un estruendo repentino, como si algo poderoso hubiera golpeado la puerta desde el otro lado.

Las cacerolas cayeron de los estantes. Una grieta se abrió en el techo, rociando de polvo sus cabezas, y los maullidos de las cestas de mimbre alcanzaron un tono agudo que perforaba los tímpanos.

Stephanie comenzó a sollozar y el sargento Finch recitó el Padrenuestro con frases entrecortadas. Will no pudo contenerse y se volvió para mirar a Chester, que temblaba violentamente con la cabeza gacha. Estaba claro que la explosión le había despertado recuerdos no deseados en relación con la muerte de sus padres. Elliott también se había dado cuenta y estrechaba a Chester entre sus brazos.

Cuando cesaron los ecos de la explosión, oyeron una especie de crujido.

—Espero que no sea el techo del Nivel Dos —susurró Parry.

Exceptuando los maullidos de los gatos, todo quedó en silencio.

Drake se puso en pie, sacudiéndose el polvo de la cabeza.

—Traed las luces y los extintores —ordenó.

El coronel levantó al sargento Finch y Drake abrió la puerta. El Centro no parecía haber cambiado, pero cuando bajaron la escalera hacia el Nivel 2, vieron que no quedaba mucho en pie: casi todas las paredes cercanas a la escalera habían saltado.

Drake y Parry inspeccionaban el techo mientras se internaban en el nivel, pero el denso polvo y el humo les impedían ver más adelante. Todos se habían tapado la nariz y la boca con pañuelos y avanzaban como podían, sorteando los escombros que cubrían el suelo. Eddie y Sweeney iban apagando pequeños fuegos que encontraban por el camino.

Mientras se abrían paso rodeando una bañera volcada, el humo se despejó ligeramente y Will pudo ver un sillón. Seguía estando en pie, pero todas sus partes se habían quemado.

Drake se detuvo levantando el brazo y se quitó el pañuelo.

—¿Lo notáis? —gritó.

Todos lo habían notado.

El aire que sentían en su piel sudorosa era fresco. Una brisa llegaba desde alguna parte.

Llenos de esperanza, avanzaron por el nivel hacia donde había estado el pasillo. En un lugar, el camino estaba obstruido por escombros, pero Drake y Sweeney echaron abajo un tabique y pudieron seguir avanzando.

Los fuegos eran más numerosos según se acercaban al final de la planta. Utilizaban los extintores y apartaban a patadas la madera quemada. Drake gritó una advertencia y todos retrocedieron inmediatamente.

Toda una sección del techo, a menos de tres metros de donde estaban, cayó al suelo con un ruidoso impacto.

Esperaron. Al ver que el resto del techo seguía en su sitio, Drake indicó por señas que siguieran avanzando.

Llegaron donde habían estado los cuartos llenos de explosivos. Mientras rodeaban el gran agujero del suelo de hormigón, y a través del cual se veía el nivel inferior, el temor les impidió fijarse en lo que tenían delante.

Drake avanzaba ya más aprisa. Como iba en cabeza, fue el primero en ver la brecha que se había abierto en la pared exterior del Complejo.

Entonces la vieron todos y la cruzaron detrás de él.

Hubo gritos y exclamaciones de alegría cuando, poco más allá, sus pies dieron, no con hormigón despedazado, sino con la cornisa rocosa que habían visto en los trazados del ordenador de Drake. Estaban en lo alto de la montaña, experimentando algo que no habían sentido durante semanas.

Encima de ellos había espacio abierto.

El cielo nocturno.

—¡Estrellas! —exclamó Will—. ¡Maldita sea, lo hemos conseguido!

El coronel daba saltos con el sargento Finch a cuestas y ambos gritaban y vitoreaban.

—¡Por fin! ¡Aire fresco! —gritó Stephanie—. ¡Y nieve! —añadió, alargando la mano para sentir los copos.

Todos se abrazaron. Will cogió a su madre y la estrechó con fuerza. Hacía mucho tiempo que no la abrazaba y se sintió un poco raro. Pero lo que lo descolocó del todo fue que Stephanie se puso de repente delante de él y le estampó un beso en los labios.

—¡Huy! —exclamó riéndose.

*Colly* correteaba sin cesar y Will vio que Drake y Parry habían llegado ya al final de la cornisa, desde donde señalaban unos diminutos puntos de luz que sin duda correspondían a un pueblo lejano.

Chester apenas se había alejado de la grieta por la que habían salido. Intentó decirle algo a Will, pero una súbita ráfaga de aire lo dejó sin aliento.

—¿Qué ha sido eso? —gritó Will, pero Chester ladeó el rostro cuando le cayeron unos copos en los ojos. Comenzó a temblar sin control, aunque no era de frío. Ahora que habían escapado de la hermética tumba de la montaña y no corrían un peligro inminente, la dura realidad de la muerte de sus padres cayó finalmente sobre él.

Balbuceaba para sí y se le doblaban las rodillas. Elliott ya estaba junto a él y pudo sujetarlo antes de que cayera al suelo. La señora Burrows también estaba al lado del muchacho, ayudando a sostenerlo.

Parry también se había percatado del desmayo de Chester.

—Esa víbora de Danforth va a pagar muy caro sus actos —prometió con un gruñido.

—Lo primero es lo primero. Necesitamos un medio de transporte —propuso Drake—. Si es cierto que no hemos neutralizado la Fase, hemos perdido un tiempo muy valioso. Ahora la clave es cubrir todas las bases.

Parry se quedó mirando a su hijo, esperando que continuara.

—Nos dividiremos en dos grupos; uno para investigar en la superficie —sugirió Drake.

—Yo lo coordinaré —dijo Parry—. Llamaré de nuevo a la Vieja Guardia.

—Y yo guiaré a otro grupo al mundo interior. No podemos arriesgarnos. Puede que fuera un cuento, pero hay que comprobar lo que dijo Danforth sobre que la Fase continuaría allí. —Drake se volvió bruscamente hacia su padre. Se le había ocurrido algo—: Los ingenios termonucleares —susurró—. ¿Cuántos dijiste que había?

—No lo dije —respondió Parry—. Hay veinte en total. Los dos menos potentes son de un kilotón y van en aumento hasta llegar al de mayor efecto, que en los círculos de inteligencia era conocido como el Aguafiestas: cincuenta megatones.

—Eso es una barbaridad: con dos de un kilotón tendremos de sobra para lo que se me ha ocurrido. Pero necesito una manera rápida de bajarlos a la Colonia. Desde allí puedo llevarlos hasta su mundo, coronel.

El coronel Bismarck se había acercado a escuchar y su inquietud se hizo evidente cuando estuvo a punto de dejar caer al sargento Finch.

—¿Vas a destruirlo? —preguntó.

—Tanto 'como eso, no —repuso Drake—. Sólo quiero sellar las dos entradas que conocemos.

—*Gott sei Dank!* —exclamó el coronel, bajando los ojos.

—Siempre que no me quede otra alternativa —dijo Drake, haciendo que el coronel levantara la cabeza de golpe—. Pero tenemos poco tiempo y necesito una ruta rápida para bajar —continuó Drake, dirigiéndose a Eddie.

El ex Limitador se encogió de hombros.

—Hay varios caminos para bajar a la Colonia. Puedes elegir.

—Tenemos toda la fuerza que necesitamos —dijo Drake, mirando brevemente a Sweeney antes de volver a dirigirse a Eddie—. Pero no me entusiasma arrastrar un par de armas nucleares, por pequeñas que sean, por vuestras enrevesadas rutas. Y por supuesto, ni hablar del camino fluvial de Norfolk. Llevamos demasiado equipo para arriesgarnos a cruzar los rápidos. No, algo con propulsión a chorro sería perfecto —bromeó.

Will aguzó el oído.

—Creo que yo podría serte útil en ese punto —dijo.

# CUARTA PARTE

# Nuclear

# 19

—Hola —saludó la joven al abrir la puerta.

—Buenos días —respondió Drake. Sacó una tarjeta laminada del bolsillo del mono azul y se la dio—. Parece que hay un importante escape de gas en su casa. Somos el equipo de respuesta instantánea. Nos han enviado a localizarla.

—Un escape de gas... Yo no he llamado —dijo la mujer, negando con la cabeza y devolviendo la tarjeta a Drake—. Aquí no hay ningún escape, se lo aseguro. Me sorprende que ustedes trabajen... Parece que hoy día todo el mundo está de huelga. —Entonces arrugó la frente con preocupación—. Verá, ahora mismo es mal momento. Tengo que ir a casa de mi madre a recoger a mi hijo. ¿No podrían venir en otro...?

—Señora, no quiero ser maleducado, pero nuestros sensores detectaron el problema anoche. Y rara vez se equivocan. —Drake plantó la caja de herramientas en el suelo, dando a entender que no tenía la menor intención de irse—. Si usted no nos permite entrar para hacer el informe, tendremos que cortar el suministro de toda la calle y el de otras de la misma red. Dentro de una hora volveré con una orden judicial que la obligará a permitirnos el acceso. —Cruzó los brazos, tiritando ligeramente—. Será un feo detalle con los vecinos si los deja sin gas para la calefacción, sobre todo con este tiempo tan frío.

La mujer dio un paso atrás de inmediato, como si hubiera decidido dejar entrar a Drake, y luego miró con curiosidad a la señora Burrows, que estaba olfateando el aire.

—¿Tienen que pasar los dos? Es que no me siento tranquila con...

—Me temo que tenemos que hacerlo —respondió Drake—. Aunque llevo el detector electrónico aquí —añadió, dando con el codo en la caja de herramientas—, no hay nada como el tacto humano. Mi ayudante, Celia, es lo que en el mundo del gas llamamos «Nariz». Es una detectora experta.

—¿De veras?

La mujer ladeó la cabeza como si fuera a ponerlo en duda, pero pareció cambiar de idea y abrió la puerta.

—Muy bien, Celia, dime qué tenemos aquí —invitó Drake nada más entrar en el vestíbulo.

Celia olfateó el aire.

—La cocina está ahí —dijo, volviéndose a una puerta cerrada que había a la izquierda—. Pero está limpia.

—¿Limpia? —dijo la mujer con voz ligeramente ofendida.

—Celia se refiere a que el calentador funciona bien y que el problema no reside ahí —explicó Drake.

—La sala de estar se encuentra a la derecha —continuó Celia—. Hay una chimenea de gas, pero hace al menos un año que no se ha utilizado. Es un modelo antiguo, con rejilla de cerámica y falsos paneles de madera a ambos lados.

—¡Exacto! —exclamó la mujer—. Mi marido dice que es demasiado cara para utilizarla y tuvimos que buscar un sustituto. Pero ¿cómo ha sabido el aspecto que tiene?

—Es una de las mejores Narices del país —puntualizó Drake—. Verá... sólo tiene que coger el ritmo.

Celia enfocó la parte superior de la escalera con sus ojos invidentes.

—El armario de la ropa está al fondo del rellano y detrás el depósito del agua caliente —prosiguió—. Tres dormitorios, el principal con dos radiadores y dos más pequeños con un radiador cada uno.

—Otra vez ha acertado —dijo la mujer.

—Y... —empezó a decir Celia, pero se detuvo. Drake se apartó para dejar que se acercase a una estrecha columna de cajones pegada a la pared, encima de la cual había guantes y una gorra de niño. Celia se puso de rodillas y tocó debajo. Sacó algo que apenas miró y se lo pasó a la mujer, que lo cogió con cautela—. Lo que queda de una galleta —terminó la señora Burrows—. Nada preocupante... Se secó hace ya tiempo, cuando su hijo la tiró ahí, pero el sitio huele a ratón. Entró uno desde el jardín y le dio un mordisco, y no querrá usted que se repita.

—No, claro que no —dijo la mujer con vehemencia, cogiendo el trozo de galleta entre el pulgar y el índice para examinarla—. Sí, tiene toda la razón. Se ven unos pequeños mordiscos en el borde. —Miró a la señora Burrows con fascinación—. ¡Usted tiene que ser una artista circense o algo así! —Nada más decirlo, la mujer se dio cuenta de que podía resultar ofensivo para la señora Burrows y comenzó a disculparse.

Drake levantó la mano.

—No se preocupe, nos pasa a menudo. Hay mucha gente que reacciona igual que usted —le aseguró.

La señora Burrows formó una uve con las cejas.

—El problema está en el sótano —dictaminó, señalando una puerta—. Y es de Categoría Uno. Es grave.

—¿Qué significa que es de Categoría Uno? —preguntó la mujer.

—Me temo que no es una buena noticia —replicó Drake—. Rotura profunda de la cañería... quizá debida a la congelación del suelo. Es probable que haya estado escapándose el gas durante algún tiempo, y que haya entrado... —Drake tragó saliva como si le costara pronunciar las siguientes palabras— en un *espacio cerrado*.

—Sí, yo diría que el escape lleva activo unas treinta... no... treinta y cinco horas —dijo la señora Burrows, olfateando de un lado a otro.

Drake dio un silbido.

—¡Mecachis en la mar! ¿Tanto? —Se volvió hacia la mujer—. Mire, señora, tiene que salir de la casa inmediatamente. Nuestro seguro no cubre los accidentes mortales de los clientes. Por favor, coja el abrigo y lo que necesite y váyase de aquí... lo más lejos que pueda. Y no encienda ningún aparato eléctrico... Incluso un teléfono móvil podría hacer que el gas prendiera y nos lanzara por los aires hasta el siglo que viene. —Miró a la señora Burrows—. Tendremos que convertir el sótano en zona de contención antes de ponernos a cavar en busca del escape. —Se dirigió de nuevo a la mujer—. Necesito un juego de llaves de la casa y un número de teléfono donde pueda localizarla. Le avisaré cuando pase el peligro.

—Por supuesto, lo que ustedes digan —respondió la mujer—. Estaré en casa de mi madre. Y gracias por venir tan rápido.

Mientras Will y Elliott observaban la escena desde la ventanilla trasera de la furgoneta, la mujer salió sin pérdida de tiempo de la casa, deteniéndose sólo para garabatear un número de teléfono y dárselo a Drake. Luego corrió calle abajo, lanzando miradas por encima del hombro, como si fuera la última vez que viese aquel lugar.

Will había empañado el cristal con el aliento y lo limpió con la manga para poder ver su antigua casa con claridad.

—Avenida Broadlands, número dieciséis. Yo viví ahí —dijo como si tratara de convencerse a sí mismo. Apoyó el dedo en la ventanilla y señaló, dirigiendo la atención de Elliott hacia el piso superior—. Qué curioso..., ése es el dormitorio de las Rebeccas. Las malvadas víboras dormían ahí, bajo el mismo techo que yo —informó. Acto seguido dio media vuelta y se derrumbó contra la portezuela—. Este lugar fue lo único que conocí durante mucho tiempo... y ahora apenas lo recuerdo.

Elliott tarareó algo incomprensible.

—No voy a preguntaros en qué estáis metidos —dijo inesperadamente el calvo que estaba al volante. Era el mecánico de Drake del garaje de West London. Los había ayudado a conseguir la falsa furgoneta de British Gas, los monos que llevaban Drake y la señora Burrows y también las tarjetas de identidad. Al parecer, era un servicio que su «clientela» esperaba de él, así como conseguir coches sin matrícula.

El mecánico se había reunido con ellos en un área de servicio de la autopista, donde Will, Elliott, la señora Burrows y Drake habían dejado el Bedford y habían subido a la furgoneta para recorrer el tramo final del viaje hasta Highfield.

—Pero estéis tramando lo que estéis tramando, no es del todo legal, ¿verdad? —añadió.

—¿De veras quiere saberlo? —lo desafió Will.

El mecánico se frotó la barbilla, pero no respondió.

—Si le digo que estamos tratando de salvar a la raza humana, ¿me creería? ¿Y que si no lo conseguimos, morirán todos los seres humanos que pueblan la superficie terrestre? —expuso Will sin inmutarse.

Elliott, sorprendida, ahogó una exclamación.

El mecánico sonrió, enseñando la dentadura de oro.

—Tienes razón, chico, no debería meter las narices donde no me llaman. Cuanto menos sepa, mejor. —Se tocó el bolsillo de la camisa y rió por lo bajo—. En todo caso, las canicas que vuestro señor Jones me ha dado son toda la respuesta que necesito.

—El señor Smith —lo corrigió Will con una sonrisa—. Quien le dio los diamantes fue el señor Smith.

En aquel momento, el señor Smith, que no era otro que Drake, llamó a la trasera de la furgoneta y abrió la puerta.

—La inquilina se ha ido. He llamado a Sparks y a los demás... Llegarán cuando hayamos estudiado el lugar. Pero mientras tanto deberíamos... —al ver que el mecánico estaba escuchando, improvisó—: Deberíamos entrar los adornos de Navidad.

Los adornos de Navidad eran en realidad explosivos suficientes para volar muchos metros de roca. Will entró en la casa con dos pesadas bolsas y se quedó paralizado. Miró a la señora Burrows.

—Está todo distinto, mamá —dijo—. El papel de la pared es nuevo. —Golpeó con la bota el suelo, que ya no estaba cubierto por la moqueta manchada que había conocido toda la vida—. Y esto también. Han reformado totalmente la casa.

Drake entró detrás de él.

—Will, tienes que bajarlo todo. ¿De acuerdo?

—Claro —respondió Will, dirigiéndose hacia la puerta del sótano—. Aquí es donde mi padre desaparecía todas las noches —dijo a Elliott, que lo seguía con una caja de herramientas—. Hasta que desapareció del todo camino de la Colonia.

El sótano también había cambiado por completo; estaba limpio y bien ordenado, con tableros perforados en las paredes para colgar las herramientas. Y en el centro había una antigua moto Triumph desmantelada, sobre una lona llena de grasa.

—Qué pasada de moto —dijo Drake, acariciando el cromado manillar—. Pero tenemos que quitar todo esto de en medio para poder llegar allí. —Miró los estantes, sobre los que había botes de pintura, brochas y útiles de decoración.

Will y Drake trabajaron con rapidez mientras la señora Burrows y Elliott cogían un colchón de uno de los dormitorios y lo trasladaban a rastras. Lo colocaron sobre la puerta que daba al jardín, para impedir que desde fuera pudiera oírse cualquier ruido que hicieran al trabajar.

Drake sacó un pico de una bolsa, introdujo la punta detrás de los estantes e hizo palanca. Los demás se congregaron a su lado para mirar. Detrás había una pared aparentemente normal, pintada de blanco.

—Exactamente aquí —dijo Will, acercándose para tocar el punto donde recordaba que estaba la entrada del túnel—. Estaba exactamente aquí.

Drake asintió con la cabeza.

—Lo haremos por las bravas para empezar. Abriremos un agujero por la vía rápida. Hará menos ruido. Apartaos —advirtió, agitando el pico. A los pocos minutos, había aflojado ladrillos suficientes para derribar un fragmento de la pared. En el suelo se formó un montón de piedra machacada y grava.

—Muy inteligente —comentó Drake—. Exactamente lo que esperaba encontrar. —Siguió golpeando para ampliar el agujero—. Suficiente. Ahora te toca a ti, Will. —Respirando con dificultad, Drake se volvió hacia el muchacho—. Hay que despejar todo esto para ver por dónde vamos. Y tú eres un experto en el manejo de la pala, ¿no es así?

Will sonrió.

—Claro, pero voy a tardar siglos. —Recordaba cuántos días habían tardado Chester y él en abrirse paso por el túnel la primera vez que lo encontraron.

—No si puedo evitarlo —dijo Drake—. Tú haz tu trabajo, Will.

—Muy bien —respondió el chico. Eligió una pala de la bolsa y la sopesó con aire experto. Luego se escupió en las manos—. ¡Cuidado! ¡He vuelto! —anunció, comenzando a recoger tierra.

Trabajó como un torbellino, deteniéndose únicamente para apartar con las manos los trozos de escombro más grandes que encontraba. Elliott, Drake y la señora Burrows habían formado una cadena para pasar cubos hasta el final del sótano, donde los vaciaban.

Se oyó un ruido seco. Will lanzó una maldición y se irguió.

—Malas noticias. He encontrado roca sólida. Es una roca enorme. —Se enjugó el sudor de la frente—. Cuando abrí el túnel, no había nada parecido.

Drake no pareció desanimarse por la noticia, pero antes de responder a Will, sonó el walkie-talkie.

—Los pavos navideños han llegado —anunció la voz del mecánico, utilizando la clave secreta de Drake. Al poco rato oyeron pasos en las escaleras de madera y Eddie bajó al sótano.

—¿Dónde están Sweeney y el coronel? —preguntó la señora Burrows—. ¿Y *Colly*?

—Se quedarán en el camión hasta que los necesitemos —anunció Eddie.

—Espero que tengan los ojos bien abiertos —comentó Drake—. Con la carga que llevamos no podemos correr ningún riesgo. Cualquier terrorista o ladrón daría un ojo de la cara por ese material de fisión, y más preparado como un arma. ¡Además, Parry me mataría si lo perdiéramos! —Sonrió—. Y ya que hablamos de explosivos —se volvió hacia una de las grandes bolsas que Will había metido en la casa y abrió la cremallera—, es hora de utilizarlos. Tendremos que poner explosivos para despejar el túnel.

—¿Ya habéis cruzado la primera barrera? —preguntó Eddie.

—¿Te refieres a esto? —inquirió Will, golpeando la mole de piedra.

—Sí. Debe de tener metro y medio de grosor; a continuación hay más material suelto y luego otra roca del mismo espesor —informó Eddie.

—Pareces muy seguro de eso —comentó Drake, sacando dos paquetes de explosivos de la bolsa.

Eddie asintió con la cabeza.

—Lo normal habría sido que el túnel se hundiera en su totalidad, así nadie tendría la oportunidad de volverlo a utilizar. Sobre todo después de que Chester y tú lo recorrierais —dijo, mirando a Will—. Pero no había nada «normal» en este túnel. Pensamos que podríamos necesitarlo alguna vez.

Aunque Will seguía contemplando la pared de roca que bloqueaba el camino, le picó la curiosidad.

—¿Por qué? ¿Qué tiene de especial?

—Se le conocía como Túnel de Jerome —le explicó Eddie.

Will volvió la cabeza hacia el ex Limitador.

—¿Cómo? —preguntó.

—Le pusieron ese nombre por tu madre biológica: Sarah Jerome.

Will frunció el entrecejo.

—¿Crees que el túnel terminaba en tu casa por pura casualidad? —dijo Eddie.

—No lo sé... La verdad es que no lo había pensado — admitió Will.

—Fue excavado especialmente para ti, Will, o más exactamente, para tener un medio de llegar hasta ti con rapidez si Sarah aparecía. Para la cúpula styx era una cuestión prioritaria volver a capturarla, debido a su creciente influencia sobre los elementos más rebeldes de nuestra ciudad.

—Te refieres a los Grajos —interrumpió Will.

—No, no sólo a ésos, sino también al resto de la Colonia. Queríamos atraparla para que sirviera de ejemplo. Pero cuando por fin la detuvimos, las gemelas Rebecca tenían otros planes para ella.

—Sí, trataron de obligarla a matarme —dijo Will mientras Eddie miraba las sombras que había tras él.

—Y este túnel también nos permitía mantener el contacto con las hembras styx que tú llamas gemelas Rebecca —dijo Eddie—. Sobre todo cuando se colaron en tu familia de niñas. Nos permitía cambiarlas cuando y como queríamos.

—Así que os introducíais en nuestra casa sin que nosotros supiéramos nada —dijo Will, acercándose a la señora Burrows.

—Casi siempre de noche, mientras dormíais. —Eddie apartó un ladrillo con la bota—. Más tarde, cuando el doctor Burrows comenzó a hacer agujeros en nuestro pasadizo, nos vimos obligados a reconstruir la pared del sótano.

—¡Yo estaba allí entonces! —exclamó Will, sacudiendo la cabeza—. ¡Yo lo ayudaba a hacer agujeros para que pudiera instalar los estantes!

—Durante las sesiones de Luz Oscura, al doctor Burrows se le dieron instrucciones sobre la existencia del túnel —prosiguió Eddie—. Nuestra intención era que lo descubriera y bajara a la Colonia. Sabíamos que tú lo seguirías allí, Will.

—¿Estás diciendo que Roger fue *programado* para hacer eso? —preguntó la señora Burrows—. ¿No lo hizo por iniciativa propia?

—En absoluto. Además de la existencia y localización del túnel, le inculcamos tanto el ansia de aventuras como un deseo irresistible de exploración. Durante un periodo de varios años, le fueron introducidos en forma de impulsos en el inconsciente, listos para ser activados cuando decidiéramos que era el momento de hacerlo actuar —respondió Eddie sin inmutarse—. Fue muy receptivo a la programación. Aunque yo no estaba allí para verlo, deduzco que esos mismos impulsos lo llevaron más tarde a dejar la Colonia, bajar a las profundidades y seguir avanzando hasta que encontró el mundo interior. Estos actos no respondían a su voluntad, no era algo que un hombre en sus cabales hubiera pensado siquiera.

Will dejó escapar un bufido.

—Así que... así que papá no era un gran explorador... Y todas esas cosas que se moría por descubrir..., que anotaba en su diario..., todo eso era por vosotros. —El muchacho tenía los ojos abiertos a causa de la incredulidad, como si tratara de ordenar los miles de pensamientos que se agolpaban en su mente—. Entonces lo que yo creía que era papá... no era realmente él. Vosotros lo hicisteis así. Los styx lo convirtieron en algo que no era, ¿no es así?

—En efecto. Como muchos Seres de la Superficie, el doctor Burrows no tenía motivación alguna hasta que lo sometimos a sesiones de Luz Oscura —confirmó Eddie, mirando a la señora Burrows—. Y, por supuesto, a usted le hicimos todo lo contrario, Celia. Insertamos indiferencia y apatía total en usted, porque no desempeñaba ningún papel en este asunto. Nos convenía que no hiciera nada... salvo ver la televisión.

Durante un momento todo el mundo permaneció en silencio.

—Y yo que pensaba que era el que tenía la dinamita —murmuró Drake, volviendo a poner los explosivos en la bolsa.

Como si estuviera al borde del colapso, la señora Burrows se balanceó.

—Lo sabía —murmuró varias veces con voz cascada.

—¿Mamá? —dijo Will, cogiéndola por el brazo para sujetarla.

—Todos esos años... me sentía como si luchara contra algo que no era yo. Me sentía como si me estuviera perdiendo..., como si no gobernara mi propia vida. Y no la gobernaba, porque vosotros, los styx, me estabais dictando quién era. ¡Un producto fabricado... un ser artificial! ¡Aquellos pensamientos... mis pensamientos nunca fueron míos!

Tanto si aquella era su intención como si no, la voz de Eddie estaba totalmente exenta de remordimientos.

—Sí. Creía que ya lo habría descubierto por sí misma. Después de todo, consiguió sobreponerse a la programación cuando...

—Nos habéis robado la vida —gruñó la señora Burrows en tono acusador—. Nos amargasteis la existencia con vuestras maniobras y manipulaciones, y únicamente porque queríais a Sarah Jerome.

—Bueno, no sólo por eso —repuso Eddie—. También fue una oportunidad para que las gemelas Rebecca adquiriesen experiencia y supieran lo que era vivir entre los paganos.

Nadie se dio cuenta de que la señora Burrows había puesto la mano sobre la pala de Will.

Dando un paso atrás, la descargó sobre Eddie. Le golpeó en la cabeza con tal fuerza que el styx se desplomó sobre su hija.

—¡Eh! ¡No, eso no! —gritó Drake, quitándole la pala a la señora Burrows. Pero eso no la detuvo. Siguió asestando puñetazos al styx mientras Drake intentaba detenerla.

—¡Llévatela! —gritó Elliott, sujetando a su aturdido padre—. Se ha vuelto loca.

—¡Mamá no está loca, maldita sea! —le gritó Will—. Los que están locos son esos bastardos. ¡Nos han reventado la vida! ¡Nos la han destrozado!

Estaba tan furioso que escupía al hablar.

La furia parecía haber abandonado a la señora Burrows, pero ahora Drake se vio obligado a ponerse entre Will y Elliott, con los brazos en cruz para mantenerlos separados.

—Todo el mundo a calmarse. No tenemos tiempo para disputas familiares. Ahora no. —Se volvió hacia la señora Burrows—. Celia, quiero que respire hondo unas cuantas veces y vaya arriba con Elliott a preparar té para todos. Y vosotros dos —dijo mirando a Will y Eddie, que tenía un reguero de sangre en la frente—, vamos a vendar la herida de Eddie y luego pondremos los explosivos. Ya arreglaréis vuestras diferencias más tarde, pero ahora el tiempo se nos acaba. Así que, ¿os vais a comportar como adultos?

Elliott vaciló, a punto de decir algo.

—Creo que te dije que fueras arriba con Celia —repitió Drake con firmeza.

Fue suficiente para Elliott, que asintió con la cabeza. Y la señora Burrows ya había recuperado el dominio de sí misma cuando pasó al lado de Eddie.

—Lo siento —murmuró—. Fue la impresión. No era consciente de lo que estaba haciendo. Fue la impresión...

Eddie se secó la sangre que le caía sobre los ojos.

—Está bien, no pasa nada —respondió, y nada más decirlo se desmayó.


Sacaron a Eddie del sótano y lo tendieron sobre el sofá de la sala. Mientras los demás se apelotonaban junto a él, Will salió de la habitación. Se detuvo un momento al pie de la escalera. La barandilla había sido pintada de nuevo y estaba tan blanca, limpia y perfecta que no se atrevía a tocarla con sus mugrientas manos.

Comenzó a subir los peldaños que conducían a la primera planta. Había subido y bajado tantas veces aquellas mismas escaleras que, con cada paso, le sobrevenían recuerdos de la infancia. Almuerzos de los sábados, cuando una de las dos Rebeccas estaba allí preparando una abundante fritada para la familia: huevos, salchichas, champiñones, bacon y gofres, todo chorreando grasa poco saludable. Will sonrió; curioso que la gemela Rebecca nunca hubiera probado aquellas comidas. Quizás estuviera tratando de matarlos a todos por aquel entonces.

Y Will recordó las largas conversaciones de su madre con tía Jean. A veces se sentaba en el primer escalón y escuchaba a las hermanas hablar sobre el último giro de los acontecimientos que se había producido en alguna serie de televisión. Pero cuando la tía Jean comenzaba a monopolizar la conversación con sus largas parrafadas sobre lo que había comido aquel día y cómo lo soportaba su impredecible aparato digestivo, o sobre lo que había estado haciendo su precioso caniche, *Sophie,* lo único que Will oía decir a su madre era: «Entiendo... entiendo... entiendo», con voz aburrida. En un par de ocasiones, la señora Burrows incluso había dado alguna cabezada mientras hablaba su hermana.

Pero cuando llegó al descansillo, Will se dio cuenta de que lo que a él le parecía una vida familiar normal estaba lejos de serlo, y lo que recordaba bien podían ser escenas de alguna película. Por si no bastara con que el papel de hermana mayor lo hubieran representado dos chicas, si es que *chicas* era la palabra correcta, porque ni siquiera eran humanas, los styx habían estado dirigiendo y manipulando durante años todo lo que ocurría en la casa con sus sesiones de Luz Oscura.

—Nada era real —susurró Will.

Y ni siquiera el escenario en el que había tenido lugar aquella farsa estaba allí ya. Mientras observaba el descansillo, vio que todo era diferente. Las estanterías empotradas habían desaparecido, la esfera de papel que hacía de tulipa se había reemplazado, y la moqueta nueva ya no tenía aquellas zonas en las que el dibujo se había borrado por completo.

Con la sensación de estar soñando, Will se dirigió al dormitorio delantero. Siempre le habían prohibido entrar porque había sido el dormitorio de Rebecca, pero ahora se utilizaba como estudio. Will miró el escritorio con el ordenador último modelo. Se fijó en el tablón de corcho que había detrás. Había multitud de fotografías clavadas allí con chinchetas y en muchas reconoció a la mujer que ahora vivía en la casa. Las fotos habían sido hechas en varios lugares diferentes y en la mayoría estaba acompañada por un hombre, probablemente su marido.

Will se acercó y cogió una, dejando la chincheta sobre el escritorio. En la foto, la mujer y su marido estaban brindando con cocos partidos adornados con pequeñas sombrillas y pajitas de colores; detrás de sus rostros bronceados y relajados se veía una playa iluminada por hogueras.

También había fotos de un niño, de modo que Will supo lo que encontraría en su antiguo dormitorio cuando entrara. Seguro que habría una cuna, juguetes de superficie blanda por todas partes, y las paredes estarían pintadas de azul celeste y habría pegatinas que representarían nubes de algodón. Del paso de Will por allí no quedaría el menor rastro. Ni siquiera las estanterías donde guardaba su colección de hallazgos, ni los carteles del centurión romano y del Incendio de Londres con los que había cubierto las paredes hasta el techo. Se acercó a la ventana, donde un móvil de orugas y mariposas de brillantes colores se agitaba suavemente a merced de la brisa.

Empujó con el dedo la cara de una de las brillantes orugas.

—¡No me muerdas! ¡No me muerdas! —dijo Will con vocecita gemebunda.

—Soy una larva de Guerrero styx y voy a morderte —se respondió, poniendo voz rugiente de monstruo.

—¡No! ¡Ay, ay, ay! —exclamó, riendo para sí y empujando con más fuerza la oruga, que se balanceó. A continuación se sintió atraído por el jardín de la casa. El césped estaba cubierto de nieve, pero habría jurado que no estaba tan descuidado como cuando él vivía allí. Y se veían cosas nuevas: una zona pavimentada, un arriate circular y, delante de la nueva verja, un columpio y un foso de arena.

Sacudiendo la cabeza, Will dejó escapar un suspiro. Ya no era su jardín. Era un jardín más entre otros miles. Quizás era mejor olvidarse del pasado y salir de allí. Al menos lo que vivía ahora era auténtico y no una invención de los styx.

Oyó que Drake lo llamaba.

—Cómete eso, bicho asqueroso —dijo, asestando a la oruga un puñetazo tan fuerte que el móvil se quedó girando como una peonza cuando salió de la habitación.

Sonó un estampido retumbante cuando la primera explosión sacudió la casa y la calle que la rodeaba. Todos excepto Drake habían salido del edificio, y Will y Sweeney estaban observando desde la parte trasera de la falsa furgoneta de la compañía del gas.

—Ha sido como un terremoto —comentó Will, cuando la furgoneta osciló ligeramente. Las otras consecuencias fueron algo de nieve que cayó del tejado y un par de alarmas de coche que se dispararon en la calle.

Al poco rato, Drake abrió la puerta delantera, envuelto en una nube de polvo. Agitó la mano en dirección a la furgoneta.

—Vamos allá —dijo Sweeney a Will—. No, espera... hay un vecino asomado.

Un hombre se acercó a mirar. Drake salió para hablar con él y le enseñó sus falsas credenciales.

El mecánico que conducía la furgoneta se había inclinado para verlo por el espejo retrovisor.

—Si crea problemas, yo me ocuparé de él —amenazó, mientras el vecino curioso se alejaba—. Si no, me quedaré aquí hasta que ustedes o el señor Smith necesiten algo. Y si hacen un túnel hasta Australia, avísenme. Nunca he estado allí.

Will y Sweeney bajaron de un salto, pero Will se acercó un momento al Bedford, aupándose para mirar por debajo de la lona. Elliott estaba sentada con Eddie, que aún no se había recuperado del golpe que le habían propinado con la pala. Tenía los ojos cerrados y parecía dormido.

—¿Qué tal está? —preguntó Will.

—Algo conmocionado, pero bien —respondió Elliott—. Los styx tienen la cabeza muy dura.

—Ah, bueno, eso está bien —dijo Will, sin saber si Elliott hablaba en serio o no. Aún se sentía avergonzado por su forma de tratarla después de la crisis de su madre.

Y la señora Burrows, sentada dócilmente con *Colly* en un rincón, también parecía arrepentida. El coronel empuñaba una pistola mientras vigilaba el equipo, que estaba cubierto por una lona y asegurado con cuerdas. Will miró el bulto que hacía la lona y pensó lo extraño que resultaba estar tan cerca de unas armas atómicas.

Cuando entró en la casa, encontró a Sweeney esperándolo en el vestíbulo.

—¿Listo para la segunda parte? —preguntó.

—Sí —respondió Will, agitando la mano en medio de la nube de polvo. Vio que había caído un cuadro al suelo y que se habían abierto varias grietas en las paredes—.

Vamos a destruir este lugar. Qué pena me da, después de todo lo que han trabajado en él —añadió.

El polvo era aún más espeso en el sótano, donde Drake ya estaba quitando los escombros del túnel con una pala. Will y Sweeney se pusieron enseguida a trabajar, ayudándolo a despejar los escombros para poder calcular cuánto habían progresado.

—Hemos ganado cerca de metro y medio —dijo Drake—. Un par de explosiones más y podremos pasar.

—Si aguanta el techo —observó Will, buscando con la mirada signos de debilidad—. No está del todo mal —decidió, pasando la mano por una pequeña grieta en la roca.

—Sí, estoy colocando los explosivos de forma que revienten hacia delante. Si Eddie tiene razón y los styx no reforzaron el techo, aviados estamos —comentó Drake—. Tampoco es que importe si se hunde después de que hayamos pasado.

—Pobre casa —dijo Will.

Según habían dispuesto, acudieron unos cuantos ex Limitadores de Eddie para ayudar con el trabajo en el túnel. Fue extraño verlos trabajar en silencio, pero Will agradeció la mano de obra extra.

Necesitaron tres explosiones más para perforar la roca empotrada en el túnel. Y al final del proceso se generó tanto escombro que en algunos lugares llegaba hasta el techo del sótano. Incluso la moto que Drake había admirado tanto estaba totalmente sepultada. La única zona relativamente despejada era un corredor que iba desde el final de la escalera hasta la entrada del túnel.

—Vamos a echar un vistazo —dijo Drake, apartando los últimos escombros para entrar con Will en el túnel, más allá de donde había estado la obstrucción.

—Esto me trae unos cuantos recuerdos —murmuró Will mientras recorrían el pasadizo hasta un recodo. Y allí estaba: la cámara en forma de media luna y paredes de roca opalescente que habían descubierto Will y Chester.

Mientras Will y Drake miraban a su alrededor, la luz de sus cascos de minero parecía penetrar la transparente roca y despertar reflejos por doquier. Gran parte del suelo de la cueva estaba cubierto por un agua enrojecida por la herrumbre. Will vadeó el agua con rapidez, en busca de la puerta que sabía que tenía que estar en un extremo de la cámara.

—¿Sabes? —dijo, volviéndose hacia Drake—. Creo que este lugar es lo mejor que...

—¡DETENTE! —gritó Drake. Su voz resonó en las paredes de la cámara.

Will casi perdió pie al dar marcha atrás.

Drake estuvo a su lado en un santiamén.

—Quédate... totalmente... inmóvil —ordenó con un tono de voz que significaba que era importante que obedeciera al pie de la letra—. No te muevas ni un milímetro, ni hacia adelante ni hacia atrás —añadió Drake—. Estás enganchado.

—¿A qué te refieres? —preguntó Will. Con la cabeza quieta, movió los ojos para inspeccionar hasta donde podía el punto en que se encontraba. Drake tenía el brazo estirado y la mano suspendida junto a un cable tirante que cruzaba la cueva en sentido horizontal.

—Jooopeee, lo estoy tocando —susurró Will al darse cuenta de que el cable descansaba sobre su pecho. Era tan fino que era prácticamente invisible. Lo único que permitía localizarlo era la humedad que lo cubría y que brilló cuando Drake movió la luz del casco.

—Pajarito, pajarito, qué haces aquí tan bonito —dijo Drake, siguiendo el cable hasta la mitad de la cueva, don-

373

de terminaba entre los restos de una máquina sumergida en el agua. Era imposible distinguir qué clase de máquina había sido entre aquella masa de engranajes retorcidos y oxidados.

—Así que el cable trampa está enganchado ahí... —susurró Drake, dando la vuelta por detrás de Will para seguir el cable por el otro lado—. Hay que buscar siempre el circuito secundario —añadió, fijándose bien en dónde ponía los pies bajo el agua. Llegó a la pared de la cueva y sacó varios instrumentos de un estuche que llevaba en el cinturón.

Will no veía lo que estaba haciendo.

—¿Qué hay ahí? ¿Puedo moverme ya? —preguntó, sin atreverse casi a respirar.

—Ni fe te ocuda —replicó Drake, con un destornillador entre los dientes. Lo sustituyó por el cuchillo que había estado utilizando y aún transcurrió otro minuto hasta que anunció—: Ya está. Hecho.

El cable trampa se alejó silbando hacia la máquina pulverizada y Will respiró de alivio.

—¡Ahí va! —exclamó Drake, lanzando algo a Will. Este lo atrapó con un grito de alarma. De un pequeño bote saltaron unas bolas de cojinete que parecían canicas y se hundieron a los pies de Will, salpicando agua. Drake había quitado una tapa del bote y dentro habían quedado algunas bolas, pegadas a algo que parecía plastilina.

—Ingenio explosivo antipersonal styx número tres. Garantizamos que le estropearemos el día o le devolvemos el dinero —recitó Drake—. En lo sucesivo, Sweeney o yo iremos delante.

—De acuerdo —dijo Will, tirando la última bola que quedaba en el bote.

Como no había sitio suficiente en el sótano, llevaron todo el equipo a la sala y lo dejaron allí para que Drake lo revisara por última vez. Will y Elliot miraban a Sweeney y al coronel Bismarck, que transportaban la segunda bomba nuclear por el pasillo. La señora Burrows cerró inmediatamente la puerta de la calle.

—Parecen pesadas —comentó Will. La caja de acero inoxidable sólo medía unos dos metros de longitud, pero los dos hombres, que la sujetaban por las asas de los extremos, gruñían por el esfuerzo.

—Vale, atención todo el mundo —dijo Drake desde la sala.

—¿Dónde quieres que dejemos el segundo ingenio nuclear, jefe? —preguntó Sweeney, entrando con el coronel.

—Ahí está bien, al lado del primero —respondió Drake.

Will estaba en la puerta, mirando los impresionantes equipos que había dentro.

—¡Si la inquilina pudiera ver lo que hay dentro de su casa! —dijo.

Sweeney sonrió.

—Sí, sospecho que le fastidiaría que un par de bombas atómicas le taparan la tele.

—Sobre todo si ha empezado la cuenta atrás —añadió la señora Burrows, mientras Sweeney y el coronel depositaban el artilugio al lado del otro y se erguían frotándose las manos.

Drake estaba agachado al lado de una curiosa pieza que había sobre la mesa de centro.

—Pasa y cierra la puerta, Will —dijo, como si aún no se fiara por completo de los hombres de Eddie, que seguían en la casa.

—Bueno, antes de empezar hay un par de cosas que tengo que decir. —Señaló los artilugios que había delante del televisor—. Mover las bombas va a ser la deslomadura padre hasta que lleguemos al punto de gravedad mínima, hacia el centro de la Tierra. Las bombas en sí no son muy pesadas, pero el diseño es antiguo y el chasis está protegido por una gruesa capa de plomo.

—¿Y no podemos deshacernos del chasis? —propuso Elliott.

—El plutonio de las bombas desprende mucha radiación... Brillaríamos como anuncios de neón antes de haber recorrido unos metros. Pero ya llegaremos a eso —aclaró Drake con expresión sombría—. Esta misión no va a ser un paseo dominical por el parque. —Miró a la señora Burrows, que tenía a *Colly* a su lado, luego al coronel, a Will, a Elliott y a Sweeney—. Y Eddie no va a estar con nosotros esta vez.

—¿Por el golpe en la cabeza? —preguntó Will sin mirar a Elliott.

Drake asintió.

—Necesita tiempo para recuperarse, pero no es por eso. No sé cuál es la situación de la Colonia en la actualidad, pero si los styx siguen allí, será mejor que no lo vean. De todas formas, nos será de más utilidad en la superficie, donde sus hombres y él pueden trabajar con Parry y la Vieja Guardia para encontrar a las mujeres styx.

—A menos que estén todos bajo tierra —apuntó el coronel Bismarck.

—Cierto —admitió Drake—. Lo que nos comentó Danforth sobre continuar la Fase en el mundo inferior tal vez fuese un ardid para despistarnos. Pero tendremos que descubrirlo por nosotros mismos —respiró hondo—. Bien, si nadie tiene más preguntas, pongámonos en marcha.

—Yo tengo una —dijo Will—. ¿Qué es eso? ¿Un arma?

Estaba mirando el objeto que había sobre la mesa de centro. Tres delgados recipientes de metal, cada uno de un metro de longitud, soldados juntos, con la empuñadura de una pistola hacia la mitad y una especie de embudo o boquilla en un extremo.

—Una cosita que mi amigo mecánico, el de la furgoneta, me ha preparado —respondió Drake—. De hecho, ha construido varias versiones del mismo modelo.

Will se acercó a la mesa para ver de cerca el aparato. En la base de la boquilla se cruzaban varios tubos procedentes de los tres recipientes, formando un grueso y complicado nudo del que sobresalía una serie de pomos.

Drake cogió el chisme y, sujetándolo por la empuñadura, deslizó un seguro y apretó el gatillo. Una cegadora llama azul salió por la boquilla.

Will dio un salto hacia atrás y levantó un brazo para protegerse la cara del calor.

—¡Es un lanzallamas!

—No, no es un arma. No os aburriré con la parte mecánica —dijo Drake, apagando la llama al soltar el gatillo—, sólo diré que consta de dos propelentes de alto octanaje mezclados con oxígeno para crear un potente aparato de propulsión..., una especie de cohete. Así no tendremos que depender de un Sten para producir el impulso que nos permita cruzar el cinturón de gravedad cero, como hicisteis tu padre y tú.

—¡Qué guay! —exclamó Will—. No puedo creer que sepas fabricarlo. Parece muy complicado.

—No... tiene poco que ver con la balística —replicó Drake con modestia, frunciendo el entrecejo—. ¿Qué digo? Yo creo que tiene que ver con la balística al ciento por ciento —añadió, rectificando.

Después de recoger todo el equipo, Will y Elliott bajaron al sótano. Los hombres de Eddie estaban allí. Drake les había dicho que bloquearan la entrada del túnel para que las autoridades de la Superficie no lo descubrieran.

Elliott habló con ellos en styx, luego entró con Will en el túnel y se dirigieron rápidamente hasta el fondo de la cueva en forma de media luna. Will le enseñó la puerta de hierro de tres cerrojos que Chester y él habían descubierto la primera vez que bajaron.

—Aquí fue donde empezó todo —anunció, golpeando la superficie con los nudillos y produciendo un ruido grave que resonó hasta que volvió a tocarla. Recorrió con la punta del dedo un espacio cubierto de brillante pintura negra y recordó—: No había posibilidad de volver atrás cuando encontré esta puerta...; bueno, al menos no para mí. No creo que Chester estuviera muy contento en aquel momento, pero aun así vino conmigo.

—Pobre y querido Chester... él es así. Un amigo que te guarda fidelidad —comentó Elliott.

«Y mira adónde lo ha llevado eso», pensó Will. Entonces apareció Drake y se dirigió a él.

—Puedes abrirla. Ya he comprobado que no hay minas antipersona styx.

Will movió hacia arriba los pasadores de los cerrojos y dio un paso atrás.

—Las señoras primero —dijo a Elliott.

La muchacha se apoyó en la puerta, que chirrió al girar sobre los goznes. Luego pasó por encima del limen de metal que había en la base y entró en la cámara cilíndrica. Tras recorrer la corta distancia que los separaba del otro extremo, Drake se reunió con ellos y Will abrió los tres cerrojos de la segunda puerta, que era idéntica a la primera.

Luego, sin molestarse siquiera en mirar dentro por el ventanuco, la abrió de un tirón. Se oyó un repentino susurro cuando se niveló la presión del aire.

—Eso significa que al menos siguen funcionando las Estaciones de Ventilación, ¿no? Que la Colonia tiene aire —preguntó Will a Drake.

—Eso espero —respondió Drake como quien no quiere la cosa.

Will y Elliott avanzaron por la antecámara a la luz del casco de Will que rasgaba el aire cargado de humedad. Las paredes eran un mosaico de planchas de metal oxidado sujetas con remaches. Will contuvo el aliento al iluminar la parte de arriba. Allí, esperándolos, estaba el ascensor, listo para conducirlos a las profundidades.

Will se disponía a abrir la puerta del ascensor, pero antes miró a Drake para ver si tenía algo que objetar. Drake asintió con la cabeza y la luz de su casco trazó una raya vertical. Will abrió la puerta deslizante y entró.

—Ahora, a pisar fuerte —susurró para sí, aunque esta vez no tuvo ganas de dar saltos.

El equipo y las armas nucleares fueron transportados en varios viajes, ya que Drake no quería sobrecargar el viejo ascensor. Cuando todo estuvo abajo, Will se dirigió a la puerta de la segunda cámara de metal.

—Espera —dijo Drake—. Antes tengo que investigar esa cámara. No me he arriesgado a abrirla aún por si tuviera una alarma. —Se volvió hacia todos—. Preparad las armas. Y tened a mano las armas tranquilizadoras por si tropezamos con algún Colono. —Se detuvo un momento—. Hay algo que tenéis que saber. La última vez que estuvimos en Londres, capté una señal de socorro de la Colonia.

—¿Qué quieres decir? —preguntó la señora Burrows.

—Dejé un localizador de radio con su amigo, el Segundo Agente. Estaba sintonizado en una frecuencia concreta y le dije que lo usara si tenía problemas en la Colonia y lo necesitaba. Bueno, lo utilizó.

La señora Burrows pareció preocupada.

—¿Por qué no lo mencionaste antes?

—Porque en aquel momento teníamos cosas más importantes que hacer —replicó Drake—. Así que no sé qué nos vamos a encontrar cuando crucemos esa cámara.

La señora Burrows sacudió la cabeza y acarició a la Cazadora, que comenzó a ronronear de inmediato.

—He traído a *Colly* conmigo porque quería llevarla a casa. Si me hubiera enterado antes de lo que acabas de decir, habría hecho otros planes... La habría dejado con el sargento Finch.

—No le pasará nada. Puede acompañarnos en el viaje. Parece bastante sana —decidió Drake.

—Sí, está muy sana —dijo la señora Burrows con sequedad—. Pero ¿esperas que alumbre gatitos de pie?

Todos se volvieron a mirar a la Cazadora que, al darse cuenta de la atención que le prestaban, dejó de ronronear.

—¿Gatitos? —preguntó Will.

—Sí, los de *Bartleby* —respondió la señora Burrows—. ¿Por qué crees que ha engordado tanto?

Drake suspiró.

—Miren, vamos a ver cómo está la situación en la Colonia y luego ya pensaremos algo, ¿vale?

—Vale, qué remedio —dijo la señora Burrows.

Se quedaron atrás mientras Sweeney y Drake examinaban la puerta de la cámara en busca de trampas. Acto seguido la abrieron.

Como si no pudiera esperar a comprobar el estado de la Colonia, la señora Burrows se puso inmediatamente detrás de los dos hombres.

Sweeney había recorrido la mitad del suelo de material corrugado cuando perdió pie y se tambaleó. Trató de asirse a la pared de la cámara como si sus piernas no pudieran sostenerlo. Drake se acercó inmediatamente para ayudarlo.

—¡No, *Colly*! —gritó la señora Burrows. La Cazadora había caído a su lado. Estaba inconsciente.

—¡Llevaos al gato! —ordenó Drake a Will y al coronel. Sweeney se recobró en cuanto lo acercaron al ascensor, pero *Colly* seguía desmayada.

—¿Qué será? —exclamó la señora Burrows—. No podemos... ¡está preñada!

Drake se señaló el oído.

—Es un campo ultrasónico. Han protegido la puerta para impedir que se utilice. Sweeney llevaba tapones, pero es hipersensible a la mayoría de las frecuencias. Y *Colly* no llevaba protección alguna.

—Pero ¿se recuperará? —preguntó Elliott, acariciando el hinchado estómago de la gata.

—Debería —respondió Drake—. Ahora tenéis que alejaros todo lo posible, porque, según una costumbre establecida hace tiempo, el coronel y yo vamos a abrirnos paso a bombazos.

# 20

En la Plaza del Mercado, una amplia zona pavimentada del centro de la Caverna Meridional, la gente se estaba reuniendo para oír lo que la Junta de Gobierno tenía que decir. Había corrido la voz y todos o casi todos los habitantes que quedaban en la ciudad subterránea iban a acudir.

Los Gobernantes no se habían dejado ver últimamente. Pero como los styx habían desaparecido por arte de magia, habían salido a rastras de sus escondites con la clara intención de reafirmar su autoridad en la Colonia.

Antes de producirse los últimos acontecimientos problemáticos, la plaza había estado atestada de gente los días de mercado, gente que compraba artículos en las numerosas filas de carros. Pero ahora los carros se habían apartado para hacer sitio, aunque había gente de pie encima de ellos para ver mejor a los Gobernantes.

Y casi todos los Gobernantes estaban presentes en una tribuna erigida a toda prisa. Tenía que haber doce, pero uno no se encontraba bien; el señor Cruickshank sufría un grave ataque de gota y no había podido abandonar la cama. Todos los demás, acicalados con sus grandes chisteras, sus chaquetas negras y sus pantalones de finas rayas grises, estaban sentados muy rígidos detrás de una gran mesa, sobre la tribuna. Cuando llegó la hora de comenzar la reunión, los once hombres se quitaron el sombrero para dejarlo delante de ellos, sobre la mesa. El señor Pearson, el Gobernante más antiguo, se puso en pie.

Con expresión lúgubre y su penosa y lenta forma de hablar, comenzó a pronunciar un discurso sobre «mantener el orden» y sobre que «el deber de un colono para con su vecino era obedecer las leyes tradicionales». El nombre de sir Gabriel Martineau aparecía una y otra vez en su discurso; era obvio que creía que las referencias frecuentes al fundador de la Colonia tendrían alguna repercusión en el público y lo volvería más dócil.

Pero aunque los reunidos escuchaban, no aprobaban lo que estaban oyendo. Los Gobernantes habían sido los títeres de los styx, se habían limitado a llevar a efecto lo que la auténtica clase dirigente ordenaba. Y con los styx fuera de juego, era inevitable que disminuyera el grado de respeto hacia aquellos funcionarios.

—Hemos... —exclamó el señor Pearson, con una mano metida en la botonadura del chaleco y agitando un dedo hacia el techo de roca—, hemos conocido tiempos difíciles estos últimos meses. Nos han separado de nuestras familias y de nuestros vecinos, aunque todavía no sepamos la razón. Y no sabemos adónde los han llevado ni cuándo volverán con nosotros.

—Nunca —murmuró una mujer de la multitud.

—Y cuando nuestros amos vuelvan, podéis estar seguros de que nosotros, la Junta de Gobierno, les haremos muchas preguntas —aseguró el señor Pearson en respuesta a la mujer.

Al hacer referencia a los styx, una oleada de desaprobación se extendió entre la multitud.

—Y hasta que se restaure la normalidad, nos aseguraremos de que la rutina diaria sea la de siempre, y que no se vea interrumpida por estallidos de anarquía por parte del puñado de descontentos que corrompe nuestra sociedad

—afirmó el señor Pearson—. A partir de ahora, sólo nos tenemos a nosotros mismos. Somos una gran sociedad y cuidaremos de los nuestros.

Con gran ceremonia, se volvió hacia los Gobernantes que tenía a la izquierda y luego a los que tenía a la derecha. Los diez funcionarios repetían: «Eso, eso, muy bien», con mucha vehemencia y asintiendo con la cabeza como monos borrachos que mostraran su conformidad.

El señor Pearson volvió a dirigirse a la multitud.

—Estamos todos en el mismo barco. En los últimos meses, hemos navegado por aguas turbulentas..., hemos pasado hambre, hemos sufrido confusión y temor por los inexplicables cambios que han experimentado nuestras vidas. Pero no temáis más, la Junta está aquí para reafirmar la ley y el orden. —Se detuvo como si esperase los aplausos de la multitud, pero la única reacción de ésta fue un silencio sepulcral.

Se aclaró la garganta y continuó:

—Nuestro primer acto será buscar un portal abierto por el que continuar con las entregas de suministros alimenticios de la Superficie. E igualmente importante será la reanudación de la producción de alimentos de primera necesidad, esos alimentos de los que tanto dependemos. La cría de ganado y la recolección de roedores son una prioridad y, mientras hablo, los campos de champiñones de la zona Septentrional están casi listos para la cosecha, y...

—No veo que tú te desriñones cavando —dijo un colono en voz alta.

—Sí, arremángate y haz algo, Pearson —añadió otro.

El señor Pearson se pasó un dedo por el cuello de la camisa y, sin prestar atención a los que lo interrumpían, trató de continuar. Pero en medio de la multitud, un colono tosió con fuerza. No era una tos auténtica. El hombre había agachado la cabeza y gritado la palabra «Bacín».

La multitud se estremeció.

Casi todos los ciudadanos de la Colonia habían abandonado la práctica, más bien arcaica, de utilizar el orinal de loza que se guardaba debajo de la cama y en el que uno se podía aliviar durante la noche si tenía necesidad. Ahora tenían que bajar la escalera hasta el cuarto de baño, que solía encontrarse en la parte posterior de la casa.

Pero no el señor Pearson.

Y como era de la clase privilegiada, el señor Pearson estaba demasiado arriba y era demasiado poderoso para vaciar el bacín por la mañana. Debido a su alto cargo, siempre había tenido criado, normalmente un Ser de la Superficie capturado, o, si no había ninguno disponible, algún colono de clase baja al que se presionaba para entrar al servicio de su casa... y una de sus obligaciones consistía en realizar aquella desagradable tarea. Y algunos días había vaciado el bacín más bien tarde, así que el olor del excremento había impregnado toda la casa. No, no era agradable.

Otro gracioso de la multitud siguió el ejemplo del primero. Fingió estornudar con fuerza, aunque en realidad gritó la palabra «Meón» para que la oyeran todos.

Los miembros más atrevidos del público estallaron en carcajadas.

Alguien había osado decir en voz alta el apodo del Gobernante más viejo, al que llamaban en la Colonia Meón Pearson. Y en ocasiones algo de peor gusto todavía.

Aquello era una flagrante falta de respeto.

El señor Pearson se puso rojo como un tomate y agitó los puños. Parecía una olla exprés demasiado caliente, tanto que se podía imaginar el vapor saliéndole por las orejas.

—¡No voy a tolerar estas faltas de respeto! —gritó—. ¡Primer Agente! ¡Detenga a estas personas! —El señor Pearson se puso aún más colorado—. ¿Dónde está, Primer Agente? ¡Preséntese ante mí de inmediato! ¡Quiero a los responsables encerrados en el Calabozo!

El nuevo Primer Agente apareció al lado de la tribuna y subió. Los tablones provisionales crujieron y oscilaron bajo su peso y varios Gobernantes se sujetaron a la mesa como si temieran salir disparados hacia el populacho. En aquel momento, Will, Drake y la señora Burrows llegaron a la Plaza del Mercado y avanzaron lentamente por la periferia de la multitud, recibiendo alguna que otra mirada de curiosidad de los que estaban subidos en los carros, aunque en general los colonos estaban demasiado absortos en el despliegue de insolencias que se desarrollaba ante ellos. En cualquier caso, con todas las tropas neogermanas alojadas en la Colonia durante los últimos meses, se habían acostumbrado a ver forasteros rondando por allí.

—¡Haga su trabajo! ¡Deténgalos! —insistió el señor Pearson, pateando el suelo, lo cual hizo que la plataforma se sacudiera de nuevo.

El Primer Agente observó los rostros de la multitud y vio que Cuchilla y Chillidos estaban en las primeras filas. Aún no había informado a los Gobernantes de que su predecesor había puesto en libertad a todos los detenidos en el Calabozo. Y no tenía muchas ganas de contarlo.

Cuchilla sonrió, enseñando su mellada dentadura, y Chillidos se puso a dar saltos.

Otro de los Gobernantes se puso en pie.

—¡Haga lo que se le dice, hombre! ¡Arreste a esos disidentes! —gritó.

—Pero... ¿a quién tengo que detener exactamente? —preguntó el Primer Agente—. ¿Quiénes son?

—Yo conozco esa voz —dijo Drake, que en aquel momento ayudaba a la señora Burrows a subir a un carro desocupado, cubierto por unas cuantas hojas de col secas. Luego subió a su lado. Will ya había subido y miraba fijamente el escenario, sacudiendo la cabeza.

El Gobernante que despotricaba se había vuelto hacia el Primer Agente, que parecía desconcertado.

—¡Cumpla las órdenes, so inútil! —gruñó.

—¡Ese estúpido, estúpido y viejo pedorro! —exclamó Will, sin esforzarse por bajar la voz. Los colonos más cercanos se volvieron para mirarlo.

—Tranquilo, Will —advirtió Drake, intrigado por la inesperada vehemencia del muchacho—. ¿Por qué has dicho eso?

—Porque ese estúpido charlatán es mi padre.

—¿Tu *qué*? —preguntó Drake.

—Es el señor Jerome —murmuró Will—. Mi padre biológico.

El señor Jerome avanzaba por la tribuna hacia el Primer Agente. Cuando llegó a la altura de aquel hombre que era más alto y más robusto que él, se puso a hundirle el dedo en el pecho.

—Si no hace lo que se le ordena, lo meteremos también en chirona —amenazó.

El Primer Agente no estaba asustado, sólo perplejo.

—Pero si no sé quién llamó Pipí a Meón, ¿cómo voy a detenerlo? —preguntó con ingenuidad.

En vez de aplaudir por el fabuloso comentario del Primer Agente, la plaza quedó en un silencio absoluto.

—¡Idiota superlativo! —exclamó el señor Jerome, echando el brazo atrás como si fuera a propinarle una bofetada.

De repente, la primera fila de la multitud se agitó. Cuchilla avanzaba abriéndose paso hacia la tribuna.

Su voz contenía toda la violencia de que era capaz.

—¡No le pongas la mano encima! ¡Es mi amigo! —tronó, golpeando la tribuna con puño de hierro—. ¡O subiré ahí y os mandaré al infierno a ti y al señor Pipí.

—Señor Meón —corrigió Chillidos, moviendo la cabeza mientras trataba de mirar por encima del hombro.

El señor Jerome no se había apartado del Primer Agente y seguía con la mano levantada.

—Te lo advierto —dijo Cuchilla, buscando camorra sin disimulo.

En aquel punto sonó un silbido ensordecedor entre Will y Drake. Los dos dieron un respingo.

Mientras todos los asistentes a la reunión, tanto colonos como Gobernantes, buscaban con la mirada al responsable, la señora Burrows se sacó los dedos de la boca.

Drake agachó la cabeza.

—Tierra, trágame —murmuró.

—¿No es hora ya de proclamar un nuevo comienzo? —preguntó a gritos la señora Burrows—. Los styx se han ido y ya no tendréis que soportarlos. Por primera vez en trescientos años, tenéis la oportunidad de dirigir vuestras propias vidas.

Todo el mundo se quedó pensativo y algunos murmuraron «sí» y «tiene razón».

—Celia —dijo el Primer Agente, sonriéndole por encima de las cabezas de la multitud. Tuvo que respirar hondo antes de proseguir, porque aún no daba crédito a sus ojos—. Dinos qué hacer. Dinos por dónde empezar.

La señora Burrows meditó un momento.

—Bueno, para empezar... podrías enviar a esos Gobernantes a freír espárragos —sugirió—. No les interesa el bienestar general en absoluto.

El señor Jerome estiraba el cuello para ver quién estaba en el carro.

—Vaya, mira lo que tenemos aquí. Un puñado de detestables Seres de la Superficie metiendo las narices en nuestros asuntos —dijo.

—¡Ah, cierra el pico, viejo pelmazo! —exclamó Will, sin poder contenerse.

Se produjo un silencio y el señor Jerome arrugó el entrecejo.

—¿Seth? ¿Mi hijo Seth?

Will frunció los labios con insolencia.

—Yo no soy tu hijo.

Claramente impresionado al ver a su hijo de nuevo, el señor Jerome tardó unos momentos en recuperar la compostura.

—Así que... así que mi hijo pródigo ha vuelto a casa y sus amigos nos dicen qué tenemos que hacer. —Lanzó una risa seca y se volvió hacia el Primer Agente—. Bueno, puedes detenerlos a ellos también.

El Primer Agente ya había tenido bastante.

—No, no lo haré —dijo con sencillez.

El señor Pearson volvió a la carga. Recogió la chistera de la mesa y la agitó con aire amenazador en la cara del Primer Agente.

—¿Ves esto? ¡Aquí somos la única autoridad! Más te vale hacer lo que el señor Jerome te ha ordenado.

—Ya les he dicho que dejen en paz a mi amigo —exclamó Cuchilla—. ¡Me tenéis harto! ¿Por qué no cerráis la bocaza y le dejáis que diga lo que tiene que decir? —añadió, inclinándose hacia la tribuna y tratando de golpear los tobillos de los dos Gobernantes como si fuera un oso irritado.

Mientras los dos hombres saltaban rápidamente para alejarse de las zarpas de Cuchilla, el Primer Agente se volvió hacia la multitud.

—Si alguno de ustedes cree que los que están en aquel carro son sólo Seres de la Superficie, será mejor que recapacite. La mujer que acaba de hablar se ha expresado con sensatez —dijo, señalando a la señora Burrows con ojos desbordantes de entusiasmo—. Fue sometida a la peor sesión de Luz Oscura que he visto en toda mi vida de policía y consiguió soportarla. No se derrumbó... no contó a los styx lo que querían saber.

La multitud se deshizo en murmullos.

—Y ese hombre de ahí... —añadió, señalando a Drake—, destruyó los Laboratorios para ayudarnos. Acabó con todos los horribles experimentos de los styx. Lo sé porque yo estaba allí. Yo lo ayudé.

Los murmullos aumentaron de volumen.

—Y el chico que está con ellos —prosiguió el Primer Agente señalando a Will— es el sobrino de Tam Macaulay, y...

La multitud ahogó una exclamación colectiva: todos sabían lo que vendría a continuación.

—Y el hijo de Sarah Jerome.

La gente empezó a dar vítores.

—Sarah Jerome, una mujer valiente que se mantuvo fiel a sus creencias y resistió a los styx durante mucho tiempo, muchísimos años. No pudimos hacer nada para ayudarla cuando la trajeron otra vez a la Colonia, pero ahora podemos honrar su recuerdo. Podemos hacer las cosas a su manera y no dejar que los Cuellos Blancos vuelvan a gobernar nuestras vidas.

La multitud se volvió loca. Will, lleno de orgullo, no se avergonzaba del interés que había suscitado.

El Primer Agente levantó los brazos y la multitud se apaciguó.

—Y bien, señora Burrows, ¿por dónde empezamos? —preguntó.

—Podríais nombrar un comité para supervisar la Colonia... un comité provisional —aconsejó—. Más tarde podríais celebrar elecciones, pero de momento se necesita gente que ponga las cosas en orden. Vuestra propia gente..., gente en la que confiéis.

—¡Paparruchas! ¡Ellos no tienen ni idea de cómo gobernar! —gritó el señor Pearson—. ¡Esto es una locura! Esa mujer es un Ser de la Superficie. ¡No escuchéis nada de lo que diga!

—Primer Agente, queremos que seas tú nuestro líder —gritó de repente un hombre.

—¿Yo? —dijo el Primer Agente.

La sugerencia fue ganando apoyo y el Primer Agente pidió calma por señas.

—Pero... no puedo hacerlo solo. Eso no estaría bien.

—¡Elijamos también a Cuchilla! —exclamó Gappy Mulligan, que estaba al fondo de la plaza, encaramada sobre un tonel de agua, agitando una botella y manteniéndose en equilibrio de milagro.

La multitud apoyó aquella sugerencia y empujó a Cuchilla hasta que subió a la tribuna.

En aquel momento, toda la estructura se inclinó hacia un lado y mesa, sillas y Gobernantes se deslizaron. Cuando el extremo llegó al suelo, los Gobernantes salieron volando como un solo hombre.

Los aplausos de la multitud hicieron temblar todas las ventanas de la Colonia. Cuchilla y Chillidos aprovecharon la oportunidad, eligieron un par de chisteras y se las calaron orgullosamente.

—¡Ojalá todos los golpes de Estado fueran tan pacíficos! —susurró Drake. Al igual que todos los que abarrotaban la Plaza del Mercado, estaba lleno de optimismo por el futuro de la Colonia. Sin styx que aterrorizaran a la población y la oportunidad de gobernarse a sí mismos, sería un lugar muy diferente para vivir.

A kilómetro y medio de allí, en las afueras de la ciudad, Elliott oyó el eco de los gritos y vítores de la multitud, aunque no sabía cuál era la causa. Sweeney y el coronel Bismarck no habían conseguido convencerla de que no fuera sola y la muchacha había corrido hasta la Caverna Meridional, sin encontrar ni colonos ni styx en el camino.

Y ahora, al entrar en su antiguo barrio, se detuvo a contemplar aquel lugar tan familiar.

La Colonia se parecía a una maquinaria antigua, pero fiable, que funcionaba un día sí y otro no, porque sus habitantes cuidaban de su mantenimiento. En general, cada Colono sabía cuál era su sitio en la jerarquía y, en tanto que engranajes de la máquina, todos hacían lo que se esperaba de ellos.

Pero aquella máquina se había estropeado. Lo que Elliott vio a su alrededor era un caos sin precedentes: calles atestadas de basura maloliente, muebles rotos amontonados delante de las casas, e incluso objetos personales en las alcantarillas. Había muestras de abandono y desorden por todas partes.

Finalmente, Elliott llegó a la casa adosada en la que había crecido. Era la casa que abandonó un día a primera hora de la mañana para huir a las Profundidades, dejando atrás todo lo que conocía.

De niña había aprendido a vivir con la mentira de que su tía era su madre, pero el riesgo de que la marginasen por ser una «semilla desperdiciada» fue creciendo con la edad. Y aunque la decisión de huir a las Profundidades equivalía a suicidarse, la alternativa era mucho peor. No sólo Elliott y su auténtica madre habrían sido ejecutadas de inmediato por los styx por ser reos de relación ilícita, sino que el resto de la familia también habría corrido la misma suerte por haberlas encubierto.

Y entre el vecindario ya empezaban a correr rumores sobre sus ojos oscuros y su delgada complexión tipo styx. Un hombre incluso intentó chantajear a su tía a cambio de guardar silencio. Elliott decidió que tenía que desaparecer de la Colonia, y con ella la posibilidad de ser chantajeada o descubierta.

Mientras avanzaba lentamente por el sendero de entrada, su mirada cayó sobre el césped de líquenes negros en el que jugaba de niña. Por el estado en que se encontraba, era evidente que se descuidaba desde hacía tiempo. Pero al contrario que muchas otras de la calle, la casa sí parecía habitada. Elliott se sintió más animada.

Llegó a la casa y empujó la puerta. No estaba cerrada porque cedió unos centímetros.

—Hola —llamó.

El rugido de la multitud reunida en la plaza la distrajo un momento.

—Hola —repitió, aunque tenía la impresión de que la casa estaba vacía. Levantó el pie para cruzar el umbral, pero se detuvo. Probablemente encontraría dentro signos de que su madre aún vivía allí. Pero Elliott sabía que su reaparición y el aspecto que tenía ahora volvería a despertar las viejas sospechas y el secreto de su madre saldría a la luz. A Elliott no le cabía duda de que seguían reinando los viejos prejuicios sobre las relaciones entre los styx y los colonos.

Y una parte de ella era reacia a saber más sobre su madre. La misión de bajar al centro de la Tierra estaba plagada de peligros, y Elliott era muy consciente de que podía costarle la vida. Quizá fuese mejor embarcarse en ella con la convicción de que su madre seguía viva y a salvo.

—Volveré otro día —dijo Elliott en voz alta, cerrando la puerta. Introdujo la mano en el bolsillo de la cazadora, sacó el frasco de perfume que la señora Burrows le había dado y lo dejó cuidadosamente en los peldaños—. Para ti, madre —susurró, y se alejó de la casa.

# 21

—Esto es lo que quería que vierais —dijo el Primer Agente a Drake, Will y la señora Burrows. Drake estaba ansioso por salir de la Colonia y continuar el viaje, pero también sabía que era importante ayudar al Primer Agente de todas las maneras posibles, ahora que la ciudad había declarado su independencia.

Y al doblar la esquina, vieron la Ciudadela styx.

Con su fachada desnuda de granito toscamente tallado, estaba construida aprovechando la pared de la caverna, extendiéndose hasta la cúpula superior, donde desaparecía entre las nubes siempre presentes que se arremolinaban allí. Ningún Colono había puesto nunca los pies en aquel edificio prohibido.

—Es la vez que he estado más cerca —susurró Will. Las ventanas de cristal negro de los niveles superiores de la Ciudadela lo miraban como despiadados ojos de styx.

El Primer Agente se detuvo junto a las guías metálicas de la verja abierta y un hombretón cargado con un pico se acercó a ellos desde la garita del vigilante.

—Es Joseph —dijo el Primer Agente—. Se ha turnado con otro ciudadano para vigilar el edificio las veinticuatro horas, por si los Cuellos Blancos decidían volver.

Drake saludó con la cabeza a Joseph, un sujeto de anchas espaldas y robusto, un ejemplar típico de lo que llamaban *pura cepa*..., descendiente del ejército original de jornaleros que unos trescientos años antes habían ayudado a Martineau a construir la ciudad subterránea y después a poblarla. Joseph miraba fijamente a Will, y el muchacho empezó a encontrarse incómodo.

—Bien pensado —dijo Drake. Señaló el pico del hombre—. Pero vais a necesitar algo más efectivo que eso. —Durante un momento se quedó mirando la Guarnición, un achaparrado edificio de dos plantas que había detrás de la Ciudadela, fijándose en la entrada. Finalmente se dirigió hacia la Ciudadela. Cuando estaba a una docena de metros, se inclinó a recoger una piedra y la arrojó contra las puertas. La piedra las alcanzó y volvió rebotando en los peldaños delanteros. Como no ocurrió nada, Drake siguió acercándose al edificio.

—¡Espera! —gritó el Primer Agente—. ¡Te derribará! No era como los portales que los styx habían protegido con su campo ultrasónico. El Primer Agente ya había tenido que rescatar a varios colonos inconscientes que habían sucumbido al que rodeaba aquel edificio.

Drake no le hizo caso y subió los peldaños de la entrada.

—¿Cómo es posible? —preguntó el Primer Agente al ver que Drake no resultaba afectado por el campo. Estaba inspeccionando la entrada, empujando la losa de piedra que había donde anteriormente había estado la puerta. Retrocedió entonces, apartándose del edificio para examinar las ventanas, que empezaban en los pisos superiores.

Al reunirse con los demás, Drake bostezaba y se frotaba la mandíbula como si tuviera dolor de oído.

—Hay un campo muy fuerte alrededor —dijo a Will y a la señora Burrows. Luego se dirigió al Primer Agente—: Los styx han puesto barreras protectoras dentro del edificio y lo han sellado por completo, así que es imposible saber si queda alguien dentro.

El Primer Agente pareció muy intranquilo al oír aquello.

—Sabes que se rumorea que hay varias rutas hacia la Superficie dentro del edificio, así que... —Se volvió a mirar la Ciudadela—. Así que podría ser éste el lugar al que vuelvan para controlarnos.

—Puede que lo intenten —dijo Drake.

—Pero estaréis preparados para recibirlos —intervino la señora Burrows.

—Vamos a inspeccionar el edificio de la Guarnición —sugirió Drake a Will.

—Mmmm —gruñó Joseph. Seguía sin poder apartar la mirada de Will.

—¿Qué ocurre? —preguntó el Primer Agente.

—¿Os puedo acompañar? —preguntó Joseph a Drake—. Verás, yo trabajaba ahí.

El Primer Agente iba a poner objeciones a la petición cuando Drake rebuscó en una bolsa de su cinturón y sacó dos tapones para los oídos.

—Póntelos —dijo a Joseph.

Drake se dirigió hacia la Guarnición con Will y Joseph siguiéndolo a poca distancia.

—¿Seth? —preguntó Joseph con voz trémula.

Will se volvió hacia él.

—En realidad soy Will. Ya no me llamo así.

—Lo siento —susurró el hombre, pasándose la mano por los blancos cabellos. Luego habló con más aplomo—: Conocí a Sarah, tu madre.

—Ah, ¿sí? —dijo Will.

—Éramos amigos de jóvenes. —Joseph frunció el entrecejo. Le resultaba difícil continuar—. La última vez que ella estuvo aquí... cuando los Cuellos Blancos la atraparon y la trajeron, volvimos a vernos. Yo la vigilé durante las semanas que estuvo en la Guarnición.

Aunque Joseph había agachado la cabeza, Will vio en sus facciones una profunda tristeza. Y cuando el hombre miró a Will, sus pálidos ojos azules, del mismo color que los de Will, reflejaron la luz como si estuvieran al borde de las lágrimas.

—Sé que ella sabía lo que le iba a pasar —murmuró Joseph—. Sabía que no iba a haber un final feliz para ella.

Will sintió por aquel coloso un afecto tan repentino que durante unos segundos le puso el brazo en los hombros mientras seguían andando. Al igual que Joseph, Will estaba lleno de tristeza, pero en aquel momento llegaron a la entrada. Will sintió un zumbido en el cráneo; había un campo rodeando las puertas de acero que, ante la sorpresa de todos, estaban abiertas.

Entraron en el edificio. Will caminó por el mismo pulido suelo de piedra que su madre biológica había recorrido con su amigo al lado.

—Estoy convencido de que ella nunca creyó una palabra de lo que los Cuellos Blancos le intentaban meter en la cabeza sobre ti —dijo Joseph en voz baja—. Vino con ellos porque quería encontrarte.

—Gracias por contármelo —susurró el muchacho.

—¿Estáis bien los dos? —preguntó Drake, mirándolos con curiosidad al verlos con tan mala cara.

—Estamos bien —contestó Will.

—Bueno, entonces vamos a detener el campo ultrasónico en este lugar. Sé que hay un arsenal dentro, así que si nos enseñas dónde está, Joseph, podremos ver qué han dejado los styx —sugirió Drake—. Querrás tener algo más contundente que ese pico si vuelven a aparecer.

Will, Drake y la señora Burrows se dirigían hacia el Barrio cuando apareció Elliott de la nada.

—Creí haberte dicho que te quedaras —le reprochó Drake con voz irritada.

Elliott no respondió y Will se dio cuenta de que esquivaba su mirada. Quizás estuviera molesta porque la señora Burrows había atacado a su padre y por la enconada discusión posterior. Y Elliott no le dirigió la palabra en todo el rato que tardaron en reunirse con Sweeney y el coronel Bismarck, que habían estado vigilando las armas nucleares y el resto del equipo.

Aunque el Primer Agente tenía otros asuntos que atender y aún no estaba con ellos, les había sugerido que lo esperasen en la comisaría. Así que ésa sería su próxima parada y, cuando hubieran dejado allí todo el equipo, se sentarían en su despacho a comer. Las armas nucleares estarían guardadas bajo llave en una celda, lugar que le traía muy malos recuerdos a Will. Tan malos que se sentía incapaz de volver a entrar en aquel ambiente frío y lúgubre.

Llegó el Primer Agente, empujando alegremente las puertas de vaivén. No había dado ni dos pasos cuando se oyó un ruido frenético de uñas que arañaban piedra al lado de la señora Burrows. Si *Colly* no hubiera pesado tanto, sin duda habría saltado por encima del mostrador. En lugar de saltar, se abalanzó por la abertura.

—¡Mi muñequita! —exclamó el Primer Agente cuando la Cazadora le puso las patas en los hombros y empezó a lamerle la cara—. Creí que te había perdido para siempre. —Ronroneando a un volumen ensordecedor, *Colly* se tiró de espaldas, invitándolo a acariciarle el estómago—. ¿Quién es la niña bonita de papá? ¿Quién es la niña bonita de papá? —dijo al animal con lenguaje infantil.

Levantó los ojos cuando la señora Burrows se acercó al mostrador.

—¡Mi Cazadora ha estado con usted todo este tiempo!

—exclamó el Primer Agente—. ¡Gracias! Se la ve muy sana y con buen aspecto... está bien alimentada.

—Es más que eso —dijo la señora Burrows.

—Gatitos, ¿eh? —preguntó, mirando atentamente a la gata.

—Así es —confirmó la señora Burrows.

Una amplia y estúpida sonrisa cruzó el rostro del Primer Agente. Se irguió sin dejar de sonreír. Levantó un dedo en el aire como si se le acabara de ocurrir algo.

—Tengo una sorpresita para tu hijo.

Rodeó el mostrador y entró en su despacho, apareciendo con algo escondido en la espalda.

—Toma —dijo a Will, poniendo al descubierto lo que era.

—¡Extraordinario! —exclamó Will. Era su querida pala, su posesión favorita de los tiempos de Highfield. Alargó la mano para cogerla.

—No tan rápido —dijo el Primer Agente, apartándola del alcance del muchacho—. Es tuya con una condición: quiero que me prometas que nunca volverás a golpearme con ella.

—¡Hecho! —dijo Will, cogiendo la pala y examinando la plancha pulida y brillante.

*Colly* no quería apartarse del Primer Agente y se frotaba cariñosamente contra sus piernas.

—La he echado de menos —murmuró el policía.

—Se quedará aquí con usted cuando nos vayamos —dijo la señora Burrows—. No sería justo que me la llevara.

—Por supuesto —accedió el Primer Agente, acariciando la gorda cabeza y haciendo que el animal ronroneara aún más alto.

—Vaya, me gustaría hacer una propuesta, Celia —comenzó Drake, dejando de mordisquear el bocadillo y levantándose de la silla—. Lo he hablado con Will... y creemos que usted también debería quedarse en la Colonia.

—Bueeeeno —dijo lentamente la señora Burrows.

—Tengo toda la gente que necesito para la misión —continuó Drake—. Y acabamos de ver lo útil que puede resultar a los colonos ahora que los styx no están. Por no hablar de que, con su supersentido, sería de un valor incalculable como sistema de alarma, si los styx intentaran volver. Podría olerlos antes de que llegaran.

La señora Burrows se quedó pensativa.

—Tiene lógica —dijo—. Sí, me quedaré.

A Will le sorprendió que se decidiera tan rápidamente, pero el Primer Agente estaba encantado.

—Excelente —dijo, repitiéndolo mientras batía palmas con sus manos regordetas.

Todos volvieron a atacar los bocadillos, menos Drake, que se quedó de pie.

—Hay algo que tengo que decirles a todos, incluido tú —dijo, volviéndose al Primer Agente.

Drake sacó un pequeño maletín de su mochila Bergen y lo puso sobre la desgastada superficie de roble del mostrador.

—Como sabéis, nuestro objetivo es sellar el mundo interior con las armas nucleares para frenar por completo la Fase, si es que prosigue allí.

Drake abrió las cerraduras del maletín. Dentro había un bote de metal envuelto en espuma, que sacó a la luz.

—Durante el año que estuve preso en los Laboratorios, oí hablar de un virus a los científicos —describió Drake con una sonrisa—. A los académicos les gusta fanfarronear entre ellos.

—¿No sería el Dominion? —preguntó Elliott.

—No, no era el Dominion. —Drake desenroscó la tapa del bote y sacó con todo cuidado una pequeña probeta—.

Los científicos sabían exactamente lo que habían descubierto en la Ciudad Eterna. Lo probaron en varios sujetos y se quedaron maravillados por lo que hacía. —Drake levantó la probeta—. Este pequeño bicho es más potente y menos selectivo que el Dominion. No sólo los humanos, sino los styx y muchas otras formas de vida más desarrolladas son sensibles a sus efectos. Es Mortal, con eme mayúscula.

—¿Y lo sacaste de los Laboratorios? —preguntó Will.

—Sí. Cuando Chester y yo los destruimos y al mismo tiempo rescatamos a Celia sin saberlo, tuve la oportunidad de sacarlo de la cámara de seguridad del laboratorio secundario. Por eso llegué tarde y Eddie me ganó la batalla. —Drake se quedó pensando unos segundos—. Por cierto, no tenéis que preocuparos: la última inyección que os puse en el Complejo era una vacuna contra él. Y cuando estuve en Londres, le pedí a mi amigo Charlie que la transformara, así que ahora no se transmite por contacto directo, sino por transmisión de pequeñas partículas.

—Explícate —pidió la señora Burrows.

Drake bizqueaba un poco mientras miraba fijamente el fluido claro de la probeta.

—Puede dispersarse en el aire... con el viento. Y dudo que haya nada tan letal ni tan tóxico en todo este maldito planeta ahora mismo, ni dentro ni fuera.

—Y tú lo hiciste más mortífero al transformarlo... ¿Te parece inteligente por tu parte? —preguntó la señora Burrows.

—Quizá no, pero cuando estemos en el mundo del coronel, si todo lo demás falla, necesitaré algo para negociar. Los styx saben lo que supone este virus. Saben que traería consigo lo que la comunidad científica llama extinción, y eso significa el final de su raza. —Se volvió hacia el Primer Agente—. La razón de que te implique en esto es que tengo vacunas suficientes para toda tu gente. Hay una posibilidad, pequeña, de que si lo soltamos en el mundo interior, pueda abrirse camino hasta la superficie. Y vosotros estaríais exactamente en medio.

—¿Y qué pasa con los Seres de la Superficie? —preguntó el Primer Agente.

—Parry también tiene la vacuna —respondió Drake, volviendo a guardar la probeta en el bote de metal.

La señora Burrows fruncía el entrecejo con escepticismo.

—¿Y hay suficiente para todos?

Drake cerró el maletín.

—No. De todas formas tampoco habría tiempo para vacunarlos a todos. No tengo la menor intención de soltarlo, pero preguntaos una cosa. —Metió el maletín en la mochila Bergen y se volvió hacia los demás, mirándolos de uno en uno: Sweeney, el coronel Bismarck, Elliott, Will, el Primer Agente y, finalmente, la señora Burrows—. ¿Qué es peor? ¿Este patógeno mortal o la Fase? Porque no creo que haya mucha diferencia.

# 22

El Tren de los Mineros salió resoplando de la estación de la Colonia para emprender el primer tramo del viaje que lo llevaría a las entrañas de la Tierra. A diferencia de la última vez, en que Will había viajado de polizón en uno de los vagones abiertos, esta vez iba en el vagón de vigilancia, el último del tren. Y aunque los paneles combados de madera que formaban las paredes y el techo tenían grietas, ofrecían al menos un grado de protección contra el humo y el hollín que despedía la locomotora, además de un buen chorro de vapor.

Por encima del traqueteo de la máquina, Will podía oír los relinchos de los dos sementales blancos como la nieve que iban en el furgón contiguo. El Primer Agente los había requisado en la residencia de uno de los Gobernantes, que los había tenido escondidos en sus cuadras personales durante los disturbios, sabiendo que las masas hambrientas los habrían devorado a la menor oportunidad. El Gobernante no cabía en sí de cólera cuando Cuchilla se había presentado con una carta oficial del recién formado Comité de Colonos, pero no le quedó más remedio que dárselos. Los caballos serían de gran ayuda en las Profundidades; Drake quería recorrer la Gran Llanura lo más rápido posible, y los hombres del ferrocarril le habían dicho que seguramente, en la Estación de los Mineros, habría un carro al que engancharlos.

El vagón de vigilancia se hallaba débilmente iluminado por una esfera luminiscente suspendida en el extremo de atrás. Durante un rato observó Will la extraña chispa que recorría el vagón, trazaba una breve franja de luz en el aire y luego se consumía y se tornaba invisible. Viendo la breve vida de esas chispas, acabó pensando, sin darse cuenta, en la despedida de su madre. Will no sabía qué era lo que había cambiado entre ellos, pero en otras ocasiones ella no se había despedido. La señora Burrows era consciente del peligro al que se enfrentaba su hijo y, a pesar de todo, le dio un breve abrazo superficial y le deseó buena suerte.

Y Will tuvo que admitir que esta vez tampoco él había sentido lo mismo al dejarla.

Quizás hubieran cambiado ambos después de todo lo que habían pasado. Aunque ¿sería tal vez porque estaba creciendo y ya no necesitaba a su madre como antes? Seguía pensando en esto cuando los párpados empezaron a pesarle y con el vaivén del convoy se quedó dormido.

La temperatura aumentaba gradualmente según iban penetrando en la corteza de la Tierra, y ninguno de ellos hizo mucho más que dormir y comer durante las siguientes veinticuatro horas. El viaje se interrumpió varias veces para dar comida y agua a los caballos, y a causa de las enormes puertas colocadas en la vía, que había que abrir para que el tren pudiera pasar.

Cuando por fin llegaron a la Estación de los Mineros, era como Will la recordaba: una fila de chozas destartaladas. Saltó del vagón y sus botas despertaron crujidos en la capa de siderita, carbón de coque y escoria que cubría el suelo. Respiró hondo por la nariz. El aire seco y punzante le recordó el día en que Chester, Cal y él habían llegado a aquella misma caverna. Y *Bartleby*. Todos habían muerto o habían estado cerca de perecer, y por eso ninguno estaba a su lado en aquel momento.

Pensaba en esto mientras se dirigía hacia las chozas de la estación. Entonces se detuvo en seco. El Will anterior habría aprovechado la oportunidad para explorar las chozas, pero descubrió que no tenía ningunas ganas de hacerlo. Ya no le parecían importantes. Así que se puso a ayudar a Sweeney y al coronel a descargar el equipo mientras Drake iba a buscar un carro con el maquinista y su ayudante. Pronto encontraron uno y, cuando los caballos estuvieron enjaezados y el equipo en su sitio, Elliott y Drake los guiaron a pie hasta la salida mientras el coronel se ocupaba de conducir el carro.

Will había enseñado al coronel a ponerse los cascos auriculares de Drake, ajustando el ocular de visión nocturna sobre el ojo, para ver claramente el camino sin necesidad de luz. Luego Will había encontrado un sitio para sentarse en el extremo posterior del carro, detrás del equipo, y se había puesto sus propios auriculares. De nuevo en el conocido mundo de cambiante luz naranja, se sentía feliz viendo cómo pasaban por su lado las paredes del túnel mientras Sweeney iba trotando detrás.

Aprovechando su hipersensibilidad, Sweeney examinaba el túnel y los pasajes laterales, en busca de algún Limitador escondido; su mirada cayó entonces sobre Will.

—Eh, chico holgazán —dijo el hombretón en son de broma—. No vayas a cansarte. —Will estaba preparando una respuesta adecuada cuando Sweeney añadió—: ¿Sabes? Me encanta este lugar.

—¿A qué se refiere? —preguntó Will, removiéndose con incomodidad porque el sudor le bajaba por la espalda—. Es caluroso, es polvoriento... y apesta.

—Eso sí —respondió Sweeney—. Pero por primera vez en mucho tiempo, no capto ninguna interferencia radiofónica. —Se tocó la sien—. No sabes lo que es tener un pinchadiscos parloteando todo el día y toda la noche dentro de tu cabeza. Algunas semanas se puede soportar, pero de repente entramos en la franja de máxima audiencia y tengo que oír al maldito Chris Evans hablando sobre el tiempo, tanto si quiero como si no. —Frunció los labios con repugnancia—. Pero en este lugar no se oye ni un susurro... no hay nada. Sólo paz y silencio.

Will asintió con comprensión.

—Sí, señor, ya me veo viviendo aquí algún día —dijo Sweeney.

Sin haber encontrado un alma, ni humana ni styx ni coprolita, llegaron a una vasta caverna cuyo suelo estaba salpicado de grandes estalagmitas con forma de lágrima.

Will había aprovechado la pendiente para estirar las piernas y corría detrás del carro, junto a Sweeney.

—¡Dios santo! —exclamó de repente.

—¿Qué ocurre? —preguntó Sweeney, mirando a su alrededor—. ¿Has visto algo?

—No, no es eso —explicó Will—. Sé dónde estamos, aunque esperaba no volver a verlo nunca. Mi hermano murió cerca de aquí. Y mi madre biológica también.

Sweeney se quedó callado mientras daba media docena de zancadas.

—Tiene que ser duro, Will. Lo siento.

Atravesaron un camino pavimentado con losas de piedra y una hora después vieron la enorme salida del túnel.

—Ahí está... el Poro —anunció Will a Sweeney con tristeza.

Drake y Elliott se habían detenido para esperar a los demás.

—Hemos visto algo nuevo —les dijo Drake—. Parece que hay unas chozas al lado del Poro.

Elliott tenía el ojo pegado a la mira telescópica de su fusil.

—Tres... tres chozas —confirmó.

—Conocemos bien esta zona y ahí no había nada —aseguró Drake.

Había pasado años en aquella tierra de noche eterna, los últimos con Elliott, y al mirarlos, Will se dio cuenta de que estaban en su elemento.

—Vamos a investigar —propuso Drake, adelantándose con Elliott. El coronel Bismarck los siguió a relativa distancia, manteniendo los caballos al trote, mientras Will y Sweeney vigilaban por si había Limitadores.

Cuando por fin llegaron al Poro, el agua de la cascada les empapó y refrescó la cabeza y los hombros. El terreno que rodeaba las chozas estaba sembrado de globos aerostáticos desinflados y junto a ellas había una especie de trampolín o puente incompleto que se prolongaba unos doce metros sobre el inmenso abismo. Will, el coronel y Sweeney avanzaron sin tocar los globos caídos y se acercaron hasta el mismo borde.

Sweeney dio un silbido al mirar al otro lado del abismo y, al no encontrar el otro extremo, miró hacia abajo.

—Esto es muy grande... madre mía, vaya si lo es. Tú saltaste por ahí, ¿no es cierto, Will? —preguntó.

—No me quedó más remedio —murmuró Will, cayendo en la cuenta de que estaban allí para hacer exactamente lo mismo. A menos que Drake tuviera una idea mejor, como utilizar uno de los globos para bajar hasta la cornisa cubierta de hongos que se veía al fondo.

Will volvió sobre sus pasos por el trampolín, repitiéndose: «No quiero hacerlo». Y no quería. La perspectiva de saltar al abismo y zambullirse de cabeza en aquel negro vacío lo llenaba de un temor absoluto. Se acercó a Drake y a Elliott, en aquel momento enfrascados en una conversación. Callaron cuando él llegó.

—¿Cuál es el plan? —preguntó Will—. ¿Vamos a saltar

por el Poro? ¿Y cómo infiernos vamos a saber cuándo habremos alcanzado la profundidad exacta para encontrar el pasadizo? —Estaba furioso porque parecía que los dos lo iban a dejar en la ignorancia, exactamente igual que tiempo atrás, cuando lo habían rescatado en la Gran Llanura, con Chester y Cal. Después de todo lo que habían pasado juntos, ¿no se había ganado el derecho a conocer sus intenciones?

Drake captó la furia en el tono del muchacho.

—A falta de otra alternativa, ésta es mi idea —respondió—. Estoy de acuerdo en que la posibilidad de encontrar la cornisa exacta del pasadizo es escasa, por no decir algo peor. Sobre todo sin un radiofaro que nos guíe.

Drake sacó un localizador de la bolsa que pendía de su cinturón. Parecía una extraña empuñadura con una esfera encima y un pequeño disco donde debería haber estado la boca del cañón. El localizador podía detectar las señales de VLF (Frecuencia Muy Baja) que emiten los radiofaros. Will había colocado las balizas en diversos puntos de la ruta que había seguido con el doctor Burrows y Elliott cuando habían encontrado el camino del mundo interior.

—Hacía tiempo que no veía uno como ésos —comentó Will, mientras Drake lo orientaba hacia el Poro y apretaba el gatillo. Sonó un chasquido y luego quedó en silencio. Will frunció el entrecejo.

—Qué raro —dijo—. ¿Funciona bien?

—Debería. No olvides que la baliza que dejaste en el punto de salida del segundo poro está bastante lejos de nosotros —le recordó Drake.

—Sí, en Jean la Fumadora —precisó Will, recordando el mote que le había puesto.

Drake asintió con la cabeza.

—Y también estoy de acuerdo contigo en que es un método poco fiable dar el salto del ángel con las armas nucleares colgadas de la cintura.

Will tenía el entrecejo fruncido.

—No tienes ningún plan, ¿verdad? —acusó a Drake—. ¡Vas improvisando sobre la marcha!

—Así es como funciona —respondió Drake.

Will sacudió la cabeza con furia.

—Pues mira qué bien. Así que no tienes ni idea de qué vamos a hacer ahora.

—Will —intervino Elliott, alargando la mano para tocarle el hombro, pero bajándola antes para señalar el suelo—. Mira las huellas sobre las que estás. —Era evidente que algo pesado había pasado por allí, porque las piedras estaban trituradas—. Han pasado muchas máquinas coprolitas. —Levantó el fusil para otear por la mira telescópica—. Y en este mismo momento veo una allí... al otro lado del Poro. Drake y yo creemos que deberíamos ir a echar un vistazo.

Drake señaló los globos que había al lado de las chozas.

—Han debido de utilizarlos los styx para subir y bajar, pero a juzgar por su estado hace tiempo que han encontrado otro método. Y me pregunto cuál será... ¿Habrán encontrado o construido una ruta alternativa? Creo que nos corresponde averiguarlo, ¿no? —Pellizcó suavemente a Will en el brazo—. ¿Contento? —le preguntó sonriendo.

—Salto de alegría —respondió Will, devolviéndole la sonrisa.

El coronel conducía los caballos por el camino que bordeaba el Poro. A su lado iba Will, que pronto distinguió la máquina excavadora coprolita. El cilindro de acero abollado brillaba como la plata cuando lo percibió a través del ocular de visión nocturna.

Cuando se acercaron y el coronel frenó los caballos, no vieron a Elliott ni a Drake por allí.

—¿Dónde estarán? —preguntó Will en el momento en que llegaba Sweeney—. ¿Y por qué no se mantienen en contacto por radio?

—Esperad aquí —replicó Sweeney, y fue a buscarlos.

Cuando llegó a la excavadora, también desapareció de la vista de Will. Pasaron veinte minutos largos antes de que los caballos comenzaran a piafar y a agitarse. Entonces Will oyó una especie de vehículo a lo lejos. Un vehículo pesado.

—¿Qué es eso? —preguntó, volviendo la cabeza para mirar a su alrededor—. ¿De dónde procede?

—¡De allí! —exclamó el coronel, señalando con el brazo estirado.

Donde habían visto por última vez a Sweeney, apareció una excavadora coprolita, acercándose a toda marcha hacia ellos. El coronel forcejeó para gobernar a los caballos. La excavadora se detuvo, girando ciento ochenta grados sobre el terreno y machacando las piedras bajo sus enormes rodillos.

Se abrió la escotilla trasera y Elliott y Sweeney bajaron en medio de la nube de humo que salía de los tubos de escape de la máquina.

—¡Hemos encontrado un transporte! —gritó Sweeney.

Resultó que Drake había encontrado la excavadora coprolita con el depósito lleno de combustible y lista para entrar en acción. Will no cuestionó nada. Se sentía aliviado por no tener que saltar ya por el Poro.

Después de cargar todo el equipo y asegurarlo, el coronel soltó los caballos y vio cómo se alejaban.

—Espero que encuentren el camino de la estación —dijo apenado.

Luego subieron todos a la excavadora. El interior del vehículo estaba fabricado con metal trabajado en frío, en su mayor parte sucio, salvo algunas zonas en las que brillaba debido al uso continuado. Will se fijó en los paneles de control y en el brillo rojo que salía por un ventanuco de la caldera.

Drake, sentado en la parte delantera del vehículo, empujó y giró una palanca para poner en marcha el motor, y soltó un pedal. La excavadora avanzó y Drake movió el volante para enfilar la dirección opuesta. Will se unió a Elliott y a Sweeney para mirar por la parte trasera del vehículo cuando éste empezó a bajar por una pendiente.

—¡Vaya túnel! —gritó Will para hacerse oír por encima del ruido atronador del vehículo.

El túnel en cuestión medía unos doce metros de altura y más o menos lo mismo de anchura.

—Los styx atraparon a unos cuantos coprolitas y los obligaron a construirlo con sus megamáquinas —respondió Elliott, igualmente a gritos—. ¡Atentos a lo que viene ahora!

Mientras avanzaban, vieron montones de excavadoras aparcadas a un lado del inmenso túnel. Luego vieron lo que debían de ser restos de las palas que llevaban en la parte delantera, y una larga serie de remolques detrás. Will nunca había visto esta segunda clase de vehículos, pero recordó que Drake le había dicho que cuando la raza de maestros mineros excavaba la roca, se cuidaban mucho, mientras avanzaban, de rellenar grietas y fallas abiertas con los restos. Ellos veían la Tierra como una entidad viva, la trataban con respeto y sin querer hacerle mucho daño con sus excavaciones.

—¡Allí! —exclamó Sweeney, señalando con el dedo.

Coprolitas. Un grupo de unos treinta andaba merodeando por allí cerca. Aunque su color champiñón y su vestimenta bulbosa apenas permitía distinguirlos de la piedra que los rodeaba, salía luz de las esferas luminiscentes que llevaban empotradas en las aberturas oculares de su indumentaria.

—Y algunos que fueron styx y ya no lo son —añadió Sweeney.

Will vio cadáveres de Limitadores desparramados por el suelo, y miró a Elliott, que asintió con la cabeza. Estaba claro que un equipo de cuatro styx había estado supervisando a los coprolitas. Will se preguntaba si habrían sido Elliott y Drake los que los habían despachado cuando Drake gritó:

—¡Está bien! ¡Cerrad las escotillas y abrochaos los cinturones! —Cuando todos se sentaron y se hubieron abrochado el cinturón de seguridad, Drake aceleró.

La excavadora podía alcanzar una velocidad impresionante. Sweeney, Will y el coronel mantenían la caldera bien alimentada con leña mientras se adentraban cada vez más en el túnel.

Pasaron al lado de lo que debió de ser un puesto de vigilancia Limitador. Lo supieron porque pudieron oír el golpeteo de las balas en los gruesos cristales del parabrisas cuando los soldados styx trataron de detener la excavadora. Pero su esfuerzo fue en vano y todos los pasajeros se echaron a reír y se miraron levantando los pulgares.

Elliott iba en el asiento del copiloto, al lado de Drake, comprobando continuamente el localizador. Cuando Drake aflojó la presión sobre el acelerador para que Sweeney atendiera la caldera, Will aprovechó el momento para desabrocharse el cinturón de seguridad y acercarse.

—No capto ninguna señal —gritó Elliott, enseñando a Will la oscilante aguja de la parte superior del detector.

Drake se irguió en su asiento.

—¡Si este túnel está terminado, llegaremos a Jean la Fumadora en un tiempo récord! —exclamó—. ¡Quizás en unas pocas horas!

Will frunció el entrecejo.

—Pero el viaje desde la choza de Martha hasta el submarino situado en Jean la Fumadora duró una semana —dijo.

—Entonces seguíais fallas naturales y anduvisteis por todas partes. Esto es como la madriguera de un topo —comentó Drake—. Es directo.

A pesar de las sacudidas del vehículo, Will se quedó dormido en el asiento. No tenía ni idea del tiempo que había transcurrido cuando lo despertaron repentinamente unos gritos. Se dio cuenta de inmediato de que ya no bajaban por una pendiente, sino que estaban en terreno llano. Entonces vio por el parabrisas una zona bien iluminada.

—¡Yupi! —gritó Drake, conduciendo en línea recta hacia varios Limitadores que estaban frente a una especie de choza, y que se apartaron del camino de un salto cuando la excavadora arremetió contra la estructura.

—¡Adelante en línea recta! —gritó Elliott, comprobando el localizador.

Una lluvia de proyectiles acribilló el chasis de la excavadora y una explosión la despegó momentáneamente del suelo.

Al tomar tierra de nuevo, Drake aulló y rió sin dejar de pisar el pedal del acelerador. Había piedras en el camino, pero se limitó a aplastarlas.

Will percibió algo familiar. Aunque no podía oír lo que le decía a Drake, Elliott lo estaba señalando con la mano. Era el peñasco con el agujero donde Will había escondido uno de los radiofaros y por donde su padre se había introducido de un salto en Jean la Fumadora.

Pero no tenía ni la menor idea de lo que pensaba hacer Drake a continuación. Los proyectiles seguían lloviendo por la retaguardia, así que no podían detenerse ni retroceder.

Estaban casi en el abismo y Drake seguía avanzando a toda velocidad.

—Drake, ¿qué vas a...? ¡DRAKE! —gritó Will con toda la fuerza que le permitían sus pulmones cuando pasaron a toda velocidad junto a la roca donde estaba escondido el radiofaro. Will sabía que estaba en lo cierto porque podía oír la señal en el detector que Elliott llevaba en la mano.

Sonó un crujido espantoso cuando el techo de la excavadora rascó la parte superior de la abertura que había en el costado de Jean la Fumadora. Pero la excavadora se llevó la piedra por delante.

Y entonces desapareció la tierra bajo sus rodillos.

Estaban cayendo en el abismo.

Cayendo.

Drake apagó el motor y sólo se oyó el susurro del aire mientras bajaban dando vueltas.

—No os desabrochéis el cinturón, por si chocamos con algo —advirtió Drake.

Unas cuantas piedras sueltas flotaban alrededor de la cabina, lo que significaba que la fuerza de gravedad iba perdiendo potencia.

Y por el parabrisas Will percibió el resplandor rojizo de las vetas de lava que corrían por los laterales del abismo.

—¡Puñetero *gamberro*! —exclamó Will—. ¡No puedo creer que hayas hecho una cosa así!

Pero se reía al decirlo.

# 23

La excavadora coprolita seguía bajando y tropezó con el borde de una cornisa fungosa que sobresalía de la pared de Jean la Fumadora. El golpe hizo que el vehículo diera algunos bandazos. Todos se sujetaron con fuerza; el movimiento les hacía sentirse desorientados y un creciente malestar se apoderaba de ellos.

Pero lo peor no había llegado aún.

La excavadora giraba sobre su eje mientras caía acercándose peligrosamente a la pared del poro. Miraban el vertiginoso paisaje que los rodeaba a través del parabrisas y conteniendo la respiración, pero la colisión con la pared de piedra que tanto temían no se produjo. Eso sí, la temperatura de la cabina aumentó varios grados debido a la proximidad de la roca fundida. Will se preguntaba seriamente si no se achicharrarían en los asientos cuando, por fortuna, la excavadora se alejó de las vetas de lava y volvió al centro del poro. Y mientras seguían acercándose al fondo de Jean la Fumadora, la máquina se estabilizó y dejó de dar vueltas.

Oyeron un fuerte golpeteo en el chasis en varias ocasiones, mientras cruzaban nubes de piedras suspendidas, como una nave espacial que atravesara un cinturón de asteroides.

Finalmente, al recibir un último impacto, la excavadora se quedó quieta. Un interminable gruñido resonó en todo el vehículo, pero al menos ya no estaban en movimiento.

Drake se desabrochó el cinturón de seguridad y flotó hacia la escotilla trasera.

—¿Estáis todos bien? —preguntó, mirando a su alrededor—. ¡Que alguien despierte a Chispas!

Will se desabrochó el cinturón y fue a despertar al coloso.

—¿Ya hemos llegado? —preguntó Sweeney, bostezando.

—Es usted increíble —murmuró Will. Se reunió con Drake, que en aquel momento estaba manipulando la manija de la escotilla. El gruñido entró en la cabina y se volvió ensordecedor. Cuando Elliott, Sweeney y el coronel se reunieron con ellos, lo único que vieron fue un puñado de piedras redondas subiendo y bajando como manzanas en un barril de agua.

Drake cerró la escotilla para hacerse oír mejor.

—Bueno —dijo—, vamos a atarnos juntos con una cuerda y luego atravesaremos ese cinturón de gravedad cero del que hablaste, Will.

—Ejem, hay un par de cosas sobre eso —comenzó a decir el muchacho con nerviosismo—. Lo primero es que es enorme y luego, al otro lado, está lo que mi padre llamaba Cinturón de Cristal. No estoy seguro de saber encontrar el camino.

Drake llevaba el localizador en la mano. Lo soltó y dejó que diera varias vueltas en el aire antes de volver a cogerlo.

—Alucinante —comentó Sweeney—. Nunca había estado en el espacio.

Drake trazó un arco con el localizador hasta que se puso a pitar y la aguja giró hacia la señal. Indicaba el suelo de la excavadora.

—Es la baliza que dejaste junto al submarino ruso —explicó.

—¡Hemos aterrizado boca arriba! —observó Elliott. La falta total de gravedad en el punto de la Tierra en que se encontraban hacía que no hubiera ninguna diferencia para ellos.

Drake señaló en la dirección opuesta, al techo de la excavadora. Aunque la reacción fue mucho más débil, el localizador registró una señal.

—Y ésa debe de ser la baliza que dejaste en la abertura del otro lado del cinturón, que es nuestro camino para entrar en el mundo interior del coronel. ¿Hay algo más sencillo?

—Supongo que nada —suspiró Will, no muy convencido.

—¿Y qué era lo segundo que tenías que decir? —preguntó Drake.

—¿No podríamos atravesar el cinturón con la excavadora coprolita? —propuso—. Sería más seguro.

—Es pesada y quiero conservar el combustible de los cohetes propulsores —dijo Drake—. Será mejor que viajemos ligeros.

Así que se prepararon para la travesía. Como si fueran los supervivientes de un naufragio, se ataron con cuerdas a una almadía improvisada, a la que subieron los dos ingenios nucleares y el resto del equipo, atándolo todo junto.

Cuando salieron de la excavadora, Drake y Will pusieron a punto los cohetes propulsores. Como no había forma de que se oyeran con todo el ruido que llegaba del Cinturón de Cristal, Drake hizo una seña a Will, que giró su propulsor y apretó ligeramente el gatillo.

La llama azul salió por el embudo y los puso en movimiento, pero en la dirección opuesta. Tras varios intentos más, Will se fue sintiendo más seguro con el propulsor y los guió entre las piedras flotantes sobre las que se había posado la excavadora. Salieron de Jean la Fumadora, disparados hacia el inmenso abismo, viendo al fondo, a una distancia inconcebible, el lejano titilar de las luces del Cinturón de Cristal.

Will y Drake se turnaron con los propulsores mientras Elliott comprobaba continuamente la dirección con el localizador.

Will quería evitar el Cinturón de Cristal, tal como el doctor Burrows y él habían hecho al recorrer aquel trayecto por primera vez. Los propulsores eran mucho más efectivos que el retroceso del fusil Sten. Will no sabía a qué velocidad se movían, pero el viento les daba con tanta fuerza en la cara que casi les impedía respirar.

Y mientras pasaban las horas y se acercaban a las luces etéreas del Cinturón de Cristal, Will vio por fin la columna de luz solar a lo lejos. Entonces supo que iban a llegar al mundo interior.

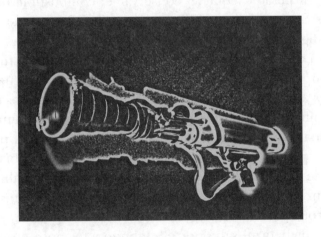

# 24

Cuando estuvieron fuera del cinturón de gravedad cero y adentrándose en la abertura de forma cónica, los rayos del segundo sol se reflejaron en todo como si estuvieran bajo el agua. Will seguía manejando el propulsor para mantener la velocidad y Elliott comprobaba la lectura del localizador. Era imposible que oyera el tictac que emitía, pues el rugido del cinturón de gravedad cero lo llenaba todo.

Pasó media hora antes de que Drake señalara que debían dirigirse a un lado del abismo. En cuanto tocaron suelo firme, Drake y Sweeney se soltaron de la almadía del equipo y las armas nucleares y colocaron una de las bombas detrás de una gran roca, asegurándola con una cuerda. Drake abrió una ventanilla lateral y comenzó a prepararla para que detonase.

—Lo conseguimos —suspiró Elliott, recostándose en el pedregal.

—Sí. Nunca creí que volvería aquí —dijo Will, tendiéndose a su lado. Devoraron al alimón una barra de chocolate y bebieron agua de una cantimplora. Se oyó entonces un gorgoteo y Will, avergonzado, desvió la mirada.

—Ay de mí —gruñó—. Tengo otra vez el estómago revuelto.

—Yo también —dijo Elliott riendo—. Es por la baja gravedad, ¿no?

Will no contestó. Estaba mirando a su alrededor, buscando algún detalle que reconociera de la última vez que había estado allí. Pensó en la cornisa sobre la que Elliott, el doctor Burrows y él habían aterrizado, cayendo después en un profundo sueño inducido por el total agotamiento.

Will miró las pequeñas plantas alpinas que había allí mismo; estaban aferradas al pedregal mediante un sistema de raíces trepadoras semejantes al algodón en rama, y también había un buen número de los árboles enanos de tronco retorcido. Por la abundancia de vegetación, habría jurado que había transcurrido mucho tiempo desde que habían rebasado la cornisa que había estado buscando. Al darse cuenta de que no iba a encontrar nada reconocible, ya que el inmenso tamaño del lugar lo hacía improbable, cerró los ojos.

—¿Estás pensando en Doc? —preguntó amablemente Elliott.

—¿Doc? —replicó, entreabriendo los ojos. Tardó un momento en recordar a quién se refería Elliott. Doc el término afectuoso que Drake le había puesto a su padre adoptivo, el doctor Burrows.

—Supongo que eso significa que no —dijo Elliott al no recibir respuesta.

—No, no estaba pensando en él y, ¿sabes...? Ya nunca pienso en él —confesó Will—. Es extraño, pero tú has recuperado a tu padre y yo me siento como si el mío ya no existiera. Si todos estos años sometido a la Luz Oscura le hicieron como era, entonces todo lo que hacía o decía no procedía realmente de él... y no parece tan... —Will frunció el entrecejo, tratando de encontrar la palabra adecuada—, tan importante, tan importante para mí, ya no.

—Pero a pesar de todo, era tu padre —le recordó Elliott.

Drake cerró la ventanilla del arma nuclear, colocó los tornillos que había quitado y se reunió con los demás.

Sweeney y el coronel habían adosado un correaje a la segunda bomba para que resultara más fácil transportarla.

—¡Chachi piruli! —exclamó Drake, desenganchando un radiodetonador de su cinturón y pulsando una serie de teclas. Sweeney tenía un detonador igual en la mano—. ¿Comprobado?

—Comprobado —respondió Sweeney.

—Estupendo. Una bomba lista para marcarse un *rock and roll* —dijo Drake.

—*Was ist rock and roll?* —preguntó el coronel.

—Lo siento, me refería a que está lista —explicó Drake—. También he tomado la precaución de instalar un dispositivo antimanipulación en el panel de activado, y un oscilador de precisión. Así que en el improbable caso de que los styx recorran todo este camino y tropiecen con nuestra pequeña sorpresa, explotará en el momento en que traten de abrirla o de moverla... y se habrá conseguido el objetivo. Esta entrada será una masa de sílice fundido y nada podrá volver a cruzarla. —Se volvió para mirar la oscuridad del cinturón de gravedad cero—. Aunque de todos modos ahora tampoco es una ruta viable para ellos.

—¿Y la otra bomba? —preguntó Elliott.

—El coronel Bismarck y tú conocéis el terreno, así que quiero que me ayudéis a localizar el pasadizo de los Antiguos —respondió Drake, entornando los ojos ante la luz del sol—. Si utilizamos los dos propulsores a toda potencia, podremos moverla tan lejos como podamos hacia la cima. Luego cargaremos con ella el resto del camino. Doy gracias a Dios por la baja gravedad.

Los propulsores fueron útiles, pero cuando su fuerza empezó a no ser suficiente para contrarrestar la creciente gravitación, todos tuvieron que arrimar el hombro. Hicieron turnos de dos en dos para tirar de la bomba por la pendiente de cuarenta y cinco grados, y pasaron más de doce horas hasta que llegaron al inmenso cráter que señalaba la parte superior del abismo.

—Ya hemos llegado —anunció Drake, calándose unas gafas de sol—. Espero que os hayáis acordado de traer protector solar.

Estaban cubiertos de tierra roja, y tan agotados y con las piernas tan agarrotadas por culpa del ascenso que apenas podían tenerse en pie.

Sweeney se irguió con un gruñido, y cuando se quitó la gorra para secarse el sudor de la frente, los rayos del globo solar le dieron de lleno.

—¡Recórcholis! —exclamó—. Cómo brilla. Es peor que en el trópico, maldita sea.

—Bienvenido al Jardín del Segundo Sol —dijo Will—. O según mi padre, al Edén.

—Pues se aleja bastante de mi idea del Edén —se quejó Sweeney, volviendo a ponerse la gorra y echando un vistazo a las colinas que los rodeaban, cubiertas de arboledas aisladas.

—Probad a dar saltos —sugirió el coronel a Drake y a Sweeney.

Los dos hombres se le quedaron mirando, y Sweeney dio un bote. Alcanzó tres o cuatro veces más altura que si hubiera saltado en la corteza terrestre. Cuando llegó al suelo reía con satisfacción. Inmediatamente dio otro salto, usando sus potentes piernas para subir aún a más altura. Cuando aterrizó, parecía un colegial.

—Quizás este lugar no sea tan malo después de todo —opinó sonriendo.


Drake, Elliott y el coronel Bismarck partieron con la bomba nuclear, mientras Sweeney buscaba un lugar para esperarlos junto a Will. Eligió una hondonada en la ladera de la colina más próxima. No los protegía gran cosa del sol, pero al menos no estaban a plena vista si aparecía por allí algún styx.

Elliott apenas tardó en localizar el arroyo que los llevaría hasta la cascada y a la entrada del pasadizo de los Antiguos. Pero al salir de la jungla, vieron algo que los dejó paralizados.

La cascada que ocultaba la boca del pasadizo ya no existía y no quedaba ni rastro del idílico lago de libélulas iridiscentes en el que derramaba sus aguas en otro tiempo. Pero no era esto lo que los había dejado paralizados.

Habían talado todos los árboles hasta el horizonte y convertido la jungla en campos de barro endurecido por el sol. Y en aquellos campos se alineaba un increíble número de tanques, transportes de personal, cañones de largo alcance y aviones militares, como preparados para entrar en el túnel a la primera orden.

—Mi ejército —fue todo lo que el coronel consiguió murmurar, sacudiendo la cabeza con incredulidad.

—Hemos llegado en el momento justo —dijo Drake—. Cuando los styx hayan terminado de despejar el camino, todo esto podrá salir a la Superficie..., pero como si fueran juguetes de la Clase Guerrera Styx. —Drake inspeccionaba ya lo que había entre las filas de vehículos—. Y tiene que haber centinelas por algún lado... Tenemos que entrar y salir lo más rápido que podamos.

Elliott se quedó vigilando y Drake y el coronel introdujeron la bomba en el pasadizo. Cuando se reunieron con Elliott, Drake tecleó una serie de números en el detonador.

—¿*Rock and roll?* —preguntó el coronel Bismarck.

Drake asintió con la cabeza.

—Hecho. Volvamos con Will y Chispas. Tenemos que irnos a casa —dijo.

—Yo ya estoy en casa —señaló el coronel Bismarck.

Will y Sweeney oyeron el lejano retumbo de un trueno, al poco rato oyeron otro más potente y a continuación vieron un deslumbrante rayo de luz azul, visible incluso a la luz cegadora del sol.

—¡Guau! ¡Vaya relámpago! —exclamó Sweeney, dándose una palmada en la cabeza—. Hasta los viejos condensadores han sufrido una sacudida.

—¿Y también le afectan los relámpagos? —preguntó Will.

—Sólo cuando es una tormenta eléctrica —respondió Sweeney.

—Pues hay mogollón de cosas así en este lugar. ¿Cree que lo resisti...?

—Espera —dijo Sweeney, cogiendo el walkie-talkie que llevaba en el bolsillo y leyendo la pequeña pantalla—. Es Drake. No andan muy lejos. Es casi la hora de la verdad.

—Y sólo hemos llegado hasta aquí —comentó Will, aunque con lo cansado que estaba, se sentía más que contento de poder salir del mundo interior cuanto antes.

Sweeney y él cargaron con las mochilas Bergen y empezaron a andar hacia el cráter cuando el viento arreció y unos feos nubarrones negros ocultaron el sol.

Sweeney vio que Drake y los otros salían de la lejana fila de árboles. Cuando los dos grupos se reunieron en el borde del cráter, se encontraron en medio de un auténtico monzón.

—Bonito clima —bromeó Drake al llegar a su lado. Se quitó las gafas de sol y se limpió la lluvia de los ojos.

—¿Ningún problema con los lugareños? —preguntó Sweeney.

Drake les habló de la increíble cantidad de armamento neogermano que habían visto en espera de ser transportado a la superficie.

Sellar la ruta acabará con los planes de los styx de una

vez para siempre —sentenció—. Y les resultará imposible despejar el pasadizo de los Antiguos durante muchos decenios, ya que la piedra será muy radiactiva.

El agua caía a cántaros a su alrededor, formando grandes charcos en el suelo. A menos de setenta metros de donde estaban, un rayo cegador golpeó la tierra con tanta fuerza que abrió un pequeño cráter silbante.

—¡Jolines! —gritó Sweeney, golpeándose la frente.

—Será mejor que nos vayamos de aquí —recomendó Drake, mirando el cráter por encima del hombro y luego a Chispas, con aire preocupado.

—Yo no voy —anunció bruscamente el coronel. Gritaba para hacerse oír por encima del silbido del viento y del fragor de la lluvia torrencial—. Éste es mi país. Quiero salvar lo que pueda.

—¿Y cómo va a hacer eso, coronel? —preguntó Drake—. ¿Usted solo?

El coronel Bismarck señaló su mochila Bergen.

—Llevo un purgador. Quizá pueda desprogramar a suficientes hombres para vencer a los styx.

Drake se acercó a él y le tendió la mano.

—Buena suerte.

—Buena suerte a vosotros —respondió el coronel Bismarck, mirándolos por turnos.

—La radiación de las bombas será aquí insignificante —informó Drake a Bismarck—. Pero aléjese todo lo que pueda, por si acaso. Tendrá tiempo, porque no voy a detonarlas hasta que estemos en el cinturón de gravedad cero. Yo...

No terminó la frase. Un disparo se lo impidió. El coronel Bismarck se miró el pecho, en el que la sangre que salía de la herida empezó a mezclarse con el agua de la lluvia. Había sido un disparo directo al corazón y no había duda de que la herida era mortal.

Cuando cayó al suelo, todos se volvieron a ver quién había detrás.

—Nadie va a detonar nada —anunció Rebecca Uno.

—¡No! —exclamó Will.

Como si no tuvieran suficiente con la gemela styx, a su lado estaba Vane. Era la primera vez que Will y Elliott veían a una mujer styx. Abrieron los ojos como platos al ver las mejillas de la mujer, infladas por los tres tubos de huevos que salían de su boca como si fueran serpientes, y sus miembros, que eran sólo músculo y hueso, mientras que el abdomen estaba enormemente hinchado.

Rebecca Uno y Vane estaban flanqueadas por un par de Limitadores, que apuntaban con sus armas a Will y al resto del grupo.

—No os disteis cuenta de que os seguíamos, ¿verdad? —preguntó Rebecca Uno con voz zalamera—. Grave descuido por tu parte, Drake.

Will comprendió que tenían que haberse acercado por el interior del borde del cráter. Lo más probable era que hubiese escondido en la jungla uno de aquellos extraños helicópteros de dos rotores, un Drache Achgelis, no muy lejos de donde estaban.

—Encantado de conocerte en persona —dijo Drake. Llevaba el fusil de asalto a la espalda y tenía las manos metidas en los bolsillos. Will no podía creer que estuviera tan tranquilo en aquellas circunstancias—. ¿Cómo supiste que estábamos aquí? ¿Captaste las señales de radio? —le preguntó.

Rebecca Uno negó con la cabeza.

—Fui yo —dijo Vane, escupiendo por sus resecos labios negros—. Olí a otra zorra en celo. —Estaba mirando fijamente a Elliott—. ¿Por qué no te has reunido con nosotras para la Fase?

—¿Yo? —protestó Elliott, estupefacta.

—¡Rediez, si ladi gárgola sabe hablar! —terció Sweeney, sonriendo a Vane.

Con el rostro congestionado por la furia, Vane se acercó a él, agitando los tres pares de miembros insectiformes que le nacían de los hombros.

—Esto es nuevo para mí —susurró Will a Elliott, que lo fulminó con la mirada.

—Quiero... a ése —gruñó Vane mirando a Sweeney, ya con uno de los tubos de huevos saliéndole de la boca—. Quiero poner mis crías dentro de él.

Sweeney rió con tristeza.

—Es una oferta que no puedo rechazar.

Los miembros insectiformes de Vane se agitaron furiosamente al oír aquella impertinencia.

Rebecca Uno puso una mano sobre el brazo de la mujer styx.

—Todo a su tiempo, Vane —aconsejó—. En primer lugar, aquí todos somos profesionales, así que no creo que os sorprenda que quiera que bajéis las armas. Mis hombres os están apuntando, así que nada de cosas raras.

Pensando que todo había terminado, Will y Elliott habían empezado a cumplir la orden. Entonces habló Drake. Había sacado las manos de los bolsillos.

—No —dijo.

—Ah, por favor —dijo Rebecca Uno con un suspiro—. No prolonguemos esto. No podéis escapar, tengo otro destacamento de hombres en el camino. Comprobadlo vosotros mismos, si no me creéis.

Will y los demás se volvieron a mirar. Junto al borde del cráter debía de haber unos cuarenta soldados neogermanos. Se acercaban corriendo en formación, con un Limitador en cabeza. Estaban a pocos minutos de distancia.

Drake levantó lentamente los brazos bajo la lluvia.

—No, no quiero hacer lo que dices. En esta mano tengo

el detonador —dijo con calma—. Una ligera presión y las bombas explotarán. Y os quedaréis en este mundo para siempre. Y si crees que podrías detenerme de un disparo, mira lo que tiene Chispas.

Sweeney levantó un detonador idéntico.

—Y por si no bastara con eso, tengo en la otra mano algo especial de vuestros Laboratorios —acabó Drake. Cuando la sacó del bolsillo haciendo una figurería, el resplandor azul de un relámpago se reflejó en la pequeña probeta.

Ahora acaparaba toda la atención de Rebecca.

—¿Qué es eso? —preguntó la mujer.

—Lo robé de la caja fuerte de tu Laboratorio antes de reducirlo a escombros. Había oído hablar de él a los científicos. Ya sabes lo que les gusta presumir. —Drake agitó la probeta, haciendo girar el líquido de dentro—. Mi amigo el inmunólogo dice que es el patógeno más virulento que ha visto en su vida. Dice que la posibilidad de que se libere le hace temblar, porque es capaz de matar prácticamente toda forma compleja de vida del planeta. ¿Es ése el motivo de que los científicos no lo utilizaran nunca? ¿Que es indiscriminado? ¿Porque también mataría a los styx? —Drake sonrió—. ¿Te suena de algo, querida Becky?

—No me llames así —replicó la interpelada con un bufido. Pero su bravuconería se había esfumado.

—Y mi amigo Charlie lo ha retocado. Con un poquito de manipulación genética, ya no se transmite sólo a través del agua, sino también a través del aire. Así que el viento puede dispersarlo, y mata en unas pocas horas. Es la repanocha —añadió Drake, enarcando las cejas—. ¿Te has vacunado contra él? ¿No? Vaya, no lo había pensado. Qué pena... nosotros sí.

—Es un farol —dijo Rebecca Uno, volviéndose hacia Vane—. Se está tirando un farol. No va a utilizarlo, porque podría abrirse camino hasta la superficie y no correrá ese riesgo. —Se volvió a Drake—. No me importa lo que digas, ya no hay vuelta atrás. Estamos en punto muerto.

De repente pareció que se abría una grieta en el suelo, detrás de un par de Limitadores. Will entrevió a un hombre extremadamente delgado, con barba enmarañada y rostro increíblemente pálido. El hombre pilló despistado al primero de los Limitadores y le rebanó el pescuezo.

—¡Jiggs! —exclamó Drake.

El segundo Limitador tuvo más tiempo para prepararse; mientras Jiggs y él forcejeaban, cayeron por el cráter y se perdieron de vista.

Sweeney aprovechó la distracción y corrió a toda velocidad. Cuando los demás se dieron cuenta, ya había desarmado a los otros dos Limitadores, arrancando literalmente la cabeza de uno de ellos con las manos desnudas.

Aunque todo había ocurrido en un abrir y cerrar de ojos, Will se permitió creer que estaban fuera de peligro.

Hasta que la gemela styx le habló a gritos.

—No vas a librarte de ésta, Will —dijo Rebecca Uno—. Esta vez no.

Sacó su pistola y le apuntó directamente.

Will estaba paralizado.

Rebecca Uno iba a apretar el gatillo.

Drake estaba ya en movimiento.

—¡Chispas! —gritó, tirándole la probeta y poniéndose en la trayectoria de la bala dirigida a Will. Lo alcanzó en el hombro, pero el hombre había tomado suficiente impulso para seguir adelante. Cuando Rebecca Uno se disponía a disparar por segunda vez, saltó sobre ella, la arrastró hacia el cráter y cayeron los dos juntos.

Vane se había unido a la lucha, con los ojos puestos en Elliott. La mujer styx había golpeado a la muchacha, tirándola al suelo. Llevaba los tubos de huevos fuera de la boca y trataba de insertarlos en la de Elliott.

Will tenía el Sten preparado para disparar y esperaba a tener un blanco despejado, pero Vane lo sabía y no dejaba de dar vueltas sin soltarse de Elliott. Will bajó el fusil y trató de sujetar a la mujer valiéndose sólo de las manos.

Pero como si tuvieran cerebro propio, los miembros insectiformes lo golpeaban como si fueran alambres espinosos dotados de vida. Al acercarse, uno de aquellos miembros le arañó la cara, haciéndole un corte en la mejilla.

Un tubo de huevos se introdujo en la boca de Elliott. La muchacha gritó de terror, pero fue un alarido confuso. Will vio una bolsa de huevos comprimida en el tubo y avanzando por él.

—Ven aquí, rubita —gruñó Sweeney. Apartó a Vane de Elliott y asió los miembros insectiformes de la mujer styx con una de sus manazas, como si fueran un manojo de sarmientos. La mujer styx no pudo evitar que la levantaran del suelo y pataleó en el aire con todas sus fuerzas.

Sweeney se volvió hacia el Limitador y las tropas de neogermanos que se acercaban, sin soltar a Vane, que seguía suspendida en el aire, gimiendo como un alma en pena y derramando líquido a su alrededor.

—¡U os largáis ahora mismo o aplasto a patadas a esta fea bruja! —gritó.

El Limitador vaciló.

—¡Lárgate, styx! —gritó Sweeney, sacudiendo a Vane con aire amenazador—. ¡No pienso repetirlo!

El Limitador no sabía lo que acababa de pasar, pero a falta de otra orden, no podía poner en peligro la vida de Vane, así que el pelotón neogermano y él dieron media vuelta y volvieron por donde habían llegado.

—¡Drake! —dijo Elliott, levantándose. Will y él se acercaron al borde del cráter y miraron dentro. Aunque ya habían caído un buen trecho, pudieron ver que Drake y

Rebecca Uno seguían sujetos el uno a la otra; y parecían seguir enzarzados en una pelea.

Seguían cayendo, girando enloquecidamente. Drake tenía un brazo roto a la altura del hombro y no podía moverlo. Y aunque su mano estaba embotada y los dedos no le respondían, no había soltado el detonador. Con el otro brazo trataba de impedir que Rebecca le disparase un tiro.

Pero había perdido mucha sangre y notaba que estaba a punto de desmayarse. Haciendo acopio de las últimas fuerzas que le quedaban, consiguió arrancarle la pistola, que cayó dando vueltas, y ahora Rebecca trataba de arañarle la cara y los ojos con las uñas.

Drake miró la pared del abismo, un borrón rojo que pasaba a toda prisa. Se dio cuenta de la profundidad a la que habían caído.

Sabía que no podían estar muy lejos de la bomba nuclear que habían colocado.

Pero no sabía si Sweeney la detonaría sabiendo que él estaba al alcance de la explosión.

No podía correr ese riesgo.

Drake supo entonces que era muy probable que perdiese la vida.

Rebecca Uno le impedía llegar con la mano sana al detonador. Pero tenía que alcanzarlo de una manera u otra.

Fue entonces cuando recordó que en un compartimento lateral de la mochila Bergen llevaba el cohete. Dejó de cubrirse la cara de los malévolos golpes de la gemela y consiguió ponerlo en marcha. La mezcla propulsora estaba todavía al máximo nivel, como la última vez que lo había utilizado.

Rebecca y él seguían cayendo en el abismo, alcanzando una velocidad vertiginosa.

Drake orientó el cohete para imprimir un movimiento helicoidal a la caída. El impulso hizo oscilar su brazo inutilizado, que apareció ante su campo visual y al alcance de la otra mano.

Seguían cayendo a una velocidad indescriptible cuando segmentó el cohete y arrancó el detonador de sus insensibilizados dedos.

Casi habían llegado al cinturón de gravedad cero. Drake sabía que estaba demasiado cerca del arma nuclear.

Pero eso no importaba ahora.

Apretó el botón que armaba el detonador de la bomba.

El detonador que Sweeney tenía en la mano pitó al captar la señal.

Lo miró.

—¡LA BOMBA! —gritó a Will y a Elliott—. ¡SALID DE AQUÍ A TODA HOSTIA!

No iban a discutir con él.

Se alejaron corriendo del borde del cráter. La escasa gravedad aumentaba la velocidad de la huida.

—Ha sido un placer conocerte, Becky —dijo Drake a la gemela styx cuando salieron del abismo y entraron en el cinturón de gravedad cero, todavía a velocidad vertiginosa.

La styx lo vio sonreír.

También vio que tenía el dedo sobre un botón del detonador.

Sus labios comenzaron a formar la palabra «No», pero

no llegó a pronunciarla. Drake había apretado el botón. Hubo un gran fogonazo cegador, tan brillante como mil soles.

Sweeney zarandeó a la forcejeante mujer styx que tenía delante de él.

—No conseguiré alejarme a tiempo.

Acercó a Vane hacia sí.

—El pulso electromagnético freirá mis circuitos —añadió.

Contempló los tubos ovíparos de la mujer styx, que se agitaban goteando. Sabía que debía acabar con ella, pero en aquel momento la vida se había vuelto sagrada para él. Toda vida.

—Un último beso de despedida, cariño... —susurró.

Cuando la bomba nuclear explotó en el abismo, el pulso electromagnético lo pilló de lleno.

Los electrodos que Sweeney llevaba en la cara se pusieron al rojo blanco, la piel que los rodeaba se quemó, y por los oídos le salieron dos pequeñas nubes de humo.

Y cuando la circuitería que llevaba injertada en la cabeza alcanzó el punto crítico, el cráneo le explotó. Cayó como un gigantesco árbol talado, arrastrando con él a la mujer styx.

La tierra tembló y un torrente de polvo y escombros salió disparado por el cráter. Pero esto duró menos de un segundo, ya que el fondo del abismo se cerró.

Vane trataba de soltarse del coloso, riendo para sí. Aparte de unas cuantas costillas rotas, creía haber escapado ilesa.

Pero con el estruendo de la bomba, no había oído el pequeño crujido de un cristal que se había roto cuando Sweeney chocó contra el suelo, aplastando la probeta que llevaba en el bolsillo.

Cuando el Limitador General llegó a la escena, media hora después, Vane tenía la piel llena de abrasiones y tosía sangre. Cuando el Limitador le preguntó qué había pasado, tenía tanta fiebre que sus palabras carecían de sentido.

El Limitador General, obviamente, supuso que se trataba de la radiación recibida. Aunque esta suposición duró sólo hasta que el Limitador y la guarnición de neogermanos, que habían estado en el cráter, comenzaron a manifestar los mismos síntomas. La realidad fue que en teoría no habían estado lo bastante cerca de la explosión para que les afectara tanto.

A las doce horas, Vane y todos los soldados habían muerto de fiebre.

El mismo Limitador General, tras volver a la ciudad de Nueva Germania, se desplomó sin sentido y murió poco después.

Arrastrado por los secos vientos, el microorganismo patógeno se extendió.

Y no dejó de extenderse.

# 25

Stephanie, sentada a la mesa de la cocina, hojeaba una revista que había leído más veces de las que recordaba. Cuando entró su abuelo, levantó los ojos con expectación.

—¿Hay noticias? —preguntó.

—He hablado con Parry, pero me temo que todavía no sabe nada —dijo el Viejo Wilkie, poniendo el teléfono móvil en el aparador.

—¿Nada? Así que no sabemos si Will está bien.

El abuelo negó con la cabeza. Abrió el zurrón y sacó dos conejos que acababa de cazar y los dejó también encima de la mesa. Stephanie arrugó la nariz con asco.

—¿Qué tal está Chester? —preguntó el Viejo Wilkie.

—Igual que antes, igual que antes. Sentado ahí, como siempre —respondió la muchacha.

El Viejo Wilkie asintió con la cabeza.

—¿Y esos libros que le traje? Parry dice que le gusta leer.

—Le gusta cualquier cosa. No puedo decir que se lo reproche. Empecé a leer uno titulado... —Se quedó pensando—. *El topo de Highland* o algo así.* —Elevó los ojos al techo y sacó la lengua—. Era como muy irreal. —Sacudiendo la cabeza, bajó la vista para mirar el artículo de la revista

---

\* El personaje se confunde (evidentemente, con permiso del autor); en realidad es *El topo de Highfield*. Véase el volumen 4 de la serie *Túneles*, página 498 *(N. del T.)*

que leía por enésima vez y cuyo título era «El factor X - El futuro del talento británico».

—Le gusta esa clase de libros —apostilló el Viejo Wilkie—. ¿Por qué no vas a pasar un rato con él? Trata de hacerle hablar.

Dejando escapar un suspiro, Stephanie cerró la revista y se levantó. Cuando llegó a la puerta, abrió un resquicio para echar una ojeada a la habitación. Chester estaba abstraído junto a la ventana, mirando el cielo que cubría el mar.

Cuando entró Stephanie, levantó rápidamente el libro que tenía en las rodillas. No miró a la joven y fingió estar absorto en la lectura.

Stephanie le observó unos momentos. Había perdido mucho peso en los meses que llevaban en la cabaña. Y aunque había unas vistas espectaculares desde los acantilados de Pembrokeshire, donde se encontraban, nunca había salido a pasear. Al Chester de otros tiempos le habría encantado vivir allí, y habría dado largos paseos por los caminos que bordeaban la costa.

Pero ya no. Ya no quería hablar con ella ni con nadie. No le interesaba nada. Sólo quería estar a solas con su dolor.

Stephanie dio media vuelta y volvió a la cocina, donde su abuelo estaba destripando uno de los conejos.

Sobre la cima de la pirámide, en lo más profundo de la jungla, Will miraba hacia donde sabía que estaba la ciudad de Nueva Germania.

—No quiero volver allí. Nunca —dijo—. Ha sido horroroso.

Elliott se adelantó y se puso a su lado.

—No digas eso, puede que necesitemos más víveres.

Pero a ella tampoco le hacía mucha gracia la perspectiva de una segunda expedición para recoger alimentos enlatados y ropas de las tiendas silenciosas. Habían recorrido juntos aquellas calles sucias y desiertas, con el olor a muerte metiéndose en sus fosas nasales allí donde iban.

—Aquí tenemos todo lo que necesitamos —insistió Will, bajando los ojos para mirar la vieja base del árbol gigante, donde estaban viviendo otra vez.

Una bandada de vistosos loros azules se había reunido en las ramas más bajas. Acudían todos los días, esperando encontrar algún resto de comida. O quizás acudieran porque no sólo habían sucumbido por el virus todos los humanos y los styx, sino también varias especies de animales del mundo interior, y sencillamente buscaban la compañía de cualquier otro ser vivo.

Uno de los loros graznó ruidosamente, como si se estuviera quejando de tener que esperar las sobras.

—Vi a un bosquimán esta mañana —comentó Will.

Elliott lo miró. Con todos los demás depredadores del mundo interior eliminados, la extraña raza de humanoides de piel semejante a la madera era lo único que podía suponer una amenaza para ellos.

—Fue cerca del manantial. Pasé por encima de un tronco caído, de lo que creí que era un tronco, y de pronto vi que tenía ojos. Así que parece que todos ellos también han muerto. —Will suspiró—. Sólo quedamos nosotros, los pájaros y los peces.

Elliott asintió con la cabeza.

—Hablando de peces, adivina qué tenemos para comer.

—No fastidies... ¿pescado? —aventuró Will, siguiéndole la broma.

—No. Mangos —respondió ella, riéndose y haciendo una mueca. Guardó silencio durante unos segundos—. Estabas buscando a Doc otra vez, ¿no?

Will suponía que los Limitadores habían tirado el cadáver de su padre en la jungla, no muy lejos, y estaba decidido a encontrarlo. Elliott y él ya habían enterrado junto al manantial al coronel Bismarck y los restos de Sweeney. Sin ser consciente de lo que hacía, Will se volvió a mirar el lugar de la cima de la pirámide donde su padre había sido alcanzado por un disparo de Rebecca Dos.

—Sí, lo buscaba —confesó Will—. Aunque papá no fuera quien yo creía que era, tiene derecho a un entierro decente. Se lo debo.

—¿Y tú? —preguntó Elliott de súbito—. ¿Y si durante todos aquellos años que pasaste en Highfield los styx utilizaron su Luz Oscura contigo, y te convirtieron en otra persona... una persona de la que me enamoré?

—¿Qué? —replicó Will, volviéndose hacia ella.

—Ya lo has oído —reiteró la muchacha dulcemente, rodeándolo con ambos brazos.

Él hizo lo mismo, estrechándola con fuerza.

# Epílogo

—Emma, lamento que esto no te haya servido de mucho —dijo Rebecca Dos, manteniendo la puerta abierta para que pasase la muchacha de largos miembros y pelo rojizo.

—Yo también lo lamento —repuso Emma, con expresión apesadumbrada.

Una hora antes había estado en la sauna con Hermione, con la temperatura a la máxima potencia y un humano sometido a la Luz Oscura caído a sus pies. Se trataba del masajista que había trabajado en el balneario, un ejemplar de primera, con un cuerpo muy musculoso.

Pero a pesar de la proximidad de Hermione, Emma no había cambiado. Aunque había notado los dolorosos pinchazos en los hombros y la sensación de ahogo en la garganta, donde anidaba el tubo de huevos aún sin desarrollar, no había llegado a nada.

No le habían producido artificialmente la metamorfosis porque aún no estaba lista para la Fase, ésa era la verdad.

—No te sientas una extraña —dijo Rebecca Dos mientras Emma se acercaba al coche que la esperaba. La muchacha estaba alicaída y subió al vehículo sin responder. Volvía al colegio privado para chicas de élite, como si no hubiera sucedido nada, y ningún miembro de su familia de la Superficie sabría nunca dónde había pasado el sábado.

Rebecca Dos se quedó fuera, bajo el frío de las últimas horas de la tarde, mirando ponerse el sol grisáceo por el horizonte. Sin previo aviso, las lágrimas empezaron a humedecerle los ojos.

Al volver a la Superficie, una patrulla de Limitadores había confirmado que el pasadizo que comunicaba con el mundo interior estaba impracticable, sellado por lo que creían que había sido una explosión nuclear. Habían enviado otra patrulla al impredecible viaje a través del cinturón de gravedad cero, pero todavía no había informado de nada. Puede que hubieran perecido en el intento, aunque de todas formas Rebecca Dos no esperaba buenas noticias.

Llevaba varias semanas con aquella sensación. Era como si hubieran arrancado una parte de su naturaleza y en su lugar hubiese una sombra negra. Algo había salido muy mal, y su hermana gemela tenía problemas. O estaba muerta.

Lo sabía y punto.

Se sonó la nariz y se secaba ya las lágrimas cuando el viejo styx apareció a su lado. Se la quedó mirando. No era propio de los styx expresar emociones, y la habría reprendido si no hubiera tenido asuntos más urgentes que atender.

—Tienes que ver esto.

La acompañó al interior del edificio y subieron la escalera hasta el mirador del extremo de la piscina.

Rebecca Dos miró hacia abajo y vio que el agua era de un marrón oscuro debido a la sangre y los cadáveres en descomposición que atestaban los senderos que rodeaban la piscina. Gordas larvas de Guerrero se deslizaban por las baldosas, mientras otras ya empezaban a convertirse en crisálidas, prendidas de las paredes.

—¿Y bien? ¿Qué estoy mirando? —preguntó con sequedad.

—Fíjate en eso —respondió el viejo styx.

Rebecca Dos siguió su mirada hasta un extremo de la piscina. El agua empezó a burbujear, hasta que, salpicando abundante agua, saltó algo de la superficie y aterrizó a un lado de la piscina.

Cuando se despejó el agua sucia, pudo ver una forma del tamaño de un hombre, aunque era casi transparente, como una gamba. Un fluido claro salió de él mientras se abrían sus branquias como un abanico y el ser aullaba como Rebecca Dos no había oído aullar nunca.

—Así que no es un simple mito —susurró sobrecogida—. Es el Armagi.

# Agradecimientos

Me gustaría dar las gracias...

A mi esposa, Sophie, y a mis dos hijos. No existiría nada sin ellos.

A Barry Cunningham, que es mucho más que mi editor. Antes de conocerlo, a principios del verano de 2010, tenía una idea muy diferente de lo que iba a ser la segunda parte de la presente novela. Cuando menos lo esperaba, Barry me preguntó si los styx eran realmente humanos. Como hago siempre que mis lectores me plantean esta cuestión, traté de eludir la respuesta, pero Barry insistió. Él es así. Conforme me sinceraba con él y seguíamos hablando, cristalizaron algunas ideas radicales sobre las mujeres styx y cambié el curso de la acción del libro. Así que si no os gusta el rumbo que ha tomado la historia, ya sabéis con quién tenéis que hablar.

A Catherine Pellegrino de Rogers, Coleridge & White, la mejor agente literaria y el mejor asidero que un escritor puede tener.

A Karen Everitt, que desempeñó un papel crucial en la redacción del libro porque corrigió mis incontables errores gracias a que tiene un conocimiento enciclopédico de toda la serie *Túneles*.

A Kirill Barybin, joven y excepcional dibujante que se puso en contacto conmigo a través de TunnelsDeeper. com, y que me inspiró con sus obras durante los tenebrosos y solitarios meses de parto literario.

A Andrew Douds, por sus valiosos consejos. Cualquier inexactitud que se detecte es únicamente culpa mía.

A Rachel Hickman, Elinor Bagenal, Steve Wells y Nicki Marshall, de Chicken House, y a David Wyatt (extraordinario dibujante de portadas), pues entre todos hicieron este libro como es. Y a Siobhan McGowan de Scholastic, en Nueva York, que siempre está ahí cuando le pido ayuda, a cualquier hora de la noche, y que siempre es muy paciente.

A Simon y Jen Wilkie, y a Craig Turner, que junto con Karen Everitt dirigen TunnelsDeeper.com, y que tanto han hecho por la serie.

Y a muchísimas otras personas que tendría que haber mencionado antes, porque han ayudado de muchas maneras, apoyándome e influyéndome a lo largo de toda la serie. Son: Mathew Horsman, Rosemary Gordon (mi madre), Diana Harman (mi hermana), Patrick Robbins, Andrew Fusek Peters, Richard y Kathy Lynam, Chris y Sue White, Stuart Clarke, Simon y Miranda Grafftey-Smith, Ray Rough, Joel M. Guelzo y Simon Finch.

Roderick Gordon, 6 de abril de 2011